Het Luciferevangelie

Paul Christopher bij Mynx:
Het Michelangelo Mysterie

www.mynx.nl

Paul Christopher

Het Luciferevangelie

Oorspronkelijke titel: The Lucifer Gospel
Vertaling: Mechteld Jansen
Omslagontwerp: © HildenDesign
Omslagillustraties: Open Book © Joern Sackermann / Alamy

Eerste druk november 2006

ISBN 10: 90-225-4666-7 / ISBN 13: 978-90-225-4666-6 / NUR 332

Mynx is een imprint van De Boekerij bv, Amsterdam

Voor Lloyd en Sharon
Omdat ze er allang een verdienen,
mijn vrienden uit de Tsjechische Republiek

1

American Airlines toestel 777 cirkelde over de oude stad, onzichtbaar in het donkerbruine waas van luchtvervuiling. Finn Ryan staarde door haar raampje in het grote straalvliegtuig naar beneden en fronste haar wenkbrauwen. Haar eerste blik op het land van de farao's was niet erg inspirerend. Pittsburgh aan de Nijl.

'Urine,' zei de man in de stoel naast haar. Hij rekte zijn nek uit om uit het raampje te kunnen kijken. Hij was voor in de dertig, had donker haar en was knap, als je van het slordige en nonchalante type hield.

'Pardon?' antwoordde Finn. Ze was jonger dan hij, had rood haar en ze was mooi.

'Urine,' zei de man weer. 'Dat is het eerste wat je opvalt als je uit het vliegtuig stapt. Het stinkt hier overal naar pis.'

'Fijn dat ik het weet,' zei Finn.

De man grijnsde en zijn hele gezicht lichtte op. 'Elke stad heeft zijn eigen geur, is dat je wel eens opgevallen? Londen ruikt naar natte sigaren. Dublin ruikt als een brouwerij... logisch, denk ik. In Hongkong stinkt het als in een kippenboerderij. New York heeft een zwakke ondertoon van rottend afval.'

'Dat is me in New York nog nooit opgevallen,' zei Finn. Ze had bijna haar hele leven in haar geboortestad Columbus en vervolgens in New York doorgebracht, waar ze nu nog woonde. Ze had nog niet veel gereisd.

'Dat komt doordat je daar woont, klopt dat?' zei de man. 'Je bent er gewoon aan gewend, dat is alles, maar het is er, geloof me. Praag ruikt precies als een kliekje geroosterd varkensvlees. Parijs stinkt naar de schoenen van een oude dame. In Saigon ruikt het naar vissoep. Echt waar.'

Finn probeerde zich te herinneren of Columbus een eigen geur had. Ze kon zich alleen de koele frisheid van de rivier de Scioto in de zomer voor de geest halen, en appelbloesem in de lente. 'En hoe ruikt het waar jij vandaan komt?' vroeg ze.

'Naar een gigantische asbak,' zei hij. 'Los Angeles.' Hij stak zijn hand uit. 'Ik heet Hilts.'

Ze schudde de hand kort. Zijn greep was sterk en droog. 'Finn Ryan.'

'Finn. Dat is een afkorting van Fiona, hè?'

'Dat klopt,' zei ze, en ze knikte verrast. Hij was slim.

'Ik vind Finn leuker. Fiona is een beetje... preuts, denk ik.'

Ze vond het beter daar maar niet op te reageren. 'Heb je geen voornaam?'

'Hilts. Alleen Hilts.' Hij wees met zijn kin uit het raam. 'Je eerste bezoek aan Cairo?'

Finn knikte. 'Eerste bezoek waar dan ook aan, eigenlijk. Ik heb net mijn master gehaald. Het lijkt wel of ik mijn hele leven op school heb gezeten.'

'Vakantie?'

'Werk. Als technisch tekenaar bij een archeologische expeditie.' Dat vond ze mooi klinken. Het deed denken aan mannen met tropenhelmen op en aan het graf van farao Toetanchamon. Aan de mysteries van Agatha Christie. Maar bij de gedachte aan het woord 'mysterie' verstrakte ze. Ze had er vorig jaar voor haar hele leven genoeg gehad. Ze herinnerde zich de stervende man in de oude graftunnel en huiverde.

'Interessant.'

'Ik zie wel.' Finn haalde haar schouders op. 'Het is in Libië. Voor het eerst in ruim vijftig jaar dat ze daar een Amerikaanse opgraving toestaan.'

'Libië staat al een tijdje op niet zo'n beste voet met ons,' zei Hilts.

'En de woestijn in het westen is heel griezelig. Het is net een bevroren zee tijdens een vreselijke storm, uitgehouwen in het zand. De duinen lijken op de grootste golven die je ooit op Hawaï hebt gezien, maar dan groter, en gevaarlijker, zij het om andere redenen.' Hij zweeg even en zijn grijns maakte plaats voor een grimas. 'Waar geen zandduinen liggen is het nog erger, als een eindeloos kiezelstrand zonder oceaan. Overdag snikheet, 's nachts ijskoud. Dante heeft er zijn idee voor de hel vandaan.'

'Ben je er wel eens geweest?'

Hilts lachte. 'Lieve schat, ik ben overal wel eens geweest.'

Ze keek hem aan. Hij zat niet op te scheppen, hij constateerde gewoon een feit. Het 'lieve schat' klonk als een teken van vermoeidheid na de reis. 'Wat doe je dan, als je overal komt?' vroeg Finn.

'Ik ben fotograaf,' antwoordde hij. Plotseling helde het vliegtuig zwaar naar rechts. Finn hield haar adem in. Het gesprek werd onderbroken door een *ping* van de intercom en een stewardess die hun landing aankondigde. Ze waren gearriveerd.

2

Finn liep met de vijfhonderd andere passagiers het vliegtuig uit. De meesten waren Egyptenaren die in hun vakantie naar huis gingen om familie te bezoeken. Ze liep mee in de lachende, kletsende menigte, vond uiteindelijk haar bagage en stond bijna een uur in de rij voor de douane om haar bagage erdoor te krijgen. In de terminal was het haast ondraaglijk vol met afhalers en wegbrengers, maar uiteindelijk was ze relatief ongeschonden bij de glazen deuren aangekomen, niet aangerand afgezien van een paar snelle, anonieme graaiende handen toen ze de slurf uit kwam en een onhandige poging om haar heuptas open te ritsen en haar portemonnee te stelen. Tegen de tijd dat ze door de menigte bij de douane en de nog veel grotere mensenmassa bij de paspoortcontrole heen was en eindelijk de uitgang bereikte, had ze al bijna honderd Amerikaanse dollars aan 'fooi' en 'belasting' betaald aan een heel stel vliegveldmedewerkers en -beambten.

Toen ze het gebouw uit stapte, trof de warmte haar als een vuistslag. En dat gold ook voor de stank. Vanaf de grond was de vervuiling haast niet te zien, niet meer dan een metalig waas in de verte, maar het rook precies zoals Hilts had gezegd. Het stonk als een gigantische kattenbak. Finn moest bijna hardop lachen. Zo veel jaar leren en studeren, en dan dit.

Ze keek om zich heen. Overal waren mensen. Duizenden mensen. Tienduizenden mensen, en ze leken allemaal precies te weten waar ze heen moesten. Ongeveer de helft van de mannen had westerse kleding aan; de rest droeg een verbijsterende verscheidenheid aan lange gewaden, *djellaba's* genaamd. Sommigen hadden een tulband op, anderen een wit geborduurd keppeltje, een *tagiyah*, en weer anderen droegen de *kaffiya* in de stijl van Lawrence of Arabia, met een gevlochten zijden band eromheen. De vrouwen droegen rokken of meer traditionele gewaden en ze hadden allemaal hun hoofd bedekt, sommigen alleen met een sjaal, anderen waren helemaal gesluierd. Haar eigen koperkleurige haar, in een paardenstaart en nauwelijks bedekt door haar oude petje van de Toronto Blue Jays, trok onder de mannen veel aandacht, en dat vond ze niet zo prettig.

Auto's, vrachtwagens, scooters, taxi's en toeristenbusjes verdrongen zich aan de stoeprand. Claxons toeterden, mensen schreeuwden en wezen; er stond zelfs een paard-en-wagen met enorme rubberen wielen, hoog opgetast met gedeukte wieldoppen. Finn merkte dat ze een brede grijns op haar gezicht had. De zon was zo heet als de hel en verblindend fel. De geluiden waren pijnlijk luid en het verkeer gaf zijn eigen zure geur aan de lucht af. Het was een gekkenhuis.

Het was geweldig.

Met haar handbagage in één hand en haar koffer achter zich aan slepend zocht Finn zich een weg door de drukke menigte, op zoek naar de chauffeur die haar beloofd was. Ze had een toepasselijk avontuurlijke Toyota Landcruiser verwacht, zoals op Discovery Channel, of beter nog: een landrover. Maar wat ze kreeg was een verontrustend doorgeroeste Fiat-ambulance die op een bepaald moment in zijn lange carrière tot minibus was omgebouwd. De Fiat was ooit rood geweest, maar was al heel lang geleden tot roze verbleekt. Finn kon het haast onzichtbare witte kruis op de deur en het woord EMERGENCY aan de zijkant nog zien staan. Er stond een jonge man naast in spijkerbroek, een strak Shoenfelt-shirt, en met een glanzend Elvis Presley-kapsel. Hij leek een jaar of zestien, maar ze wist dat hij ouder moest zijn. Hij rookte een sigaret en probeerde duidelijk op Al Pacino in *Scarface* te lijken. Hij had een kartonnen bordje in zijn hand met de tekst ADAMSON EXPEDITIE. Haar glimlach werd nog breder: het was een wonder wat het woord 'expeditie' voor je energie kon doen na een lange vlucht in een vol vliegtuig.

Ze sleepte haar bagage de brede stoep over en stak de straat over naar het voertuig met de platte neus. 'Ik ben Finn Ryan.'

De jonge man zuchtte werelds en er kwamen twee dunne rookpluimpjes uit zijn neusgaten. Het zag er belachelijk uit. 'Waar ben je van?'

'Hoe bedoel je?'

'Wat ik zeg. Veldploeg? Labploeg? Vrijwilliger? Specialist?' Zijn Engels was perfect en bijna accentloos.

'Ik ben de tekenaar.'

Hij knikte en nam haar van top tot teen op. Als hij niet zo jong was geweest, had ze het beledigend gevonden. 'Specialist dus.'

'En wie ben jij eigenlijk?'

Hij trok een zuur gezicht. 'Achmed de chauffeur. Achmed de tolk. Achmed de regelaar.'

'Dus je heet Achmed, neem ik aan?'

'Mijn echte naam kun jij toch niet uitspreken. Amerikanen denken dat alle Egyptenaren Achmed heten, of Abdullah of Mohammed, dus ben ik Achmed. Achmed de Egyptenaar.' Hij lachte kort, bitter en blaffend.

Finn glimlachte. 'En hoe denken de Egyptenaren dat alle Amerikanen heten?'

'In jouw geval: *Ah'mar katha ath nan*,' zei Achmed met een opgetrokken wenkbrauw.

'Pardon?'

'Dat betekent de roodharige... min of meer,' zei een stem achter haar. Het was Hilts, de fotograaf uit het vliegtuig. Hij droeg nu een oude, amberkleurige pilotenzonnebril van het merk Serengeti Drivers, een heel oude donkerblauwe pet met op de rand gouden pilotenvleugels geborduurd en een gebarsten, stokoud vliegeniersjack dat veel te warm was in deze verschrikkelijke hitte. Hij rookte een dampende, licht verkreukelde cigarillo. Zijn enige bagage was een grote, grijze plunjezak met de naam HILTS erop.

'Ik ben Hilts,' zei hij terwijl hij zich dicht naar Achmed toeboog, en toen fluisterde hij: *'Balaak bennana derri law Tul'a!'*

Achmeds mond viel open. '*Awah!* U spreekt Dardja?'

Hilts ratelde nog een korte toespraak af in zangerig, rap dialect. Het bloed trok weg uit het gezicht van de jonge Egyptenaar. Hij mompelde iets tegen Finn, maar wilde haar niet aankijken.

Hilts vertaalde. 'Hij biedt zijn excuses aan voor wat hij zei en omdat hij je beledigd heeft en hij vraagt je nederig om vergeving.'

'Wat zei hij dan?'

'Dat wil je niet weten.' Hij wendde zich weer tot Achmed. 'Waarom laad je onze spullen niet even in?'

'Ja, natuurlijk, meneer Hilts,' zei Achmed en hij knikte. Hij begon de bagage in te laden.

'Hoor jij ook bij de expeditie?' vroeg Finn verbaasd.

'Ik zei toch dat ik fotograaf was?'

'Je ziet er eerder uit als een piloot,' zei ze, en ze knikte naar de pet en het jack.

'Dat ook.' Hij glimlachte. 'Ik ben...'

'Zeg maar niets,' zei Finn lachend. 'Je bent luchtfotograaf.'

'Je bent slim voor een meisje.'

Ze klommen in de minibus. Achmed ging aan het stuur zitten en ze reden de stad in. De rit door Cairo was een korte introductie in de kunst van het manoeuvreren door de chaos van het verkeer. In de hoofdstad van Egypte woonden dertien miljoen mensen en zo te zien waren die stuk voor stuk in hun auto ergens naartoe op weg. De meeste wagens waren oud en van Japanse, Russische of Franse makelij, en aan de carrosserie van verreweg de meeste ontbrak minstens één onderdeel. Ze toeterden allemaal door elkaar. Rode lichten werden genegeerd. Er was niets te bekennen wat op een rijstrook leek, en er stond overal verkeerspolitie die nergens enige greep op had.

'Denk als een herfstblad en drijf mee in een snelstromende rivier,' raadde Hilts haar filosofisch aan toen Achmed zich met geweld de stad in drong. 'Uiteindelijk kom je er wel, maar misschien niet via de route of met de snelheid die je in gedachten had.'

Het Nile Hilton was een stenen kolos uit eind jaren vijftig, het eerste moderne hotel van Cairo. Het lag als een gigantisch pakje sigaretten het uitzicht op de Nijl vanuit Midan Tahir te versperren, het overbevolkte centrum van het financiële district en de plek waar al dat verkeer, hoe dan ook, naartoe ging. Achmed zette hen af bij de ingang aan de Corniche El Nil, gooide hun bagage op de stoep en beloofde achtenveertig uur later terug te komen om hen en de andere expeditieleden naar het vliegveld te brengen in het Imbaba-district aan de overkant van de rivier. De jonge man knikte hun kort toe, sloeg zijn portier dicht en reed met blèrende claxon weg in het kolkende verkeer, in een explosie van uitlaatgassen.

'Welkom in Cairo,' zei Hilts. Hij hielp Finn met haar bagage en ze checkten in bij de geijkte hotelbalie in licht eiken en marmer. Toen ze klaar waren stapte de piloot-fotograaf samen met haar in de lift naar boven. 'Ik zie je over een uur bij Da Mario's,' zei hij toen hij op zijn verdieping uitstapte. 'Ik moet mijn shot lasagne hebben.'

'Da Mario's?'

'Het beste Italiaanse restaurant van Cairo. Het is ofwel dat, of de Latex.'

'Latex?'

'Dat is de hotelbar, verrassend genoeg heel stijlvol. Ze hebben wodka-hookah's met een smaakje.'

'Ik ga voor de lasagne.'

'Goede keus. Da Mario's, over een uur.' De deuren gleden dicht. Finn ging nog twee verdiepingen hoger, kwam bij haar kamer en liet haar bagage op het voeteneind van haar bed vallen. Ze ging naar het balkon en stapte naar buiten. De zon ging onder en in het westen was de horizon een bloedrode mistbank van wegstervend licht. Het was het griezeligste, gevaarlijkste en allermooiste wat ze ooit had gezien, alsof ze keek naar een herinnering aan een veldslag die lang geleden uitgevochten was, of naar een visioen van één die nog moest komen. Ze dacht aan de plek waar ze overmorgen heen zou gaan, ergens daarbuiten lag zesduizend jaar geschiedenis voor het grijpen. Ze bleef even staan en draaide zich toen om. Haar hart bonsde hard van de opwinding. Ze ging haar kamer weer in en begon met uitpakken.

3

Da Mario's had oude lampen, donker hout en chianti-flessen met raffia erom. Zeer Egyptisch uitziende obers dwaalden rond met enorme pepermolens en vroegen aan de gasten of ze peper op van alles en nog wat wilden. In een donkere hoek speelde iemand 'Che sera, sera', op een twaalfsnarige Spaanse gitaar. Hilts werkte zich door een groot bord rijkelijk bepeperde lasagne heen en Finn at een salade. Ze deelden een raffiafles chianti. Hilts droeg nu een korte broek en een effen rood T-shirt, en Finn had zich omgekleed in een spijkerbroek en een NYU-sweatshirt tegen de ijskoude airco.

Finn nam een hap salade en schudde haar hoofd. 'Mijn eerste maaltijd in Egypte had ik net zo goed op Mulberry Street kunnen krijgen.'

'We kunnen naar een plaatselijke tent gaan en een overheerlijke *bamya* of misschien *shakshikat beed iskandarani* voor je bestellen, maar dan kom je de komende drie dagen niet van de plee af, als ik dat zo mag uitdrukken.' Hij nam een slokje wijn en viel weer aan op zijn lasagne. 'De eerste regel in Egypte is dat je het water nooit moet drinken. De tweede is dat je het voedsel nooit moet eten.'

'Is het zo slecht?'

'Het is geen kwestie van slecht. Het is een kwestie van wennen. Ze koken hier met kraanwater en doen het door hun eten. Alles wat in het kraanwater zit, komt in jouw eten terecht. Zij zijn gewend aan die ziektekiemen. Jij niet. Zo simpel is het.'

'En bij de opgraving dan?'

Hij haalde zijn schouders op. 'Waarschijnlijk ben je een paar dagen zo ziek als een hond. En ze zullen daar het water wel koken. Je overleeft het wel.'

'Dat zijn van die dingen die mijn vader me nooit heeft verteld over het leven van een archeoloog.'

'Jij bent de dochter van L.A. Ryan, hè?'

'Klopt. Kende je hem?'

'Niet persoonlijk. Maar ik heb ooit een vindplaats in Mexico in kaart gebracht die hij oorspronkelijk ontdekt had.'

'Die in Yucatán? Ik kan me alleen nog de spinnen herinneren. Ze waren zo groot als ontbijtbordjes.'

'Die, ja. Quintana Roo. Chan Santa Cruz. Ze lieten daar voor het eerst infraroodopnames maken. Lastig vliegen.'

'Jij bent echt overal geweest.'

Hij grijnsde. 'Ik kom wel eens ergens.' Zijn schouders gingen iets omhoog en hij nam nog een slokje wijn. 'Dat is mijn werk.'

'Wat vind je van deze klus?'

'Tja.' Hij haalde zijn schouders nog een keer op. 'Ik weet in elk geval dat Rolf Adamson behoorlijk gestoord is.'

'Ik heb alleen het profiel gelezen dat een tijdje geleden in *Newsweek* stond. Meer had de universiteitsbibliotheek niet over hem.'

'Dat kluizenaar-miljardairgedoe?'

'Ik vraag me af hoeveel er van waar is,' zei Finn. 'Ze schilderden hem af als een kruising tussen Bill Gates, Steven Spielberg en Howard Hughes.'

'Plus iets van die eigenaar van Virgin Records. Met een ballon om de wereld reizen, uitstapjes naar de Zuidpool en zo.'

'Een avonturier met interesse in archeologie,' zei Finn, 'die een miljoen besteedt aan een opgraving in de woestijn. Hij moet dus ook een serieuze kant hebben.'

'Volgens mijn bronnen is het eerder een obsessie.'

'Wie zijn jouw bronnen en wat is dat voor obsessie?'

'Mijn bron was een vrouw die werkte bij een opgraving die hij vorig jaar in Israël heeft geleid. Uiteindelijk is hij zijn vergunning kwijtgeraakt. Het ging oorspronkelijk om een van die namaakknekelhuizen daar. Hij wilde een skelet het land uit smokkelen en werd betrapt. Het bleek een vervalsing te zijn, maar dat veranderde niets aan zijn bedoelingen. Als hij iets wil, dan krijgt hij het ook, ongeacht de kosten en of het legaal is.'

'En wat is zijn obsessie?'

'Als je het artikel in *Newsweek* hebt gelezen, weet je wie zijn grootvader was.'

'Een of andere beroemde evangelist uit de jaren twintig.'

'Schuyler Grand. Die van "Het Grote Leger van het Laatste Uur van Gods Verlossing". Er zijn boeken over die man geschreven. De eerste radio-evangelist in Californië, bij ABN: Angel Broadcasting Network. Verdiende miljoenen, investeerde alles in sinaasappelboomgaarden en verdiende nog meer miljoenen. Raakte toen zijn uitzendvergunning kwijt omdat iedereen zei dat hij in het geheim een nazi was. Pleegde zelfmoord op de ochtend van Pearl Harbor. Adamson heeft jarenlang geprobeerd om hem te rehabiliteren. Om zijn naam te zuiveren, zijn theorieën te doen herleven.'

'Wat heeft dat met deze opgraving te maken?'

'Schuyler Grand was onder meer amateur-archeoloog. Hij geloofde in die pseudo-wetenschap van de nazi's over superieure rassen en bracht die in verband met allerlei andere zaken, zoals de Heilige Graal. Zijn grote boodschap was dat de Graal door een van Jezus' discipelen naar Amerika is gebracht.'

'Ze hebben mij verteld dat we de resten gaan opgraven van een oud koptisch klooster in de oase Al-Kufrah.'

'Klopt. De Italianen hebben daar eind jaren dertig al opgravingen gedaan. Ene Lucio Pedrazzi. Zij zochten ook naar dat klooster.'

Finn grijnsde. 'Wat verzwijg je nu voor me?'

'Officieel is dit een onderzoek naar een koptisch klooster. Maar ik weet dat Lucio Pedrazzi het graf van een bepaalde koptische monnik zocht. Een man die Didymus heette. Zowel in het Hebreeuws als in het Grieks betekent dat "de tweeling". Hij is beter bekend als Thomas de Apostel of de Ongelovige Thomas. Kennelijk had Pedrazzi aanwijzingen dat Thomas na de kruisiging naar het westen is gegaan, de woestijn in, in plaats van naar het oosten, naar India.'

'Het lijkt wel een Indiana Jones-verhaal.'

'Pedrazzi werkte bij Mussolini's Italiaanse Archeologische Missie in Libië. Er bestaat nog een ander verhaal, waarin de monnik in kwestie niet Thomas is, maar Jezus zelf. Jezus ontsnapte op een geheimzinnige manier uit zijn eigen tombe, met de hulp van een Romeinse soldaat. Pedrazzi probeerde te bewijzen dat die Romeinse soldaat bij het zogenaamde Verdwenen Legioen hoorde. Toen Jezus jaren later echt stierf, werd het Legioen verantwoordelijk voor zijn beenderen. Ze namen ze mee naar een soort vergeten stad in de woestijn. Volgens Mussolini hadden ze daardoor een bepaalde macht over het Vaticaan. Een krankzinnig verhaal. Pedrazzi is midden in een zandstorm verdwenen en nooit meer teruggezien.'

Finn keek sceptisch. 'Ik begrijp nog steeds niet wat dat allemaal met Rolf Adamson te maken heeft.'

'Stel dat die soldaat de botten uiteindelijk voor de veiligheid naar Amerika heeft gebracht. Dan klopt dat met nog veel meer van die pseudo-wetenschappelijke onzin over oude piramides in Kansas en Egyptische galeien die de Mississippi afvaren, per slot van rekening kan de gemiddelde wilde indiaanse roodhuid toch nooit zulke enorme grafheuvels gebouwd hebben? Racistische onzin, maar veel mensen geloven erin.'

'En jij denkt dat Adamson dat ook doet?'

'Ik weet dat Adamson mijn salaris betaalt. Ik ben pragmatisch. Zo veel werk is er niet.' Hij zweeg even en nam nog een slokje wijn, zette toen zijn glas neer en leunde achterover. 'En jij?'

'Wat je zegt, zo veel werk is er niet.' Ze speelde met haar eigen glas. 'Bovendien is een avontuur een avontuur.'

'En dat lijkt jou wel aan te staan.'

'Hoe bedoel je?'

'Niet zo bescheiden. Hoeveel Finn Ryans, dochter van de beroemde archeoloog Lyman Andrew Ryan, zijn er? Je stond in alle kranten met je capriolen onder de straten van New York.'

'Niet alleen ik.'

'Nee, samen met de bastaard van een Roomse paus en de kleinzoon van Mickey Hearts, een bovengemiddeld grote maffiabaas uit de goede oude tijd. Om nog maar te zwijgen van een hele reeks lijken en een slordige miljard dollar aan gestolen kunstschatten. En nu duik je hier op. Nu we het er toch over hebben: hoe kom je eigenlijk aan deze baan?'

'Iemand heeft me aangeraden.'

'De jonge Mickey Hearts?'

Finn zette haar stekels op. 'Hij heet Michael Valentine en hij is boekhandelaar, geen maffiabaas. De maffia bestaat niet meer.'

Hilts lachte. 'Wie heeft je dat verteld? Meneertje Valentine soms?' Hij schudde zijn hoofd. 'Je kent dat oude verhaal over de duivel toch wel, dat het allerslimste wat hij ooit heeft gedaan was dat hij de wereld ervan overtuigd heeft dat hij niet bestaat? Heel sluw. Iedereen heeft het over de Russen en de Japanners en de Triades uit Hongkong, maar niemand heeft het nog over de maffia.'

Finn wilde er verder op ingaan, maar ze zag iets twinkelen in Hilts' ogen. 'Je zit me te plagen.'

'Niet echt. Michael is ook een vriend van mij. Hij heeft me gevraagd om een beetje op je te letten. Hij is niet zo enthousiast over een paar van de mensen met wie Rolf te maken heeft.'

'Ken je Michael?' Ze merkte dat ze kwaad werd. Zij en Michael waren heel even minnaars geweest, maar ze vond het geen prettig gevoel dat ze bemoederd werd.

'We hebben een paar dingen voor elkaar gedaan.'

'Ik heb geen babysitter nodig, meneer Hilts.'

'Ik ben niet van plan om me zo te gedragen, mevrouw Ryan. Michael vroeg me alleen een oogje op je te houden.'

'Daar zit ik ook niet op te wachten.'

'De woestijn is groot, Finn. Ik kan zelf ook wel een bondgenoot op deze expeditie gebruiken.' Hij stak zijn hand over de tafel uit. 'Vrienden?'

Finn aarzelde even en haalde toen haar schouders op. Ze was erg op haar onafhankelijkheid gesteld, maar had ook de harde les geleerd dat meer mensen soms sterker zijn dan één. Een vriend in een vreemd land als dit kon nooit kwaad. Ze schudde de uitgestoken hand. 'Vrienden.' Ze concentreerde zich weer op haar salade terwijl

Hilts zijn bord leeg at. 'En wanneer ontmoeten we onze filantroop?'

'Hij is al ter plaatse. We wachten op een laatste aanwinst aan de groep en dan vlieg ik ons overmorgen naar Al-Kufrah.'

'En wie is die *mystery guest*?'

'Een Fransman, ene Laval. Een specialist in koptische inscripties van l'École Biblique in Jeruzalem.'

'Een priester?'

'Monnik.'

'Kan interessant zijn.'

'Kan heel interessant zijn,' zei Hilts. 'In de jaren dertig zat er een man van dezelfde onderzoeksschool bij Pedrazzi's expeditie. Een kerel die DeVaux heette. Hij was bij Pedrazzi toen die verdween. Misschien is die Laval wel geïnteresseerd in meer dingen dan krabbels op de muren.'

Finn lachte. 'Hoe weet je dat allemaal?'

'Ik weet graag met wie ik samenwerk en ik heb op lange vluchten veel tijd om te lezen.' Hij trok een wenkbrauw op. 'En ik ben amateur-bedenker van complottheorieën. Geef mij een willekeurig mysterie en ik breng het in verband met de dood van Elvis en de moord op Kennedy.'

'Wanneer komt die geheimzinnige monnik aan?'

'Morgenavond laat.'

'Dan kan ik dus één dagje de toerist uithangen.'

'Ik moet een fotoserie maken voor de *National Geographic*. Waarom ga je niet mee?'

'Waar ga je dan heen?'

'Naar de Stad der Doden. Het levendigste kerkhof ter wereld. Je zult het geweldig vinden.'

4

De uitgestrekte, oeroude en melodramatische stad Cairo heeft vijf grote begraafplaatsen. Ooit lagen ze aan de oostkant van de stad, aan de voet van de Muqattam-heuvels, maar ze zijn al jaren geleden opgeslokt door de gestaag groeiende metropool. Volgens de oude traditie rouwde de familie van de overledene veertig dagen en nachten naast het graf. Daarom hadden zelfs de graven van mensen met een zeer bescheiden inkomen kleine schuilplaatsen voor de levenden, en in welvarende en voorname kringen bouwde men flinke moskeeën en grafhuizen. Er verschenen straten en steegjes tussen de monumenten en uiteindelijk kregen de begraafplaatsen aan de voet van de heuvels de naam Stad der Doden. In de tweede helft van de twintigste eeuw werden de levenden het gebied van de doden binnengedreven door overbevolking, grote armoede en een inwonertal dat met duizend per dag steeg. In de loop der jaren ontstond er een stad binnen een stad, tot er uiteindelijk ruim een miljoen wanhopige zielen op de begraafplaatsen woonden. Ze leefden daar allemaal zonder verwarming, elektriciteit of sanitaire voorzieningen.

Het was vrijdag, de heilige dag voor de moslims, en de straten van Cairo waren vrijwel verlaten, een haast wonderbaarlijke verandering vergeleken met de dag dat Finn was aangekomen. Ze stond in de schaduw van de hotelingang en keek uit over het plein. Links lag het oude Museum van Oudheden, dat al bestormd werd door de passagiers van tien toerbussen die voor de ingang geparkeerd stonden. Rechts was de zandkleurige steen van het hoofdkwartier van de Arabische Liga, en recht tegenover het plein lag de ingang van Cairo's busstation.

Finn had Hilts' advies over de plaatselijke gewoonten opgevolgd en zich zorgvuldig gekleed. Ze droeg een wijde, groene broek en een even verhullende groenzijden bloes. Om haar hoofd had ze een sjaal gebonden die al haar haar bedekte, zelfs haar pony. Ze droeg een onopvallend paar bergschoenen van North Face en haar favoriete zonnebril, die ze ooit bij een drogisterij had gekocht. Ze had haar paspoort achtergelaten bij de balie, droeg geen ander identificatiebewijs bij zich dan haar internationale rijbewijs, en ze had nog geen vijfhonderd Egyptische ponden bij zich, minder dan honderd dollar. Haar digitale camera had ze achtergelaten in haar koffer onder het bed en ze had een Fuji-wegwerpcamera gekocht in de cadeaushop van het hotel. Volgens Hilts was het belangrijk om er bij een uitstapje naar de Stad der Doden uit te zien alsof het niet de moeite waard was om je te beroven, te verkrachten of te vermoorden.

Een donderend geraas verstoorde de relatieve stilte van de ochtend en Finn zag vanaf de kant van de Nijl een enorme zwarte motor het plein opdraaien en naar de ingang van het hotel denderen. De berijder stopte vlak voor haar neus en trok een donkere integraalhelm van zijn hoofd. Het was Hilts. Hij droeg motorlaarzen, een spijkerbroek en een T-shirt met HARLEY DAVIDSON EGYPT erop. Op de zijkant van de motor stond NORTON. Hij reikte achter zich en gaf Finn ook een helm.

'Spring maar achterop.'

'Ik dacht dat we ons onopvallend moesten gedragen.'

'Plezier gaat soms boven verstand. Zo vaak heb ik niet de kans om motor te rijden.'

'Je bent gek,' zei ze. Ze liet de helm over haar hoofd glijden en maakte de kinband vast. Plotseling had de wereld de amberen kleur van haar vizier.

'Dat ook,' zei hij grijnzend. Ze klom achter hem op de motor, sloeg haar armen om zijn middel en ze spurtten weg.

5

Ze reden door een dampende wolk vervuiling over de Corniche El Nil, keerden de rivier en het eiland Rhoda de rug toe en sloegen de brede, bijna verlaten Salah Salim-snelweg op. Rechts lag een stuk braakliggend land met nooit afgemaakte bouwprojecten; links lag Telal Zenhorn, een district dat door de zware aardbeving van 1992 vernietigd was. Het leek een soort uitgedroogde *Blade Runner*. Zware elektrische kabels liepen als dikke zwarte slangen over de daken, tv-antennes hingen aan minaretten.

Ze sloegen bij de afslag Al-Qadiraya af van Salah Salim en gingen steeds langzamer rijden terwijl ze dieper doordrongen in het ingewikkelde web van straten en steegjes van de vervallen en stinkende necropool. Binnen een paar seconden was Finn compleet gedesoriënteerd, verdwaald in een zee van graven en grafstenen.

Ze hielden stil. Voor hen stond een grote, ronde moskee met druppelvormige ramen, prachtig uitgehakt in oude, witte steen. Aan één kant van de moskee, op het dak van een groot grafhuis met dikke muren, stond een verzameling gammele hokken en kratten. Het leek meer op een kippenhok dan op een plek waar mensen konden wonen. Finn stapte van de motor en haalde de helm van haar hoofd. Onmiddellijk gingen haar ogen branden. De vervuiling was hier zwaarder, nog verergerd door een dikke, kleverige mist van grijswit stof dat haar neus en mond verstopte. Hilts stak zijn hand in de buidel om zijn middel, haalde er een mondkapje uit en gaf dat aan haar. Ze bond het dankbaar voor.

Hilts diepte nog een mondkapje op en deed het op. 'Wonen in Cairo komt neer op anderhalf pakje sigaretten per dag roken.'

'Camels zeker?' antwoordde Finn.

'Heel grappig. Houd je mondkapje maar op.' Hij klikte zijn helm vast aan de bagagedrager en deed hetzelfde met die van Finn. Een menigte kinderen, allemaal jongens van verschillende lengtes en leeftijden, had zich om hen heen verzameld. Ze staarden in stilte naar de twee Amerikanen.

'Wat willen ze?' vroeg Finn.

'Wat je maar hebt,' zei Hilts. 'Het zijn bedelaars.'

Maar deze kinderen waren niet de krioelende onschuldige schooiertjes die ze in films had gezien, die hun handjes uitstrekten om een paar munten. Dit was een woeste meute jonge wolven, hun ogen donker en vol haat voor iedereen die meer had dan zij, wat zo'n beetje iedereen ter wereld was. Een van hen, de grootste, droeg een vuil keppeltje, een gescheurde korte broek en een verschoten roze T-shirt van de Care Bears. Net als de andere kinderen zat hij onder een dunne laag grijs stof. Eén hand hield hij diep in de zak van zijn korte broek. In de andere droeg hij een stuk puin zo groot als een vuist.

'*Shu ismaq?*' vroeg Hilts en hij deed een stap naar voren.

'Baqir,' antwoordde de jongen, die de steen iets hoger ophief.

'Geweldig,' mompelde Hilts.

'Wat?'

'Hij heet Baqir. Dat betekent "openscheuren" in het Arabisch.'

'Zitten we in de problemen?'

'Ik kan ze altijd jou laten kidnappen en zelf de benen nemen.'

'Even serieus,' zei Finn.

'Dat ben ik ook,' zei Hilts, maar ze zag dat hij glimlachte achter zijn kapje. Hij stak een hand in de zak van zijn spijkerbroek en wierp de jongen twee munten toe, een voor een. Hij ving ze allebei, maar moest daarvoor zijn steen laten vallen. Hilts zei nog iets in het Arabisch en de jongen knikte. '*Shukran*,' zei Hilts met een kleine buiging. 'Dat betekent "dank je wel",' legde hij uit aan Finn. 'Een goed woord om te onthouden. Dat, en *saadni*!'

'Wat betekent *satni*?' vroeg Finn, worstelend met de uitspraak.

'Help!'

Hilts opende de zadeltas die over de bagagedrager hing en haalde er twee precies dezelfde oude, veelgebruikte Nikon F3's uit. Hij hing de camera's om zijn schouder, nam Finn bij de elleboog en leidde haar weg van de menigte jongens, die nu om de motor heen zwermden.

'Laat je de motor daar gewoon achter?' vroeg Finn verbaasd.

'Ik heb hem vijftig piaster gegeven. Dat is ongeveer een dubbeltje. Ik heb hem vijf pond beloofd als hij op de motor let tot we terugkomen. Ongeveer een dollar. Meer dan hij op een hele dag op straat verdient, tenzij hij een toeristen-*sariq* is, een zakkenroller.'

'Vertrouw je hem dan?'

'Ik heb hem de angst voor God ingeboezemd. Hij weet van wie die motor is.'

'Van wie dan?'

'Een vriendin van me, een dealer op Zamalek, dat is het grote eiland midden in de Nijl dat je vanaf je balkon kunt zien. Ze heeft zes broers.'

'En wie zijn dat?' vroeg Finn. Ze vermoedde al waar dit gesprek naartoe ging.

'*Boukoloi*,' zei Hilts. 'Bandieten. De machtigste bende misdadigers in Cairo.'

'Bandieten. Wat romantisch.'

'Hangt ervan af hoe je het bekijkt. Egypte kent niet zo veel gewelddadige misdaad, als je de verkeersongelukken niet meetelt. Maar Cairo is wel een belangrijk overslagpunt voor heroïne uit Zuidoost-Azië op weg naar Europa en de Verenigde Staten. En verdachte diamanten vanuit Sierra Leone gaan hiervandaan naar Antwerpen. De Nigerianen gebruiken Cairo op grote schaal voor het witwassen van geld. Ongeveer zeventig procent van de illegale software is hier gekopieerd. Bovendien bestaat er een miljardenindustrie in het smokkelen van gestolen kunstvoorwerpen, om nog maar te zwijgen van de vijftigduizend zakkenrollers en honderdduizend kruimeldieven.'

'Dus onze vriend Baqir weet wie die boukoloi zijn?'
'Hij staat misschien zelfs op hun loonlijst. Zijn ouders zijn waarschijnlijk grafhandelaren, als hij nog ouders heeft.'
'Wat is een grafhandelaar?'
'Een modern soort grafrover. Iemand, bijvoorbeeld een portier, een agent of een buurman, hoort van een sterfgeval en neemt contact op met de grafhandelaar. Dan gaat er een troep kinderen zoals Baqir naar het huis van de overledene om dat helemaal leeg te halen, soms nog voor de naaste familie er iets van weet. De meeste kleren die te koop zijn in de *suqs*, de markten hier, komen van de doden.'
'Wat afschuwelijk.'
'Moslims hebben een nauwere band met hun doden dan christenen. Ze vereren hun voorouders, houden zelfs van hen. Ze willen ze niet zo snel mogelijk begraven en dan vergeten. En bovendien is het wel praktisch.' Ze stonden stil bij een geïmproviseerd stalletje van een stuk gerafelde stof tussen twee granieten tombes. Een gesluierde vrouw knielde in het zand achter een stapel kleren. Hilts sprak kort met haar en maakte toen een foto met een van de Nikons. Hij knielde en pakte een met fleece gevoerd shirt dat er haast als nieuw uitzag. Hij vroeg de gesluierde vrouw wat het kostte en ze zei het hem. 'Een pond,' zei hij tegen Finn. 'Twintig cent. Als ik afding, kan ik het voor de helft krijgen.'
Finn rook aan het shirt. Het had een ziekelijk weeë geur. 'Ruik ik wat ik denk dat ik ruik?'
'Soms komen ze pas na een dag of twee bij een dode. Waarschijnlijk droeg hij dit toen hij stierf.'
'Het is jouw maat niet,' zei Finn. Hilts legde het shirt weer neer en ze liepen verder, steeds dieper het labyrint in. De mensenmassa's werden steeds dichter, het opdwarrelende stof verblindde hen half en het voortdurende lawaai vormde een aanslag op hun oren.
Er lagen stapels versleten speelgoed, kapotte afstandsbedieningen, oude plastic bakken, typemachines, videorecorders en gedeukte wieldoppen. De grotere tweedehandskledingverkopers hadden hun goederen in stapels op vellen groezelig plastic uitgestald. Bijna alles leek Amerikaans, en de mensen zoemden als vliegen om de kle-

ren heen. Ze hielden bloezen, ondergoed, broeken, stropdassen, korte broeken, T-shirts of sokken omhoog, dongen af en kochten soms iets, maar over het algemeen liepen ze door.

'Ken je die bakken voor tweedehandskleding die je soms in de stad ziet, bij winkelcentra en zo?' vroeg Hilts. Finn knikte. 'Die kleren komen hier terecht. De zogenaamde goede doelen waaraan je je spullen denkt te geven, verkopen die per ton aan handelaren uit de derde wereld, en die verkopen het zo weer aan de mensen door.'

Een haveloze man op een krukje voor een berg schoenen riep hun toe in verbazend goed Engels. Hij moest hard schreeuwen om boven de voortdurende herrie uit te komen. 'Amerikaanse mevrouw! Julia Roberts! Ik heb schoenen voor u!'

Finn stond stil. Het waren allemaal mannenschoenen. De verkoper hield er een omhoog. Het leek een suède laars uit de jaren zestig, met een rits opzij, in maat 44. Er was er maar een van. 'Dat is er maar een,' zei ze.

De verkoper hield een andere schoen omhoog. Een veel kleinere instapper. 'Ze zijn allebei zwart.' De man glimlachte. Zijn tanden hadden de kleur van natte sigarettenpeuken.

'Maar ze zijn niet hetzelfde.'

'Dan krijg je korting. Half geld voor één,' kakelde de zogenaamde schoenenverkoper. 'Ik hou van jou, miss Julia Roberts!' riep hij haar nog na.

Ze sloegen een hoek om en liepen door een kort steegje naar een groter pad tussen bepleisterde tombes en rijen hoge sarcofagen.

'De veemarkt,' zei Hilts. 'Het kan er hier smerig aan toe gaan.'

Er stak plotseling een windvlaag op en Finn kneep haar ogen dicht tegen een kleine orkaan van opwaaiend stof. Ze knipperde met haar ogen, schraapte haar keel en knipperde nog eens, met tranende ogen. Ze rook de markt voor ze hem zag, een ranzige geur van dood en kadavers die de eeuwige stank van rottend afval en rioolwater in de smalle open goten overheerste. Ze hoorde de markt ook, een krankzinnige mengeling van schapen en geiten en snuffelende varkens en kraaiende hanen. Honden blaften en apen kwetterden.

Er liep een vrouw vlak langs haar heen met een grote, blauwe krat waar aan de zijkant WAL-MART op stond. Finn keek naar de koopwaar van de vrouw en moest kokhalzen. De bak zat vol organen en darmen, die rondzwommen in een soep van bloed en andere vloeistoffen. Aan de kant van de straat zag ze een grote kooi met opgestapelde woestijnschildpadden, honderden. De onderste werden geplet door het gewicht van de dieren erboven.

Ernaast stond een oude glazen vitrinekast vol slangen, sommige zo dik als een kinderarm, bewegingloos, daas van de hitte, de nevel en het lawaai, ver van hun natuurlijke omgeving in het zuiden aan de Nijl. Even verderop in een smal steegje zag Finn een stel kinderen een soort springspelletje spelen rondom een vogelverschrikkerachtige figuur die in een perkje met onkruid stond. De vogelverschrikker droeg een donkerblauw fluwelen smokingjasje en de gestreepte broek van een oud ochtendkostuum. Op zijn hoofd stond een pruik met dreadlocks, en op de pruik weer een oud kapje van tweed. Toen Finn beter keek, zag ze dat de kleren om een uitgedroogd lijk hingen dat aan een metalen paal vastgebonden stond. Het modderbruine skelet van het wezen hing aan elkaar van uitgedroogde kabels leerachtige pezen en spieren. Het gezicht van de vogelverschrikker was zwart en rot. Finn keek de andere kant uit.

'Gaat het?' vroeg Hilts.

Finn slikte de smaak van gal achter in haar mond weg en knikte. 'Ja hoor,' antwoordde ze.

Achter de vleesmarkt, op een pleintje tussen drie sobere kapellen, stonden opgezette dieren uitgestald. Er waren er een paar bij die ze een paar meter terug nog levend hadden gezien, met duivels glimmende poppenogen van glas en gemeen grijnzende muilen vol ontblote tanden. Er waren ook vreemde mengvormen, ganzen met vossenoren, honden met getransplanteerde apenkoppen, felgekleurde papegaaien met uitgestrekte adelaarsvleugels.

'Wie koopt dit soort dingen?'

'In een stad zo groot als deze is er voor alles wel een koper te vinden,' zei Hilts schouderophalend. Hij grijnsde. 'New York, maar dan met piramides.' De menigte stuwde hen voort als stukken wrakhout op het getij, maar Hilts stuurde ze langzaam maar zeker één bepaalde richting uit.

'Waar gaan we nu heen?' vroeg Finn.

'Daarheen,' antwoordde hij, en hij wees. In een steegje zag ze weer een open plek met nog meer stapels koopwaar. Het leken vooral militaire artikelen: gasmaskers, lege mortierhulzen, oude afstandsmeters, minstens honderd paar woestijnlaarzen uit de Tweede Wereldoorlog, benzineblikken en zelfs een klein kanon met een verbrijzelde loop, een overblijfsel uit een lang vergeten veldslag.

Hilts glipte voor Finn uit een smal steegje in, heel even van haar gescheiden. Een grijze bedelaar, bruinverbrand door de zon, sprong ineens voor haar neus, wankelend op een felroze kunstbeen. Hij hield zijn hand op en krijste in onbegrijpelijk Arabisch in haar gezicht, zijn gezicht vertrokken tot een woedend masker. Ze deinsde achteruit, maar had geen bewegingsruimte. De menigte achter haar duwde haar een nog smaller zijsteegje in. Plotseling was Hilts nergens meer te bekennen. Ze was alleen.

6

Ze zag dat ze helemaal van de markt af geduwd was; nergens waren nog stapels koopwaar of afdingende menigten te zien. Ineens stond ze in een andere wereld, een wereld van vervallen muren en ineengedoken figuren in het opwaaiende stof, van een vreemde stilte. Het rumoer van de menigte werd gedempt door de dikke, bepleisterde muren van de graven om haar heen, het licht was veranderd in vluchtige schaduwen. De angst kwam onmiddellijk.

Ze stond stil en draaide langzaam rond in een poging om zich te oriënteren. Voor haar stond een hoge muur, opgetrokken uit bakstenen van leem en stro, met hier en daar kapotte plekken waar bakstenen ontbraken, als uitgeslagen tanden. Links stond een vaalgroen gebouw met een schuin dak en rechts was een smal steegje dat nauwelijks breed genoeg was om er zijdelings doorheen te glippen. Achter haar lag het pad dat terugleidde naar de straat die haar had uitgespuugd.

Die kant liep Finn op. Ze wist dat Hilts naar de grotere open ruimte met de oude, militaire artikelen wilde. Als ze snel was, kon ze hem nog inhalen. Ze schoot door de opening en bleef toen stokstijf staan. Er stond een man voor haar, gekleed in een witte djellaba en een donker colbertje met krijtstreep. Hij liep op blote voeten en had een losse, smerige tulband op zijn hoofd.

Hij was zo te zien in de veertig en had gespierde schouders en een brede borstkas. Zijn ogen waren geelgroen en lagen diep verzonken onder zijn zware wenkbrauwen; zijn neus was groot, plat en krom door een paar oude breuken, en zijn bovenlip en kin waren bedekt met een grijzende snor en baard. Net als alles in de Stad der Doden zat hij onder een dun laagje stof.

In zijn ene hand hield hij een groot, bladvormig zwaard. Het blad was vlekkerig van de roest, maar de harde rand glansde nog van een recente slijpbeurt. Hij hief het kapmesachtige zwaard op, deed zijn mond met een gorgelend, grommend geluid wijd open en liet zien dat hij geen tong in zijn zwarte, vlekkerige mond had.

Eén versteend ogenblik lang stond Finn als aan de grond genageld. Ze kon hem alleen maar aanstaren. Ze voelde een paniekerige giechel uit haar mond komen en moest denken aan die scène in *Indiana Jones* waarin Harrison Ford het moet opnemen tegen een reusachtige Egyptische zwaardvechter. Het was belachelijk, maar het was ook verschrikkelijk echt. Ze was Indiana Jones niet en ze had geen groot ruiterpistool om de groteske figuur met dat zwaard neer te schieten. De man gromde nog een keer en deed toen een uitval. Finn draaide zich snel om en rende weg.

Toen ze het smalle steegje uit rende, sloeg ze intuïtief links af en ze rende langs de afbrokkelende bakstenen muur. Ze ging een hoek om naar rechts en rende verder, met de stampende voeten van haar angstaanjagende achtervolger vlak op haar hielen. Snel bekeek ze de weg voor haar. Ze was in een kleine open ruimte tussen de muren van een paar grote stenen mausoleums. De deuren en ramen waren zwaar beveiligd tegen inbraak.

Op het plein lagen ongeveer twaalf platte stenen, de sluitstenen van eenvoudiger graven. Op een ervan brandde een kookvuurtje. De pan hing aan een metalen haak boven de kooltjes. Finn rende het lege plein op, sprong op de steen en draaide zich naar het vuur toe.

Terwijl ze zich omdraaide greep ze de dampende pan bij een hengsel en zwaaide hem naar achteren, en ze trapte in de gloeiende kooltjes om ze over de steen uit te spreiden. De ijzeren pan met *kohari* plensde recht in het gezicht van de grote man en verblindde hem even met een chaos van kokendhete waterige rijst en linzen.

Hij schreeuwde, greep met zijn vrije hand naar zijn gezicht en sprong op de steen terwijl Finn uitgleed, viel en in het stof terechtkwam. De man hief zijn zwaard op en deed een stap naar voren, maar hij stapte met zijn blote voeten op de verspreide withete kooltjes. Hij brulde, sprong achteruit en viel toen zijdelings in de resten van het vuur. Finn sprong overeind en zette het op een lopen. Ze durfde niet om te kijken naar de schade die ze aangericht had.

Ze wierp zich in een nauwe spleet tussen twee mausoleums en kwam uit in een smal steegje. Vlak voor haar zag ze een open deur, een koele, donkere schuilplaats voor de man die haar achtervolgde. Ze rende het bescheiden grafhuis in. Op de kale zandvloer, maar half bedekt met aarde en stof, lagen drie skeletten netjes naast elkaar. Ze wezen met hun voeten alle drie dezelfde kant uit, naar het oosten misschien, hoewel Finn allang geen idee meer had welke windrichting waar lag.

Zo te zien was er kortgeleden nog iemand in het simpele graf geweest. Er waren graafsporen in het zand, alsof iemand iets had opgegraven. Maar het ging hier niet om archeologie; als er skeletten waren opgegraven, was dat omdat de levenden deze eenvoudige eenkamerwoning wilden betrekken.

Er was ook een deuropening aan de andere kant van de ruimte en Finn stapte over de skeletten heen naar buiten, naar een grote afgesloten ruimte met tien of twintig graven in de openlucht, rijen kleinere grafkamers aan weerszijden en een hoge muur van wat waarschijnlijk een moskee was aan de overkant. Er lagen overal houwelen en voorhamers, stapels gebroken marmer en platen graniet; hier waren grafrovers bezig de graven zelf te stelen, nakomelingen van Saladins bouwvakkers die de piramides van hun gladde buitenkant beroofden om er een stad van te bouwen.

Ze bleef vlak buiten het grafhuis stilstaan om te luisteren. Ze probeerde haar ademhaling en het ratelende bonken van haar hart tot bedaren te brengen. Zo te zien achtervolgde de man met het zwaard en zonder de tong haar niet meer. Tenzij hij veel minder lawaai maakte dan eerst. De echte vraag was natuurlijk waarom hij achter haar aan zat. Ze was een vrouw in een vreemde omgeving, en ook nog alleen. Maar tenzij die gekke zwaardzwaaier zomaar door de Stad der Doden doolde op zoek naar jonkvrouwen in nood, had hij het met een reden op haar gemunt.

Ze kon met geen mogelijkheid bedenken wat die reden was. Haar recente avonturen in de duistere wereld van kunstroof, oude samenzweringen en Vaticaanse politiek hadden helemaal niets met Egypte te maken; bij de kunstwerken die ze – letterlijk – had opgediept onder de straten van New York hadden geen Steen van Rosetta of faraoschatten gezeten. En zelfs als dat wel zo was geweest: wie zou haar nu willen doden? Die periode in haar leven was afgesloten.

Of toch niet?

Als ze zich niet vergiste, had de man met het zwaard op haar staan wachten als een jager die zijn prooi bespiedt. Dat betekende dat hij had geweten dat ze die dag naar de Stad der Doden zou gaan, en behalve zijzelf wist alleen Hilts dat; Hilts, een man die zich aan haar had voorgesteld in het vliegtuig, die zei dat hij bij de expeditie hoorde maar alleen zijn naam aan Achmed de chauffeur verteld had. En wie was die Achmed trouwens, behalve een jonge man met een bordje met ADAMSON in zijn hand?

Ze had het allemaal voor zoete koek geslikt. Haar vriend Michael Valentine had haar kunnen vertellen dat een goede oplichterstruc daar precies om draaide: misbruik maken van vertrouwen, gebruikmaken van het feit dat het slachtoffer gelooft wat hij of zij ziet, gewoon omdat dat is wat hij verwacht. Dat Hilts wist wie ze was, haar achtergrond, haar vader en zijn reputatie, Michaels achtergrond... Dat kon hij allemaal gelezen hebben in het archief van elke grote krant die het verhaal een jaar eerder gepubliceerd had, of op internet. Ze was er met open ogen ingetrapt, had het geloofd omdat ze dat graag wilde en omdat Hilts een knappe, intelligente man was met een snelle glimlach en een vlotte babbel.

Finn vloekte binnensmonds. Ze had zichzelf in de nesten gewerkt; nu moest ze zichzelf er weer uit zien te krijgen. Ze keek snel nog een keer rond in de nauwe, besloten omgeving. Er stond een ruwe ladder van oude planken tegen een grafhuis aan de rechterkant. Naar boven. Misschien kon ze zien waar ze zich bevond als ze maar hoog genoeg was. Het was een poging waard.

Ze rende over de binnenplaats tussen de graven door en klom de ladder op. Ze hees zich op het gebouw van leem en pleister en liep naar de uiterste rand. In alle richtingen strekte zich een doolhofachtige zee van gebouwen uit, allemaal precies zoals dat waarop ze stond, van elkaar gescheiden door steegjes en paden. Sommige stonden zo dicht op elkaar dat ze dezelfde zijmuur hadden; andere stonden vrij, zoals die op de binnenplaats achter haar. Tussen de lage gebouwen stonden hier en daar hogere gebouwen, soms van twee of zelfs drie etages. Grote, fijnbewerkte moskeeën rezen hoog op boven de afbrokkelende zee van baksteen en leem.

In de verte zag ze de paleisachtige vorm van de citadel, duizend jaar geleden gebouwd door sultan Hatim Ibn Hartama als de Koepel der Winden op een kalkstenen uitloper die boven de stad uitrees. Tweehonderd jaar later werd die fors versterkt door Saladin, als koninklijk paleis en fort voor zichzelf en de Abbasidische heersers van de toekomst. Tussen de citadel en de plek waar zij nu stond zag ze een verhoogde snelweg die dwars door de Stad der Doden leek te lopen. Ze zag nog iets anders: een tikkeltje naar rechts, zestig meter verderop, stond een kleine, ronde moskee met ramen die in de vorm van druppels waren uitgesneden. Daarnaast, in sterk contrast met de schoonheid van de moskee, stond een laag hutje van kippengaas en houtresten. Het was de moskee die ze gezien had toen ze van de motor af stapte. Ergens in de schaduw en de sombere, mosterd-en-as-kleurige nevel daarbeneden liep Baqir met zijn bende kinderbandieten. Geen partij voor de griezel met het zwaard die achter haar aan zat, maar beter dan niets. Ze draaide zich om en ging terug naar de ladder.

Ze bukte zich en dook weg. Recht onder haar stond haar enge belager de kleine binnenplaats rond te kijken. Ze kon maar een paar kanten uitgegaan zijn, maar hij had nog niet bedacht dat hij omhoog moest kijken. Zijn gewaad was aan één kant verkoold en hij hinkte. Zo te zien had ze hem wat vertraagd. Hij maakte zachte, dierlijke geluiden en zijn hoofd draaide langzaam om de omgeving in zich op te nemen. Finn kroop weg om buiten zijn blikveld te komen voor het geval dat hij plotseling omhoogkeek. Toen zakte haar voet weg in een zacht plekje op het dak. Een klomp mortel of steen viel luidruchtig neer in de kamer onder haar. De man keek onmiddellijk naar boven. Finn wachtte het niet af. Ze draaide zich om en rende weg, naar de rand van het dak, terwijl de man met het zwaard de ladder begon te beklimmen, brullend van pijn, woede of allebei.

Finn bereikte de rand van het kleine dak, stond even stil en sprong toen over een afgrond van anderhalve meter breed. Ze kwam hard neer op het volgende dak. Het kiezelige oppervlak schaafde haar handpalmen en scheurde de knieën van haar linnen broek. Ze sprong overeind en zag dat de klootzak met het zwaard in zijn hand over het vorige dak strompelde, met één slepende voet. Ze keek om zich heen. Het volgende dak was dichterbij, dus rende ze erheen en sprong met gemak over de smallere spleet. Ze probeerde de richting van de ronde moskee aan te houden.

Ze sprong over een lage borstwering tussen twee grafhuizen en rende verder. Haar adem pompte heet en wanhopig in haar brandende longen. Ze draaide zich even om en snakte luid naar adem. Op een of andere manier was de man met het zwaard erin geslaagd om de afstand tussen hen flink te verkleinen, ondanks zijn gehink. Het volgende dak lag op zeven meter afstand door de openlucht en de grond lag vijf meter onder haar. Het was een braakliggend terrein met verschillende afbrokkelende grafstenen. Iemand had een stuk stof opgehangen tussen palen, om een geïmproviseerd afdak te maken. Ze had geen keus. Ze sprong, mikkend op het doorzakkende doek.

Finn draaide haar schouder naar beneden terwijl ze viel. Ze stortte door het gerafelde doek en vernielde het gammele bouwwerk dat de stof omhooghield. Een vrouw gilde en er klonk nog meer geraas toen de paar potten en pannen op de grond vielen waaruit de keuken bestond die Finn door haar val vernielde. Finn ving een glimp op van een gesluierde vrouw die een naakt kind met opengesperde ogen in haar armen hield. Achter hen hing een stuk poster met een regel Arabisch schrift erop en het Engelse woord DREAMLAND in feloranje letters.

Boven haar hoorde ze een laag gebrul en plotseling viel de zwaardvechter door de wrakstukken van het afdak naar binnen. Hij ging wijdbeens voor haar staan, het enorme kapmes omhooggeheven in zijn handen. Hij gromde een onsamenhangende belofte en viel aan. Finn greep een gerafeld stuk tentdoek en trok dat over het gezicht van de man. Heel even was hij in verwarring. Links van haar, op een verhoogde stenen tombe, lagen de geplukte en schoongemaakte karkassen van een stuk of zes duiven. Hun gevederde koppen waren bij de nek afgesneden en lagen opgestapeld naast de lijven, met glazige ogen en wijd open snavels. Het hakmes waarmee die klus was geklaard lag er nog naast, het blad kleverig van het bloed. Iets verderop danste een groene, zoemende massa vliegen met glanzende vleugels boven een houten bak met de ingewanden van de vogels. Finn greep het hakmes en zwaaide het blindelings rond, en ze voelde een stevige klap toen het blad door vlees sneed en het bot hard raakte. Een vreemde, hoge gil snerpte door de dichte, smerige lucht, maar Finn rende alweer verder.

Ze verliet het braakliggende veldje waarop ze was neergekomen en zag dat ze in een lange, donkere steeg was. Recht voor haar uit rees een dode muur als een klif omhoog. Toen ze opkeek, zag ze de bekende druppelvormige ramen. Het kippenhokachtige bouwwerk was rechts nog net zichtbaar. De hoge muur moest de achterkant zijn van de moskee waar de motor stond.

Achter haar hoorde ze de stampende blote voeten van de zwaardvechter op het pad, en zijn moeizame ademhaling, maar ze keek niet achterom. In plaats daarvan deed ze haar best om nog harder te rennen, terwijl haar ogen van links naar rechts schoten. Er was geen deur aan het uiteinde van de donkere, smalle doorgang, geen ladders of openingen aan de zijkanten, geen enkele uitgang. De steeg liep dood. Ze kon nergens heen, ze zou zich moeten omdraaien en tevergeefs tegenstand bieden, wat alleen kon uitlopen op blinde pijn en uiteindelijk vergetelheid.

Haar enige flauwe hoop was een raam dat in de muur van de moskee zat, maar toen ze dichterbij kwam zag ze dat dat veel te hoog zat om erbij te kunnen. Bovendien werd het afgesloten door een houten scherm met ingewikkeld snijwerk en versieringen. Het had geen zin, ze was zo goed als dood. Ze keek naar de grond in een wanhopige poging iets te vinden wat ze als wapen kon gebruiken, maar er was niets dan hard, kaal zand en de alomtegenwoordige laag stof.

Ze aarzelde en draaide zich al half om naar haar noodlot, maar ineens keek ze weer naar de moskee. Ze zag een beweging en een flits van kleur uit haar ooghoek. Ze hoorde een klap en het houten scherm voor het hoge raam viel in splinters naar buiten. Er verscheen een figuur in een roze T-shirt.

Baqir, de Care Bear-boef.

De jongen riep iets onbegrijpelijks in het Arabisch en ging uit het raam hangen. Hij liet zijn armen langs de vale moskeemuur zakken. Achter hem zag Finn een paar van zijn jonge vrienden, die hem van achteren vasthielden. Met een dolle sprint bereikte ze de muur en sprong, reikend naar de uitgestoken handen van de jongen. Ze voelde dat hij haar polsen vastpakte en haar omhoogtrok. Achter haar zwiepte er iets door de lucht en er klonk een kletterend geluid van staal op steen toen de zwaardvechter naar boven hakte en miste. Het zwaard kwam in de muur terecht in plaats van in haar vlees.

Baqir en zijn bende hesen Finn door het opengebroken raam het koele halfduister van de moskee in. Ze zaten op een verhoogde galerij, afgezet met net zulke houten schermen als die het raam had afgesloten. Onder hen was een lege gebedsruimte waar prachtig geweven tapijten tegenover een hoog, altaarachtig bouwwerk lagen. Boven was niets behalve de gapende leegte van de koepel, die versierd was met fantastisch ingewikkelde tegelmozaïeken in blauw, groen en goud, als de zon die op de velden en de rivieren van het paradijs schijnt.

Baqir en zijn vrienden trokken haar mee naar een smalle trap en joegen haar toen snel over de tapijten naar een gewelfde deuropening aan de andere kant van de hoge open ruimte. Voor hen zaten twee jongens op een grafsteen te knikkeren. Baqir blafte een order. De knikkeraars keken op, antwoordden snel en renden weg. Een van Baqirs kleinere luitenants trok aan Finns mouw en gebaarde met een enkel woord. Ze renden snel een breed pad af en een oud, smeedijzeren hek door naar een verrassend groene tuin vol bloemen voor een klein maar duidelijk welvarend mausoleum. De muren waren pas nog wit gekalkt en de ramen gingen schuil achter ingewikkeld bewerkte houten luiken.

Finn liet zich door haar kraaiende en kwebbelende escorte een smal steegje in leiden. Het steegje kwam uit op een breder terrein dat omzoomd werd door nog meer graven en afdakjes voor de schaduw, precies zoals waar ze eerder was binnengevallen. Dit was een ander soort veemarkt. De stank was bijna overweldigend. Op een ruwe tafel in een hoek lagen dingen opgestapeld die volgens Finn kamelenpoten moesten zijn. Stukken geel bot staken uit doorgehakt vlees en bloederige vacht. Er stonden rijen emmers met ingewanden van geiten, ezels en schapen. Oude potten, blikken en vaten, uitpuilend van de plakken runderlever en rauw vet, stonden te sudderen in de felle zon. Er liepen honderd mensen rond in een ruimte die niet groter dan twee parkeerplaatsen was.

'*Ya'la! Ya'la*,' riep een klein jongetje naast haar, en hij sleepte haar de markt over. Kleine handjes duwden haar van achteren voort terwijl Baqir vóór hen alvast de volgende steeg verkende. Nog geen minuut later strompelde Finn hijgend en uitgeput het plein op waar zij en Hilts de Norton hadden achtergelaten. Baqir grijnsde breed, met glanzende ogen, en maakte een triomfantelijk gebaar met zijn vuist. Finn ging naar de motor en leunde er hijgend tegenaan. Opluchting welde op in een ruwe snik. Plotseling begon haar nieuwe vriendje te schreeuwen.

'*Shoef!*'

Ze draaide zich net op tijd om om te zien hoe het glanzende kromzwaard door de lucht schoot en Baqirs nek bij de schouder doorkliefde. Het ging dwars door spieren, botten en hart. Voordat de jonge boef wist wat er gebeurde, doofde het licht in zijn ogen en viel hij dood neer op de stoffige grond. De zwaardvechter trok het blad uit het gevallen lijf en glimlachte breed. Zijn eigen bloed plakte dik op de bovenarm van zijn oude colbertje, en zijn donkere ogen fonkelden.

Hij gromde iets wat klonk als '*Kus umak!*' en kwam zo goed en zo kwaad als het ging op haar af lopen, slepend met zijn rechtervoet. Hij zwaaide het bloederige zwaard rond als een knuppel. Baqirs bende sloeg schreeuwend van doodsangst op de vlucht toen de afgrijselijke verschijning langzaam maar zeker naderde, behalve Finns kleine beschermer, die trouw naast haar bleef staan, zichtbaar bevend, met zijn handje op haar mouw. Het kind deed een stap naar voren en spuugde op de grond. Hij schold de zwaardvechter met een hoog stemmetje uit, bukte en wierp een stuk puin naar hem toe.

'*Sharmut!*' krijste het jongetje. Tranen van woede stroomden over het aangekoekte vuil en roet op zijn gezicht.

Het stuk steen raakte de man tegen zijn niet-gewonde schouder en kaatste zonder enige schade weg. De man kwam glimlachend dichterbij. Finn greep het kind vast en trok hem weg, duwde hem achter haar. De man hief zijn zwaard op. Baqirs bloed droop van het blad. Het leek alsof Finns hart ophield met slaan en ze voelde een kalme, dodelijke kou over haar komen. Ze zag Baqir opnieuw als een nutteloos ding in het stof vallen, weggegooid. Het groteske schepsel met het bloederige zwaard in zijn hand zou ervoor boeten. Ze bekeek het verschrikkelijke gezicht dat haar naderde onderzoekend en vroeg zich af of ze een kans zou hebben om zijn strot door te bijten voor ze stierf.

'*W'aleikum sallam.*' De woorden klonken zacht en dichtbij. De man met het zwaard stond stil, verrast door de stem. Hij draaide zich half om en daardoor raakten de drie vlak bij elkaar gemikte kogels hem hoog in de ribben. De kogels braken de kromme botten die de borstkas beschermden in honderd messcherpe splinters, die zijn longen en hart doorboorden. De man verloor zijn evenwicht en viel als een vod achterover. Twee van de drie kogels kaatsten in het vlees heen en weer tot ze het lichaam verlieten, dwars door het rechterschouderblad en de wervelkolom, in een nevelige stralenkrans van bloed en bot en stukjes stof van het oude krijtstreepjasje. De dode zwaardvechter viel met een bons op de grond alsof hij een zware zak aardappelen was.

Finn keek op. Hilts bleef nog een moment stilstaan, het kleine, vierkante automatische wapen van de Zuid-Afrikaanse RAP op een armlengte voor zich in een stevige, eenvoudige greep. Het moment ging voorbij en hij klikte de veiligheidspal omhoog, propte het wapen in zijn broekband en bedekte het met zijn T-shirt.

Hij bukte zich, raapte snel de drie .40-kaliber patronen op en stopte ze in zijn jaszak. Met drie stappen stond hij naast de motor. Hij trok een opgevouwen stapeltje Egyptische ponden uit zijn broekzak en drukte die in de handen van het kleine jongetje dat nog steeds naast Finn stond en met kinderlijk ontzag naar de neergeschoten zwaardvechter keek. Hij vouwde de vingers van het kind stevig om het geld en fluisterde hem iets in het oor. Het kind keek op naar Hilts en knikte. Het geld verdween onmiddellijk onder zijn gerafelde vuile kleren.

'*Imshee, imshee!*' zei Hilts. De jongen wierp even een blik op Finn, de tranen nog in zijn ogen, kuste toen haar hand en rende weg. Naast de dode zwaardvechter bleef hij even stilstaan, om wat zand over het gezicht te schoppen en te spugen. Toen pakte hij de bloederige handgreep van het zwaard vast en sleepte het met zich mee. Waar de punt over de harde aarde trok liet hij een dun spoor achter. In de verte hoorde Finn het vage geluid van een fluitje.

'We moeten hier weg,' zei Hilts. Hij stopte zijn twee Nikons in de zadeltas, gaf Finn haar helm en zette die van hemzelf op. Hij sprong op de motor. 'Kom op.'

Finn klom achterop. De sirenes kwamen nu dichterbij. 'Zeg nog eens hoe je "dank je wel" zegt,' vroeg ze zachtjes.

'*Shukran*,' antwoordde Hilts.

Ze keek naar het gebroken lijk van Baqir, languit in het zand. Een grote plas stoffig bloed omgaf zijn hoofd en schouders, en de vliegen verzamelden zich al.

'*Shukran*, Baqir,' fluisterde ze zachtjes, en ze klapte haar vizier naar beneden. Hilts startte de motor, liet hem een keer brullen en toen raceten ze weg uit de Stad der Doden.

7

Hilts bracht de Norton terug naar zijn eigenares en liep toen door de beschaduwde straten terug naar Hotel Longchamps, waar hij Finn had afgezet. Ze zat aan een beschut tafeltje in een hoek van het terras op de tweede etage van een kopje Amerikaanse koffie te nippen en uit te kijken over de chique buurt op het eiland Zamalek. Hier was geen spoor van de verschrikkelijke beelden die ze zojuist had gezien. Geen mensenmassa's, geen waas van verstikkend stof. Niets dan het rustig bewegende verkeer in de aangename straten onder haar, het ruisen van de wind in de bomen en een verre glimp van de rivier een paar straten verderop. Ze had net zo goed ergens in Westchester of Mount Vernon kunnen zitten. Op een plek als deze was de Stad der Doden niet meer dan het verre fluisteren van een nachtmerrie. Hilts ging naast haar zitten, zijn ogen verborgen door zijn zonnebril. Hij bestelde een groot glas ijsthee en keurde dat vervolgens een hele tijd geen blik waardig.

Finn begon uiteindelijk te praten. 'Ik heb zojuist een klein jongetje vermoord zien worden en jou een man zien doodschieten. Je stond erbij alsof het een schietoefening was. Het leek niet je eerste keer. De politie is op zoek naar degene die die man gedood heeft, ik ben erbij betrokken en ik wil verdomme gewoon weten wat er aan de hand is.'

'Dat weet ik eigenlijk niet.'

'En die man die achter mij aan zat? Wie was dat?'

'Geen idee.'

'Hij kon niet weten dat ik daar zou zijn, tenzij jij het hem verteld hebt.'

'Ik heb hem nog nooit eerder gezien. Ik weet alleen maar dat een van Baqirs jongens me kwam zoeken en zei dat jij in de problemen zat, dus toen kwam ik achter je aan.'

'Met een pistool.'

'Klopt, met een pistool.'

'Leg dat eens uit.'

'Daarvoor ging ik eigenlijk naar de Stad der Doden. Het is niet meer zo makkelijk als vroeger om een pistool in je bagage door de douane te krijgen.'

'Ik dacht dat je erheen ging om foto's te maken.'

'Ging ik ook.'

'Dus als ik *National Geographic* bel, weten zij waar ik het over heb.'

'Vraag maar naar Russ Tamblyn.'

'Je hebt me nog steeds geen verklaring gegeven voor dat pistool.'

'Dat had ik nodig.'

'Hoezo?'

'Om te beginnen omdat ik Adamson niet vertrouw, en ik ben ook niet zo blij met onze zogenaamde contactpersoon bij de Libische overheid.'

'Wie is dat?'

'Een man die Mustapha Hisnawi heet. Hij schijnt een soort archeoloog te zijn, maar uit wat ik hoor is hij daarnaast kolonel van *Haiat amn al Jamahiriya*: de Jamahiriya Veiligheidsorganisatie. Dat is de Libische geheime dienst.'

'Waar haal je dat soort informatie vandaan?'

'Ik heb een heleboel vrienden, en zoals ik al zei, ik lees nogal veel.'

'Zo te zien schiet je ook nogal veel.'

'Af en toe.'

'Waar heb je dat geleerd? Niet uit boeken, toch?'

'Bij de scouting.'

'Ja hoor.'

'Echt waar. Ik heb er zelfs een medaille voor gekregen. Ik heb ook een paar jaar bij de mariniers gezeten.'

'Ik weet niet of ik dat wel geloof.'

'Geloof wat je wilt. Ik weet alleen dat die vent zo te zien jou doormidden wilde hakken.'

'En in plaats daarvan hakte hij Baqir doormidden.'

'Ik kwam te laat, dat vind ik heel erg. Ik zou er alles voor over hebben gehad om dat te voorkomen.'

'Je had misschien geen spijt hoeven hebben als je er niet heen was gegaan voor een pistool.'

'Misschien niet, misschien ook wel.'

'Hoe kun je zo harteloos zijn? Er is een kind vermoord.'

'Ik heb hem toch niet gedood? Dat heeft die klootzak met dat zwaard gedaan. Een klootzak die achter jou aan zat, weet je nog wel? Niet achter mij.'

'Wat me weer terugbrengt bij mijn eerste vraag: waarom zat hij achter me aan?'

'Misschien heeft het iets met de expeditie te maken?'

'Wat dan? Ik ben de technisch tekenaar en cartograaf. Ik ga plattegronden maken van de vindplaatsen en schetsen van de voorwerpen. Ik sta niet zo hoog op de ladder.'

'Een oude vijand?'

'Zulke vijanden heb ik niet.'

Hilts dacht even na. 'Wie heeft jou aangenomen?'

'Adamsons kantoor in Californië.'

'Heb je een sollicitatiegesprek gehad?'

'Over de telefoon. Het arbeidsbureau van de universiteit heeft hun een aantal mogelijke kandidaten gestuurd. Ze hebben mij eruit gepikt, ik heb mijn cv plus een lijst referenties opgestuurd en toen kreeg ik een telefonisch sollicitatiegesprek van vijf minuten.'

'Met wie heb je toen gesproken?'

'Een man die Forrest heette, een van Adamsons personeelsfunctionarissen.'

'Die heeft mij ook aangenomen.'

'Is dat belangrijk?'

'Weet ik niet.'

'Ik houd niet van mysteries.'

'Ik ook niet.'

'Dus waarom zat die vent achter me aan?' Ze schudde haar hoofd. 'Hij moet ons al een hele tijd gevolgd hebben. Toen jij en ik uit elkaar raakten zat hij meteen op mijn nek. Alsof hij op me stond te wachten.'

'Dat kan niet. Niemand wist dat we daar zouden zijn.'

'Dat zeg jij.' Finn haalde haar schouders op.

'O, lieg ik soms?'

'Hoe kan ik nou weten of je de waarheid vertelt?'

'Waarom zou ik liegen?' antwoordde hij.

'Volgens mij komen we nergens zo.'

'Waarschijnlijk niet.' Er viel een lange stilte. Uiteindelijk deed Hilts zijn mond weer open. 'Aliyah,' zei hij, terwijl hij bij zichzelf knikte.

'Wat?'

'Niet wat, wie. Aliyah is de vrouw van wie ik de motor geleend heb. Zij heeft me ook verteld waar ik in de Stad der Doden een pistool kon krijgen. Ze wist waar ik heen ging.'

'Denk je dat zij het aan iemand heeft verteld?'

'Ik kan niemand anders bedenken.'

'Waarom zou ze zoiets doen?'

Hij trok een grimas. 'Voor geld. Dat is de enige reden waarom ze dingen doet.'

'Aan wie dan?'

'Adamson?'

'Hij huurt ons in en daarna vermoordt hij ons?' Finn schudde haar hoofd. 'Dat is niet logisch. En het verklaart nog steeds niet waarom die man het speciaal op mij gemunt had.'

'Misschien was dat ook niet zo,' zei Hilts, terwijl hij zijn schouders ophaalde. Hij veegde met zijn vinger over de condens op zijn glas. 'Misschien wilde hij jou eerst pakken en mij bij de motor opwachten als hij klaar was met jou. Dan zou hij ons allebei kwijt zijn, precies zoals degene die hem ingehuurd heeft zou willen.'

'En hoe komen we erachter wie dat was?'

Hilts pakte eindelijk zijn glas en hief het in een spottende toost. 'Door morgenochtend fris en gezond op te staan en het gebied van de vijand binnen te vliegen.'

8

Ze droomde dat ze Baqir opnieuw zag sterven en werd toen wakker in haar kamer. De lichte gordijnen voor de balkondeuren waaiden met een zacht geluid naar binnen, als spookachtige vleugels. Ze lag alleen in het duister te luisteren naar de verre geluiden van de stad en het verkeer op de Corniche El Nil ver beneden. Hoeveel doden en sterfgevallen had de Nijl al gezien in al die jaren dat ze door deze stad stroomde, op weg naar Alexandria en de zee?

De gordijnen fluisterden opnieuw en ze ging half overeind zitten, met het laken opgetrokken tot haar schouders tegen de kou. Ze keek op de lichtgevende wijzerplaat van haar horloge. Drie uur. Ze herinnerde zich een liedje dat haar vader ooit voor haar moeder had gespeeld, op een kerstavond toen ze nog klein was. Hij pingelde het op de oude piano die in de hoek van de woonkamer stond en die niemand ooit gebruikte. Ze had het alleen die ene keer gehoord, maar de herinnering was net zo helder als de liefde en de genegenheid waarmee haar vader het had gezongen.

We dansen al uren op dit bal,
Drie uur 's morgens is het al.
Al komt de dageraad nu gauw,
Nog één wals wil ik, met jou.
Die muziek die ons zo innig raakt
lijkt wel voor jou en mij gemaakt
Ik zou willen dansen voor altijd
Met jou, mijn lief, tot in de eeuwigheid.

Dat was heel ver van de dood en de oevers van de Nijl. Toen ze daar lag besefte ze plotseling dat ze niet alleen was in de kamer. Een schaduw bewoog even, en toen ze in de verste hoek staarde werd de schaduw een vorm, en de vorm werd een man. Hij schraapte zijn keel en heel even flitste er een lucifer op, die kort een rond, zwetend gezicht met een bril verlichtte. Een man van misschien in de zestig, met dun haar dat de geelwitte kleur van nicotine had. Hij had dikke lippen en een smalle kin. De sigaret die hij rookte was plat. Ze rook sterke, zwarte tabak. Ze zag Hilts even voor zich met een klein, zwart pistool in zijn hand, maar Hilts zat een paar verdiepingen lager. Ze wierp een blik op het nachtkastje. Portemonnee, sleutels, de wegwerpcamera die ze nooit gebruikt had. Niets wat ook maar in de verte op een wapen leek, om nog maar te zwijgen van het feit dat ze naakt sliep. Ze hees zich op tegen het gecapitonneerde hoofdeinde en trok het laken nog wat hoger op. Hoe was hij hier verdomme binnengekomen? Net als alle andere hotels ter wereld gebruikte het Hilton tegenwoordig elektronische kaartsleutels.

'Ik heb een kamermeisje omgekocht. Die hebben allemaal lopers,' zei een stem uit het duister, alsof hij haar gedachten kon lezen. De sigaret gloeide op en weerspiegelde in de brillenglazen van de man. 'Als je maar lang genoeg in Egypte bent, begrijp je vanzelf dat je alles in dit land kunt kopen. Een soort aalmoezenstelsel.' Het accent van de man was vroeger Brits geweest, maar was al lang geleden verbleekt en afgezwakt. De eenzame stem van de thuisloze. 'Er zijn verschillende soorten aalmoezen, weet je. Je hebt de gift aan de bedelaar, waarmee degene die de aalmoes geeft de gunst van God krijgt. Dan heb je...'

Finn viel hem in de rede. 'Misschien kunt u eerst even vertellen wat u in mijn kamer doet en wie u eigenlijk bent!'

'Ik heb mezelf nog niet voorgesteld, hè? Mijn excuses. Ik heet Simpson, Arthur Simpson. Ik had je wel een kaartje willen geven, maar ik geloof dat ze op zijn.' Hij nam nog een trekje van zijn kwalijk riekende sigaret, sloeg zijn benen over elkaar en tipte de as in de omslag van zijn broek. 'Ik ben een soort gids. Uitstapjes organiseren naar de Grote Piramide en de Sfinx, tolken voor Duitsers en Zwitsers, hiërogliefen ontcijferen voor oude besjes uit Upper Tooting.'

Finn staarde in het duister. Hij leek op John Cleese in een bizarre monoloog uit een oude *Monty Python*-aflevering. 'U hebt nog steeds niet verteld wat u in mijn kamer doet.'

Simpson lachte zachtjes. 'Je deugdzaamheid loopt geen gevaar. Dat kan ik je verzekeren. Ik ben veel te oud voor dat soort zaken.'

'Dat is geen antwoord,' zei Finn.

'Dat was ook geen antwoord,' zei Simpson zuchtend. 'Het is gewoon een feit, vrees ik.' Hij zweeg even en nam nog een diepe trek van zijn sigaret. Finn zag dat hij veel ouder was dan ze eerst had gedacht. Zijn gezetheid maskeerde zijn ongezonde huidskleur en de donkere wallen onder zijn ogen. Zijn lippen waren gebarsten en droog en zijn kin was bedekt met baardstoppels van een dag. Uiteindelijk praatte hij verder. 'Eerlijk gezegd ben ik hier om je te waarschuwen.'

'Waarvoor?'

Simpson veranderde weer van onderwerp. 'Ik heb je vader nog gekend, weet je.'

'Waar hebt u het over?'

'We hebben samen gestudeerd. In Cambridge.'

Finn staarde de kamer in. Dat haar vader met een beurs voor zijn postdoctorale onderzoek naar Cambridge gegaan was, kon hij niet zomaar weten. Aan de andere kant was het ook geen staatsgeheim. 'Ik kan me niet herinneren dat hij het ooit over een Arthur Simpson heeft gehad.'

'We hebben twee jaar op een set gewoond.'

'Een set?'

'Kamers in de Magdalene. Als in: een setje kamers. Vervelende studentikoze dubbelspraak, vrees ik. Je kunt daar zelfs op afstuderen. Semiotiek of semantiek of zulke onzin.'

'Waarom komt u niet ter zake zodat u daarna weg kunt?'

'Ja, goed. Nou, zoals ik zei, ik heb je vader gekend, en hij mij, wat veel belangrijker was. Je zou zelfs kunnen zeggen dat we collega's werden.'

'Was u archeoloog?'

'Lieve hemel, nee! Ik was spion.'

Finn trok het laken hoger op. Het was zeker niet algemeen bekend dat haar vader voor de CIA had gewerkt, met zijn werk als onderzoeks- en veldarcheoloog als dekmantel. 'Wat heeft dat met mijn vader te maken?'

'Niet zo bescheiden, lieverd. Dat past niet bij je en het doet je vaders naam geen eer aan. Je weet net zo goed als ik wat hij in al die oerwouden uitvoerde.'

'Ga verder met uw verhaal,' zei Finn.

Simpson drukte zijn peuk uit in de asbak, trok onmiddellijk een gekreukt pakje tevoorschijn en stak een nieuwe sigaret aan met een gedeukte oude Ronson-aansteker. Hij klikte de aansteker met een harde, droge klik dicht en begon weer te praten.

En Finn luisterde.

9

De tweemotorige Cessna Caravan dreunde in de vroege middag door de oververhitte lucht hoog boven het uitgestrekte en gerimpelde duinlandschap van de Libische woestijn. Hilts zat op de pilotenstoel en stuurde, zachtjes voor zich uit fluitend. Naast hem zat Finn Ryan. Haar zonnebril schermde haar ogen af tegen het haast onmogelijk felle licht. Achter hen zaten de twee andere passagiers, Achmed de chauffeur, zijn hoofd achterover tegen de grijsleren rugleuning, met zijn ogen dicht en zijn mond open. Hij snurkte luid. Naast hem zat de monnik, broeder Jean-Baptiste Laval, met zijn neus diep weggedoken in een boek. Hij was begin veertig, droeg zijn grijzende haar heel kortgeschoren en had een gespierd lichaam dat niet leek te passen bij het leven waarvoor hij gekozen had. Hij zag er meer uit als een marinier dan als een kenner van koptische inscripties. Het oude, in leer gebonden boek in zijn hand droeg op de rug in gouden letters de titel *Vita S. Antoni*, het leven van de Heilige Antonius. De laadruimte achter de twee mannen was volgestouwd met verse proviand voor de expeditie.

De vlucht vanaf het vliegveld in Giza was tot dusverre zonder bijzonderheden verlopen. Na een korte, adembenemende blik op de piramides was er niets anders te zien geweest dan ruige woestijn en zand. Nu ze over de Grote Zandzee vlogen leek de monotonie van de duinen net zo meedogenloos als die van een lege, door de wind geteisterde oceaan. Achmed was bijna onmiddellijk na hun vertrek in slaap gevallen, en Laval de monnik had zijn boek een paar seconden nadat de stoelriemen los mochten tevoorschijn gehaald. Hij had nog geen tien woorden gesproken tegen wie dan ook, en het zag ernaar uit dat hij dat in de nabije toekomst ook niet ging doen.

Finn wierp een blik op Hilts. Tot dusverre had ze nog geen woord gezegd over haar nachtelijke gesprek met de geheimzinnige Simpson. Volgens het dikke mannetje werkte ten minste één lid van de Adamson-expeditie voor de CIA, en Simpson dacht dat de opgraving misschien meer met spionage dan met archeologie te maken had. Volgens hem was niemand te vertrouwen, Adamson zelf nog wel het minst. Simpson wist net zo veel van de achtergrond van de expeditieleider als Hilts, en misschien nog meer.

Volgens de in Cambridge opgeleide spion was Adamson een geheime aanhanger van de Tiende Kruistocht, een gewelddadige, extreem rechtse organisatie die geloofde dat het christelijk geloof in groot gevaar verkeerde en met militaire middelen verdedigd moest worden. Finn had vaag van die splintergroepering gehoord. Anders dan de meeste zogenaamd vaderlandslievende milities voerde deze haar gruweldaden ver buiten de Verenigde Staten uit. In de afgelopen paar jaar had de Tiende Kruistocht, die als symbool een kruis met het Romeinse cijfer X voerde, de verantwoordelijkheid opgeëist voor aanslagen in Bagdad, Teheran, Kabul en Belfast.

Woordvoerder van de organisatie was kolonel James Matoon Judd, onderscheiden met de Vietnam War Medal of Honor en de uit Colorado afkomstige jongste senator. Judd, een fanatieke rechtse fundamentalist, werd meestal gezien als een vreemde vogel die vaak zijn boekje te buiten ging. Hij was in de Senaat al twee keer gewaarschuwd vanwege zijn racistische en opruiende opmerkingen. Het feit dat Adamson banden onderhield met een krankzinnige als senator Jimmy 'Het zwaard van de Heer' Judd was voor Finn een complete verrassing.

Simpson wist niet precies wat Adamsons relatie met Judd te maken had met de opgraving. Maar hij zei wel dat Adamsons expeditie dankzij Judds invloed in Libië was toegelaten. Het was volstrekt onlogisch dat Judd zich inliet met mensen die de gezworen vijanden waren van groeperingen als de Tiende Kruistocht, maar volgens

Simpsons bronnen was het een vaststaand feit, en dat maakte de informatie nog veel intrigerender.

Toen Simpson haar kamer had verlaten, had Finn nog een verwarrend uur lang in het duister liggen proberen om het verhaal van de dikke kleine Engelsman te rijmen met wat er in de Stad der Doden was gebeurd. Wat begon als een exotisch vakantiebaantje na haar afstuderen was nu in iets sinisters, duisters en heel gevaarlijks veranderd. En bovendien was het haar niet gelukt om te achterhalen wat Simpsons invalshoek was; behalve de zwakke band met haar vader was er geen enkele reden waarom die vreemde man haar midden in de nacht kwam opzoeken voor een waarschuwing.

'Jezus...!'

De Cessna begon plotseling te schommelen en draaide zich in de lucht om als een blad in de wind. Ze vielen als een baksteen naar beneden. Van weerszijden klonk het krijsende gebrul van straalmotoren die in korte tijd kwamen en gingen.

'Klootzakken!' schreeuwde Hilts. Hij vocht met de stuurknuppel, trok op en deed wanhopig zijn best uit de plotselinge duikvlucht op te trekken. De horizon zakte scheef, tolde rond en werd toen weer kalm. 'Wat was dat in godsnaam?'

Finn probeerde haar maag te bedwingen. Achmed zat klaarwakker naast haar en keek doodsbang.

Laval had zijn boek op schoot gelegd en staarde door het lichtgetinte glas van het zijraampje.

'Dat waren geloof ik Sukhoi SU-22's,' zei hij. 'Twee stuks. Waarschijnlijk uit Al-Jufra/Hun. Kennelijk bevinden we ons nu boven Libisch grondgebied. Ze probeerden hoogstwaarschijnlijk het registratienummer op de staart te lezen.'

'Voor een monnik weet u aardig wat van Russische gevechtsstraaljagers,' zei Hilts. 'Om nog maar te zwijgen over Libische luchtbases.'

'U vergeet, meneer Hilts, dat ik Frans ben, en Frankrijk heeft geen onenigheid met de kolonel gehad, zoals jullie Amerikanen. Ik ben de afgelopen twintig jaar vaak in dit land geweest. Hun veiligheidsmaatregelen zijn mij niet onbekend.'

'Dat zal prettig voor u zijn,' zei Hilts een beetje zuur.

'Voor een man als u moet het heel verontrustend zijn dat sommige mensen liever wereldburgers zijn dan burgers van de Verenigde Staten.'

Hilts mompelde iets onverstaanbaars.

'Wat zegt u, meneer Hilts?'

'Hoelang duurt het nog voor we landen?' kwam Finn tussenbeide. De gedachte dat deze twee op tweeduizend meter hoogte met elkaar op de vuist zouden gaan, was niet zo goed voor haar gemoedsrust.

'Kan mij niet snel genoeg gaan,' gromde Hilts.

10

Een uur later landden ze in Al-Kufrah. Vanuit de lucht leek het net een dor spookstadje in het westen van Texas; een kruispunt met een hoofdstraat en een paar lage adobeachtige gebouwen midden in de wildernis. De oorspronkelijke oase was een van Khaddafi's eerste 'moderniseringscentra' na de revolutie geweest. Toen ze daalden om te landen zag Finn tientallen reusachtige groene cirkels in de woestijn. Het waren de sterk geïrrigeerde zones voor oaselandbouw die de kolonel-dictator had voorgeschreven. Dat het woestijnklimaat volkomen ongeschikt was voor de gewassen die hij wilde verbouwen en dat de economie van de oase door de poging volkomen verstoord werd, deed er niet toe. Hij moest en zou de woestijn tot bloei brengen, al kostte alles wat hij verbouwde drie keer zo veel als het opleverde. Wat kolonel Khaddafi wilde, kreeg kolonel Khaddafi ook, en geen vragen graag.

Hilts zette de Caravan zonder het minste gehobbel op het asfalt neer en taxiede naar de standplaats naast het kleine terminalgebouw. Het vliegveld was een Italiaans overblijfsel uit de Tweede Wereldoorlog en was in de loop der jaren maar weinig veranderd. De startbaan was iets groter gemaakt, maar het vierkante blok beton dat voor een terminal moest doorgaan was nog hetzelfde, net als de vierkante verkeerstoren. Op de standplaats stonden al twee helikopters, één gemeen uitziende Mil-24 gevechtshelikopter, als een gebochelde libel in gevlekte woestijncamouflage en afgeladen met wapens, en één grote Aérospatiale Super Puma transporthelikopter, gebouwd in Frankrijk. De Super Puma was wit en droeg het geel met zwarte en rode logo met de vliegende A van de Adamson Corporation op de zijkant.

Voor de Aérospatiale stonden drie mannen. Twee van hen droegen kaki safaripakken die iets te stijlvol leken om echt te zijn, en de derde droeg een hemelsblauwe baret en een camouflagelegerbroek die bij de gevechtshelikopter paste. Hij was klein, mager en had een gezicht als een langneuzige fret, compleet met borstelige wenkbrauwen en een politiesnor op zijn dunne bovenlip. Zijn ogen gingen schuil achter een pilotenzonnebril met spiegelglazen.

'Met zo'n zonnebril moet hij wel bij de slechteriken horen,' zei Hilts. Hij gooide de deur van de Cessna open en liet een stroom droge, hete lucht binnen die hen als een vuistslag trof na de airconditioning. Hij stapte uit en sprong op de standplaats. Finn opende de deur aan haar eigen kant en ging ook naar buiten. Achmed en de monnik hesen zichzelf overeind en gingen door de achterdeur naar buiten. Een van de mannen in de kaki safari-jacks zwaaide. Finn herkende hem van zijn portret in *Newsweek*. Het was Rolf Adamson, veertigjarig mediatycoon, miljardair, mogelijk godsdienstfanaticus en haar nieuwe baas. Hij leek precies op zijn foto in het tijdschrift: jong, blond, Hollywood-knap en New York netjes. De man naast hem was precies het tegenovergestelde: oud, grijzend en donker, met het gezicht van een afgeleefde bokser.

'De man in dat *Lion King*-pakje, naast onze onbevreesde leider Adamson, is Fritz Kuhn,' zei Hilts zachtjes. 'Zijn grootvader heette Gustav Kossina en wordt soms wel Hitlers archeoloog genoemd. Kossina was de gek die al die "wetenschappelijke" theorieën over de arische superioriteit verzonnen heeft.'

'Wat doet hij hier?'

'Hij heeft een paar boeken geschreven over de Italiaanse opgravingen in Al-Kufrah van voor de oorlog en over Pedrazzi, de man die toen verdwenen is. Kossina en Pedrazzi waren vroeger dikke vrienden. Adamson heeft Kuhn ingehuurd als consultant.' Hij wierp een blik op het frettengezicht onder de baret. 'En waarschijnlijk is meneertje Eropaf onze militaire escorte.'

Ze liepen naar de drie mannen toe, Laval als laatste. Achmed begon de Cessna uit te laden. Iedereen stelde zich voor. De man in het uniform bleek luitenant kolonel Amad Nasif te zijn, kolonel Khaddafi's persoonlijke gids voor en 'beschermer' van de expeditie. Niemand legde uit waartegen de man met de baret de expeditie precies moest beschermen.

'De Leider van de Grote Een-September-Revolutie van de Arabische Libische Volks- en Socialistische Jamahirya is vooral bezorgd om de veiligheid van onze nieuwe Amerikaanse gasten,' zei Nasif met een kleine buiging. Finn had Khaddafi's volledige titel nog nooit eerder gehoord en zag vanuit haar ooghoek dat Hilts zijn best moest doen om niet te gaan lachen. Het was duidelijk dat Nasif de titel serieus bedoelde. Zijn gezicht leek uit graniet gehouwen.

Adamson klapte grijnzend in zijn handen. 'Ik geloof niet dat we ons zorgen hoeven maken, kolonel. Alles loopt op rolletjes.' Adamson had een diepe, donkere stem en een licht Kennedy-achtig accent, al was hij geboren en getogen aan de westkust. Als hij glimlachte liet hij een set blinkende tanden zien. Iedereen keek toe terwijl Achmed en twee mannen uit Nasifs helikopter de Super Puma inlaadden.

'Mijn mensen zeiden dat je daarmee kunt vliegen,' zei Adamson tegen Hilts, met een hoofdknik naar de Franse helikopter.

'Ik kan overal mee vliegen,' zei de piloot. Hij glimlachte en keek veelbetekenend naar Nasifs sinister uitziende Mil-24.

'Laat maar eens zien,' zei Adamson. 'De kaarten zitten in de deurzak. Ik ben copiloot.'

'Hebt u daar dan een bevoegdheid voor?' vroeg Hilts verbaasd.

Adamson glimlachte. 'Als mijn naam erop staat, ben ik bevoegd.' De twee mannen staarden elkaar kort aan. Finn had het gevoel dat ze in een wedstrijdje om wie het verst kon pissen beland was, en dat verraste haar. Hilts leek haar daar het type niet voor, en Adamson was veel te rijk om er belang aan te hechten.

Mannen worden nooit volwassen, bedacht ze met een zucht. Ze trok de grote schuifdeur open, stapte de ene vastgelaste trede op en dook de passagierscabine van de transporthelikopter in. Een paar minuten later maakten ze zich los van de grond en gingen ze de lucht weer in, achter Nasif in de gevechtshelikopter aan.

11

Vanuit de lucht leek de vindplaats bij Deir el-Shakir meer op een maanbasis uit een sciencefictionfilm dan op een archeologische opgraving. Twintig enorme, witte nylon hightech joerts of koepeltenten lagen verspreid over een plateau boven een smalle zandstenen vallei, die de vroegere bedding van een allang verdwenen rivier volgde. De joerts hadden een doorsnee van bijna vijftien meter en waren met ronde nylon tunnels met elkaar verbonden. Andere ruitvormige koepeltenten dienden als woonruimte, kantoren en zelfs als garages en onderhoudswerkplaatsen voor het wagenpark van rangerovers en Hummer Alpha's waarover de expeditie beschikte. De koepels en de tunnels hadden maar één doel: hun inhoud – mensen en apparatuur – te beschermen tegen de constante wind en het schurende, verstikkende, alomtegenwoordige stof en het zand. De twee grootste tenten waren verankerd, getuid en vastgeschroefd aan verzonken betonnen palen. Dat waren de hangars voor Adamsons transporthelikopter en de eenmotorige Poolse PZL-Wilga waarmee Hilts luchtfoto's zou gaan maken. De PZL had maar honderdvijftig meter nodig om op te stijgen en was dus zo ongeveer het enige beschikbare vliegtuig dat het opgravingsterrein in en uit kon vliegen. Naast de twee hangars lag een verplaatsbaar GFI-helipad dat de ruige, pokdalige ondergrond van rotsen en zand egaliseerde en voorkwam dat er overal stenen in het rond zouden vliegen.

Hilts zette de grote transporthelikopter moeiteloos aan de grond en schakelde hem uit. Zodra de wieken langzamer gingen draaien, kwamen er vier mannen in witte uniforms aan lopen, als personeel op een cruiseschip. Zonder te wachten tot de passagiers waren uitgestapt rolden ze de helikopter de grote hangartent binnen en sloten de klittenbandsluitingen van de ingang. Net als het landingsvlak buiten lagen op de vloer van de hangar zware matten van composietmateriaal, om de ondergrond vlak en schoon te maken. De deur van de passagierscabine gleed open en Finn en de anderen klommen naar buiten. Achmed en de mannen die de helikopter naar binnen gerold hadden, begonnen uit te laden.

'En, mevrouw Ryan, wat vindt u ervan?' vroeg Adamson met een trotse glimlach.

Finn wist niet precies wat ze moest zeggen, of waarom zij de volle aandacht van de expeditieleider kreeg. 'Indrukwekkend,' zei ze.

'Duur,' voegde Hilts eraan toe.

'Erg duur,' zei Adamson knikkend. 'Volgens de laatste berekeningen een paar miljoen dollar.'

'Ik weet niet precies wat de kopten daarvan zouden vinden,' zei Hilts. 'Als ik het me goed herinner, legden die een eed van armoede af.'

'Dat klopt,' mengde Laval zich in het gesprek. 'Aan de andere kant waren de meeste koptische kluizenaars, zoals die in Deir el-Shakir, juist op de vlucht voor hun schulden.'

'Mensen zijn altijd de woestijn al ingevlucht in de hoop daar te verdwijnen.' Adamson lachte. 'Daar is het Franse Vreemdelingenlegioen speciaal op ontworpen.' Ze liepen door de hangar en gingen een van de tunnels binnen. De voortdurende wind buiten blies tegen het zware nylon, rimpelde het doek een beetje en maakte een vaag klapperend geluid.

'Almasy,' zei Finn. Dat was zo ongeveer het enige concrete dat ze wist over dit deel van de wereld.

'Wat zegt u?' vroeg Adamson. Hij stond stil, draaide zich om en staarde haar aan. Het bloed leek uit zijn gezicht weg te trekken. Voor de eerste keer in haar leven zag Finn wat de uitdrukking 'zo wit als een doek' betekende.

'Almasy,' zei ze weer. 'De Hongaarse graaf uit *The English Patient.*'

'*The English Patient* was maar een roman,' snauwde Adamson.

'Goeie film, ook,' zei Hilts. 'Willem Dafoe speelde echt geweldig. Niet zo goed als in *Spider-Man*, maar toch geweldig.'

Adamson keek hem kwaad aan.

'Die Almasy was toch op een bestaand persoon gebaseerd?' hield Finn aan, verrast en een beetje nieuwsgierig door Adamsons reactie.

Laval schudde zijn hoofd. Hij schonk Finn een van zijn vaderlijke glimlachjes. Als een klein meisje dat over haar bol wordt geaaid. 'Laszlo Almasy was helemaal geen graaf. Zijn vader was een hoge ambtenaar in Boedapest. Een *fonctionnaire* zogezegd, meer niet. Net zoals alle Duitsers *Herr Doktor* of *Herr Professor* zijn. Hij vloog terug naar de woestijn omdat hij een verhouding had gehad met de vrouw van een politicus. Hij werd ervoor betaald om hier te blijven. Het was een amateur, meer niet.'

'Ik dacht dat hij spioneerde in de Tweede Wereldoorlog,' zei Hilts effen. 'Hij gebruikte toch zijn kennis van de woestijn om een spion helemaal van Marokko naar Cairo te brengen?'

'Er zijn veel verhalen over Laszlo Almasy,' zei Laval met een glimlachje. 'En de meeste zijn niet meer dan dat: verhalen.'

'En ze hebben geen van alle iets te maken met koptische kloosters in het algemeen of Deir el-Shakir in het bijzonder,' zei Adamson. Hij maakte een keizerlijk gebaar met zijn hand. 'Kom mee.'

Ze liepen met Adamson mee door een zacht glooiende tunnel die uitkwam in een groot woonvertrek, compleet met tafels, stoelen, een verplaatsbare keuken met koelkast, en een pingpong- en een biljarttafel. Er waren verschillende mensen in de grote koepelruimte. Sommigen zaten te lezen of te praten. Een Aziatische man en een zwarte vrouw speelden een geanimeerd potje pingpong. Iedereen droeg vrijetijdskleren. De lucht in de koepel was koel, en Finn besefte ineens dat er airco was. Het licht viel binnen door een stuk of zes transparante driehoeken in de wanden. Vlakbij hoorde ze het zachte zoemen van een generator.

Adamson leidde ze naar een van de tafels en vroeg ze te gaan zitten. Een paar momenten later kwam er een geüniformeerde bediende aan lopen met een afgeladen blad, met daarop een kan ijsthee, takjes munt en glazen die zo te zien in de vriezer bewaard werden. De bediende had donker haar en een olijfkleurige huid. Op zijn naamplaatje stond BADIR. Hij was Libisch, net als de mannen in de helikopterhangar, en trok zich zwijgend terug. Adamson speelde voor gastheer en schonk iedereen ijsthee in. Daarna leunde hij achterover in zijn stoel.

'Er zijn tweeënnegentig mensen hier in Deir el-Shakir,' zei hij. 'Van hen behoren er vijfentwintig tot de eigenlijke archeologische staf. Vijftien zijn stagiairs van universiteiten uit de hele wereld, twintig zijn vrijwilligers die betalen voor het voorrecht om hier te mogen zijn en de rest is ondersteunend personeel. Dit is een van de meest geavanceerde en duurste archeologische onderzoekslocaties ter wereld. Naast de diensten van meneer Hilts beschikken we over een complete afdeling afstandswaarneming, die verbinding heeft met SPOT, de Franse archieven van Satellite Pour L'Observation de la Terre, NASA-Landsat en ASTER. Verder hebben we de faciliteiten voor side-scanning radar, digitale beeldbewerking en realtime-toegang tot een aantal van de grootste archeologische archieven ter wereld. Kortom, als u informatie wilt hebben, kunnen we u die bezorgen.'

'Fijn om te weten,' zei Hilts terwijl hij de koepel rondkeek.

'U, meneer Hilts, gaat overzichtsbeelden schieten vanaf een relatief kleine hoogte, zowel op film als in digitale foto's. We hebben de plattegronden en kaarten klaarliggen als u ze wilt zien,' bood Adamson aan.

'Hebt u niet genoeg aan de satellieten?'

'Die bieden veel gegevens, maar niet veel details. We zijn met name geïnteresseerd in de ligging van de oude karavaanroutes en de bronnen waaruit pelgrims onderweg naar het klooster putten.'

'Lijkt eenvoudig,'

'Dat is het hopelijk ook.' Adamson wendde zich tot Finn. 'U zult bijna alleen maar op locatie werken. U tekent de artefacten voordat ze verplaatst worden en geeft de vindplaats aan op het overzichtsraster van het opgravingsterrein. Ik heb in uw cv gelezen dat u enige ervaring met computers hebt?'

'Wel iets, ja.'

'PitCalc? Altview?'

'Ja.' PitCalc was een van de oudste archeologische softwareprogramma's. Als tiener had ze er op haar moeders computer al mee leren omgaan. Altview was zo'n schematisch tekenprogramma als ontwerpers wel gebruikten. Dit was zo'n moment dat ze blij was dat ze haar cv niet had aangedikt, zoals veel van haar vrienden deden die soms hele studies of banen uit hun duim zogen.

'Goed,' zei Adamson. Hij dronk zijn glas leeg en stond op. 'Achmed zal de bagage inmiddels wel naar uw vertrekken hebben gebracht. U hebt als stafleden beiden een privéruimte in het woonkwadrant.' Een bediende in een witte jas kwam geruisloos bij de tafel staan. Adamson legde een vaderlijke hand op de schouder van de jonge man. 'Farag zal u de weg wijzen.' Finn was verbaasd dat Adamson wist hoe de bediende heette, tot ze het plastic naamkaartje op zijn jasje zag. 'Tot vanavond bij het diner,' zei Adamson met een glimlach. Toen draaide hij zich op zijn hakken om en liep weg. Ze keken hem na.

'Ik vraag me af wat Deir el-Shakir betekent,' zei Finn. Ze nam een slokje van haar ijsthee.

'Schedelklooster,' vertelde Hilts haar. 'De schedel in kwestie zou van de apostel Thomas zijn geweest. Daar mediteerden de kopten hier over. Er is ook nog een theorie dat de schedel van kristal was, zoals bij de Maya's, maar in dit geval dan waarschijnlijk van Baphomet... De tempeliersvariant op Satan. Griezelig, als je een liefhebber van dat soort dingen bent.'

Finn lachte. 'Jij hebt zeker te veel herhalingen van *The X-Files* gezien?'

'Loopt u met mij mee?' mompelde Farag, de bediende.

En dat deden ze.

12

Zoals Adamson beloofd had stond Finns bagage al in haar kamer in het woonkwadrant, een langgerekte joert met een koepel zoals de andere, maar dan met aparte kamers die als de poten van een duizendpoot uit de hoofdtent staken. Ze telde vijfentwintig cellen, stuk voor stuk voorzien van elektriciteit, een watertank die op zwaartekracht werkte en een klein hokje met een chemisch toilet erin. In de kamer zat ook een kleinere versie van de driehoekige ramen uit de recreatieruimte. Ze had een veldbed met een opblaasmatras en een bijpassend kussen, een lamp, een LAN-internetverbinding voor een laptop en een stoel. Ze had zelfs haar eigen airco. Voor de communicatie was er een Motorola headset walkietalkie met tien kanalen en een bereik van acht kilometer, en een zoemer om een bediende te roepen als ze die nodig had. Alles wat ze over de opgraving moest weten, van een plattegrond van de 'maanbasis' tot instructies voor het doorspoelen van het chemisch toilet, zat in een losbladige map die op haar bed lag. Adamson had duidelijk kosten noch moeite gespaard, en Finn vroeg zich af wat hij voor al dat geld hoopte te krijgen. Het leek nogal overdreven voor een paar koptische inscripties, want volgens Hilts was het klooster allerminst pas ontdekt.

Het avondmaal werd geserveerd in de eetzaal, net zo'n grote joert als de ontspanningsruimte. Er stonden ongeveer twintig tafels. Een was gereserveerd voor de eigenlijke staf en van de andere tafels afgescheiden met een hoog, wit nylon scherm. Finn zat tussen Hilts en

Adrian March, een kenner van keramiek van het Royal Ontario Museum. Adamson zat aan het hoofd van de tafel naast een kleine, donkere man die hij voorstelde als Mustapha Hisnawi, hun contactpersoon bij de Libische oudheidkundige dienst. Recht tegenover haar zat Fritz Kuhn, een zwaargebouwde man die volgens Hilts de kleinzoon van Hitlers archeoloog was. Naast hem zat Laval, de monnik van l'École Biblique in Jeruzalem. De maaltijd bestond uit verschillende Libische schotels: lam, kip en vegetarisch. Het gesprek ging voornamelijk over de opgraving en was nogal technisch. Finn wachtte een geschikt moment af en slaagde er toen eindelijk in haar vraag te stellen.

'Heeft deze opgraving nog een speciaal speerpunt?' vroeg ze. Kuhn, de Duitser tegenover haar, fronste zijn wenkbrauwen. Adamson haalde alleen maar zijn schouders op.

'Moet dat dan?'

'Bij projecten als deze verwacht je meestal toch een soort overkoepelend doel.'

'Wat weet jij nou over projecten als deze?' snoof Kuhn. Hij zat driftig met zijn vork in het met saus overdekte lamsvlees en de rijst op zijn bord te prikken. Zijn gezicht was rood. Hij greep zijn wijnglas en dronk het leeg. Achter hem verscheen een bediende, die zijn glas vulde uit een in een servet gewikkelde fles. Finn negeerde Kuhns botte opmerking en wachtte tot Adamson antwoord gaf.

'Archeologie is een wetenschap van kleine stapjes, mevrouw Ryan. De man naast u, de jonge doctor March, kan jaren bezig zijn om voldoende potscherven voor een reconstructie te verzamelen, maar dan nog zal die waarschijnlijk niet compleet zijn. Maar compleet zijn is het doel ook niet, toch, Adrian?'

'God, nee,' zei de slanke man met het lichte haar en de dikke brillenglazen die links van haar zat. 'We zoeken naar grote lijnen, naar punten van overeenkomst. We hebben geen complete reconstructies nodig om te weten waarmee we precies te maken hebben.'

'Ziet u wel? Ons doel hier in Deir el-Shakir is simpelweg meer ontdekken dan we nu weten. We zijn Howard Carter niet die het graf van Toetanchamon ontdekte, of de Franse geniekapitein die de

Steen van Rosetta vond tijdens de voorbereidingen voor het opblazen van een brug. Hier gebeurt niets wat de aandacht van het journaal zal trekken, geloof me. Niet eens van een actualiteitenprogramma.' Hij lachte. 'Het gaat gewoon om het vergaren van kennis om zo een beter beeld van het verleden te krijgen.'

'Een ontdekkingstocht door academisch gebied, spitten in de akker van de geschiedenis, zo ongeveer?' zei Hilts spottend. Hij pakte een kippenbotje van zijn bord en zoog het laatste restje vlees eraf. Hij liet het bot weer op zijn bord vallen en veegde zijn handen af aan een servet.

'Zoiets, Virgil,' zei Adamson met een knikje.

'Zeg maar Hilts, als het u niet uitmaakt. Gewoon Hilts.'

'Voor zover ik heb begrepen is Deir el-Shakir oorspronkelijk gesticht door de apostel Thomas,' zei Finn, die zich herinnerde wat Hilts haar had verteld.

'Dat is een mythe,' antwoordde Laval aan de andere kant van de tafel. 'Volgens de geschiedenis is de heilige Thomas de andere kant uit gegaan, naar India. Deir el-Shakir is ontstaan uit wat meestal de arische ketterij genoemd wordt; Arius was een bekende monnik uit Libië. Hij verkondigde dat Christus niet goddelijk was, maar sterfelijk en bovendien slechts een profeet. Waarschijnlijk werd hij vanwege zijn twijfel of Christus echt de Zoon van God was in verband gebracht met de heilige Thomas, een man die dezelfde denkbeelden had, ergo zijn bijnaam Ongelovige Thomas. De monniken waren volgelingen van Arius, maar de heilige Thomas was niet een van hen.'

'En de schedel?' vroeg Finn. Ze draaide zich om naar Adamson en probeerde zijn reactie te peilen.

'Welke schedel bedoel je?'

'Ik geloof dat hij de Schedel van Baphomet genoemd wordt,' zei Finn.

Adamson barstte in lachen uit. Laval glimlachte breed. 'Ik ben bang dat je de fabeltjes over de tempeliers een beetje door elkaar haalt,' zei Adamson grijnzend. 'Dat een boek op de bestsellerlijst van *The New York Times* staat, betekent nog niet dat het waar is, vooral als het fictie is. Je doelt op de veronderstelde vlucht van Nicodemus en Jozef van Arimatea naar Engeland. Het hoofd op het schild van de Grootmeester van de tempeliers verwees naar de schedel van een oude Franse ridder, Hughes de Payen... die ongeveer zevenhonderd jaar later leefde dan de monniken, wier botten hier al tot stof waren vergaan.'

'U weet wel veel van de tempeliers,' zei Hilts zachtjes.

'Ik weet veel van een heleboel dingen,' zei Adamson. De maaltijd ging nog een tijdje door en toen begonnen mensen zich te excuseren. Toen Hilts opstond om te gaan, fluisterde hij iets in Finns oor.

'Hij liegt. Er is nog iets anders gaande.'

Finn zei niets. Ze keek de tafel langs, naar Adamson die diep in gesprek was met de Libische verbindingsofficier Hisnawi. Plotseling draaide de expeditieleider zich om en staarde haar over de tafel heen aan. De blik was uiterst kil en er sprak geen enkele emotie uit. Ze beantwoordde de roofvogelblik nog een seconde, en toen keek hij eindelijk weg. Finn stond op en huiverde. Als blikken konden doden, was zij nu morsdood geweest. De moordenaar in de Stad der Doden had precies dezelfde uitdrukking op zijn gezicht gehad.

13

'Ik ben hier nu al twee weken, maar er is nog niets ongewoons gebeurd,' zei Finn. Zij en Hilts hielden samen koffiepauze in de eetzaal. In de afgelopen twee weken hadden ze nauwelijks twintig woorden met elkaar gewisseld. Hilts had een schijnbaar eindeloze reeks vluchten uitgevoerd volgens een schema dat het hele opgravingsgebied bestreek, en Finn had tekeningen gemaakt van oneindig lijkende hoeveelheden potscherven. 'Misschien is Adamson gewoon eerlijk over wat hij doet.'

Hilts trok een grimas. 'Ik hoef je toch niet te herinneren aan wat er in Cairo gebeurd is?'

'Misschien heeft dat meer met jou te maken dan met mij.'

Hilts zuchtte. 'Dat geloof je toch zelf niet, hè?'

'Als Adamson me dood wilde hebben, waarom neemt hij me dan mee op zijn expeditie?'

'Houd je vrienden in de buurt, maar je vijanden nog dichterbij, zoals de Godfather ooit zei.'

Finn lachte. 'Volgens mij is dat citaat van Sun-Tzu, uit *De kunst van het oorlogvoeren*, maar ik begrijp wat je bedoelt... alleen, hoe ben ik Adamsons vijand geworden?'

Hilts speelde met het oortje van zijn koffiekop. 'Daar heb ik best lang over nagedacht. Het enige wat ik kon bedenken was Mickey Hearts.'

'Noem hem toch niet zo.'

'Het spijt me... Michael Valentine dan. Hij is de enige logische schakel.'

'Hoe dan?'
'Hij heeft je deze baan bezorgd, toch?'
'Ik verbeeld me graag dat mijn capaciteiten er ook iets mee te maken hebben.'
'Ik wil je niet beledigen, lieve schat, maar er zijn een hele hoop technisch tekenaars met veel meer ervaring dan jij. En hoe heb je voor het eerst over deze baan gehoord?'
'Mijn studiebegeleider vertelde me erover.'
'En hoe wist hij het?'
'Hij zei dat hij het van een vriend had.'
'Zoek dat maar eens uit. Ik durf te wedden dat je zult ontdekken dat de vriend in kwestie Mickey was... jouw Valentine.'
'Waarom zou Michael mijn leven in gevaar brengen?'
'Heeft hij nog iets tegen je gezegd voordat je uit New York vertrok?'
'Ik heb hem opgegeven als referentie voor de baan. Ik heb hem gebeld om te vragen of dat goed was.'
'Wat zei hij toen?'
'Hij zei: prima. Het leek alsof hij al iets wist over deze klus.'
'En?'
'Hij zei dat ik voorzichtig moest zijn.'
'Een waarschuwing?'
'Dat dacht ik op dat moment niet. Ik dacht dat hij me waarschuwde voor reizen in het buitenland, opletten voor zakkenrollers, dat soort dingen.'
'En nu?' vroeg Hilts.
Finn zweeg even en dacht na. Hilts zat kleine hoekjes uit de rand van zijn piepschuimen bekertje te scheuren. 'Nu weet ik het niet meer precies. Het had best een waarschuwing kunnen zijn, maar dat is nog geen antwoord op mijn vraag. Waarom zou hij me willens en wetens het gevaar in sturen? Als hij me deze baan al bezorgd heeft, zoals jij denkt.'
'Dat heb ik me ook afgevraagd. Ik denk dat je vriend eerst dacht dat hij je een goede dienst bewees, maar daar later anders over ging denken.'

'Waardoor dan?'

'Doordat hij iets ontdekte.'

'Wat dan?'

'Dit,' zei Hilts zachtjes. Hij stak een hand in de zak van zijn versleten en verschoten legerjasje en haalde een apparaatje tevoorschijn dat iets groter was dan een mobiele telefoon.

Finn keek naar het kleine elektronische toestel. 'Wat is dat?'

'Een Garmin iQue.'

'Ik ben niet zo goed in dat hightechgedoe,' zei Finn. 'Zeg het eens in woorden die een student kunstgeschiedenis ook kan begrijpen.'

'Het is een GPS-recorder, als in Global Positioning System.'

'Ik begrijp het niet.'

'Heb jij nog in de gaten gehouden waar onze gewaardeerde leider uithangt?'

'Khaddafi? Nee, ik trek niet zo veel op met dictators.'

'Grappig hoor. Ik bedoel Adamson. Met name Adamson en zijn maatjes Kuhn en Hisnawi, onze man van Musea en Oudheden.'

'Ik heb het veel te druk gehad met het natekenen van afgebroken stukjes van duizend jaar oude aardewerken potten, die voor geen meter interessant zijn.'

'Ik heb het meestal te druk met rondjes draaien in het Poolse antwoord op gemotoriseerd vliegverkeer, wat waarschijnlijk net zo saai is als oude pispotten schetsen, maar het heeft één voordeel.'

'Wat dan?'

'Ik zit op vierduizend meter hoogte. Ik zie een heleboel. Vooral zand.'

'Wat wil je daarmee zeggen?'

'Adamson, Kuhn en Hisnawi gaan nu al ongeveer een week elke dag met een woestijn-Hummer de woestijn in.'

'Hoe weet je dat zij het zijn?' vroeg Finn.

Hilts stak zijn hand weer in zijn zak en haalde er een verkreukeld stuk fotopapier uit. 'Naast gewone filmcamera's gebruikt Adamson een Belgisch ding dat DIMAC heet... Digital Modular Aerial Camera. Net als de meeste luchtcamera's neemt die de foto's een beetje schuin... iets van opzij, zodat je schaduwen en schaal kunt zien.' Hij streek de foto glad op de tafel. Hij was onscherp, maar de mannen waren duidelijk te herkennen. 'Dit zijn Adamson, Hisnawi en die Duitser, geen twijfel mogelijk. Ik heb de opname op mijn laptop gezet, verscherpt en uitvergroot.' Finn keek naar de foto. Ze stonden er alle drie op, Adamson aan het stuur, Hisnawi naast hem en Kuhn achterin. In de laadruimte van de wagen lag iets onder een zeil.

Finn haalde haar schouders op. 'Nou en? Hisnawi, Kuhn en Adamson maken ritjes door de woestijn, wat geeft dat?'

Hilts frutselde aan het GPS-apparaatje. 'Ik heb dit achter de reserveband van Adamsons privé-Hummer weten te stoppen, die geelzwarte die op een reuzenhommel lijkt. Ze gaan elke keer naar exact dezelfde coördinaten.'

'Waar dan?'

'Honderdtachtig kilometer bijna pal ten westen van hier.' Hij drukte een knop op het apparaat in om de cijfers tevoorschijn te halen. 'Om precies te zijn 21 graden, 52 minuten en 30 seconden noord en 23 graden, 32 minuten en 18 seconden oost.'

'En wat is daar dan?'

'Helemaal niets.'

'Wees even logisch, Hilts. Er moet daar iets zijn, anders zouden ze er niet heen gaan.'

'Volgens de kaarten is het aan de rand van een klein plateau. Als de lucht rood was, zou je op Mars kunnen zijn. Stenen en zand.'

Finn zuchtte. 'Mars heeft een atmosfeer. De lucht is daar blauw.'

'Het spijt me, doctor Ryan.'

'Ik moest verplicht een paar bètavakken volgen. Een daarvan was astrofysica.'

'Wat ik bedoel is dat er daar echt niets is. Ik heb zelfs gekeken of het soms op een van de oude karavaanroutes lag. Nada. Alleen maar rotsen en zand, tot aan de Algerijnse grens.'

'En dan?'

'Dan krijg je Algerijnse rotsen en zand in plaats van Libische rotsen en zand.'

'Jij bent echt ontzettend irritant, dat weet je toch, hè?'

‘Het is een gave.’
‘Wat dénk jij dat er daar is, Hilts?’
‘Ik denk dat ze hebben gevonden wat ze eigenlijk zochten.’
‘Wat dan?’
‘Daar kunnen we maar op één manier achter komen.’

14

Ze vlogen over de eindeloze woestijn naar het westen, maar ze zagen niets. De cockpit van het kleine toestel met de hoge vleugels was krap. De twee passagiersstoelen achterin hadden plaatsgemaakt voor een assortiment omvangrijke camera-apparatuur en een langeafstandsbrandstoftank, zodat de piloot meer vluchturen had en een grote serie vluchten volgens een bepaald patroon kon maken.

Finn staarde uit het grote zijraam. 'Je had gelijk,' zei ze. 'Er is helemaal niets. Meer rotsen dan zand, zou ik zeggen.'

'Meer *hamada* dan *erg*.'

'Dat zeg jij,' zei Finn en ze lachte.

'Een hamada is een rotsachtige woestijn. Een erg bestaat meestal uit zandduinen. Hier heb je vooral hamada, vanwege de hoogte. Hoe hoger de grond, hoe rotsachtiger. Let wel, zo is het niet altijd geweest.'

'Het ziet eruit alsof het vanaf het begin van de tijden zo is geweest.'

'Misschien nog geen vier- of vijfduizend jaar. Je had het een tijdje geleden over *The English Patient*... herinner je je de Grot van de Zwemmers?'

'Die grot die Almasy ontdekt heeft?'

'Die bestaat echt. En ze zwemmen ook echt. De eigenlijke grot ligt in een plek die Wadi Sora heet, in Egypte. Vijfduizend jaar geleden was er hier geen woestijn, alleen heuvels en plateaus en rivieren en veel dieren. Denk maar aan alle films over leeuwensafari's die je hebt gezien, dan heb je het juiste plaatje voor je.'

'Moeilijk te geloven.'

'Dat zeiden ze vroeger ook over het broeikaseffect. Als je maar ver genoeg teruggaat, zie je dat al dat zand begonnen is op de Atlantische stranden van Marokko. Als we terug zijn van onze spionagemissie laat ik je een paar infrarood-satellietbeelden zien waar je ondersteboven van zult zijn. Je kunt nog precies zien waar vroeger de rivieren liepen, ontzettend grote rivieren die heel Noord-Afrika van water voorzagen.'

'Misschien zoeken Adamson en zijn vriendjes wel naar zoiets, een soort plek als de Grot van de Zwemmers?'

'Zerzura, dat oude sprookje? Dat betwijfel ik. Hij heeft ambities als archeoloog, niet als paleontoloog, en ik geloof niet dat broeder Laval, onze vrolijke monnik uit Jeruzalem, veel om rotstekeningen geeft.' Hilts schudde zijn hoofd. 'Nee, ik denk dat het iets uit de oorlog is.'

'Welke oorlog?'

'De Tweede Wereldoorlog. Dat zou verklaren waarom Kuhn erbij betrokken is.'

'Maar waarom?'

'In het begin van de oorlog stikte het hier van de Duitsers, Britten en Italianen. En zelfs daarvoor waren de Italianen hier al actief. Pedrazzi, die Italiaan over wie ik je verteld heb, was een bekend archeoloog, maar hij had ook best spion kunnen zijn. Dat was iedereen zo'n beetje in die tijd.'

'Dan is er niet zo veel veranderd,' zei Finn droog.

'Maar wij zijn niet echt aan het spioneren. We bevredigen alleen onze nieuwsgierigheid.'

'Als ik het me goed herinner kan het slecht aflopen met nieuwsgierige aagjes.'

Aan de horizon ontstond een donkere lijn, die langzaam veranderde in een ruw, levenloos rotsplateau, duizenden smalle valleien en woeste kloven die nergens heen leidden. Hilts had zijn mobieltjesgrote GPS met een kabeltje ingeplugd in de grotere versie in het instrumentenpaneel van het vliegtuig. Toen ze het plateau naderden, keek hij op het kleurendisplay. Hij las de gegevens af en draaide aan het kleine, donutvormige stuurwiel om ze bij te sturen tot de exacte coördinaten.

'We zijn er bijna,' mompelde hij terwijl hij iets naar rechts draaide. 'Zie je al iets?'

'Nog niet.'

'Ik ga lager.' Hilts liet de neus zakken en het kleine vliegtuigje reageerde bijna direct. Het gleed zo soepel naar beneden dat het Finn leek of ze langs een onzichtbare draad afdaalden. Wat Hilts verder ook was, hij kon in elk geval vliegen, dacht ze. Ze staarde uit het zijraampje en toen zag ze het, bijna recht onder hen.

'Daar!'

'Wat?'

'Sporen. Ik zie bandensporen.'

Hilts liet het vliegtuig in een langzame bocht schuin hangen en staarde uit zijn eigen zijraampje. Al snel zag hij de brede sporen onder hen. 'Volg het spoor van de broodkruimels,' zei hij en hij bracht het vliegtuig nog lager, tot hij nog geen driehonderdvijftig meter boven de dubbele bandensporen vloog. De twee lijnen liepen haast perfect recht naar een smalle kloofopening in de verte.

'Waar kunnen we landen?'

'Zo'n beetje overal. Deze dame hier is de allerbeste in kort opstijgen en landen. Het landingsgestel heeft vrij zachte banden en we hebben maar iets van honderdvijftig meter nodig om op te stijgen. Ik breng ons er zo dicht mogelijk bij.'

'Hoe nauwkeurig is dat GPS-ding?'

'Spuugafstand. Plus of min tien tot vijftien meter in elke richting.'

Finn keek toe terwijl Hilts zich concentreerde op het vliegen, zijn vingers zo licht als van een minnaar op de stuurknuppel. Zijn ogen flitsten tussen het snel naderende oppervlak van de rotsachtige woestijn en zijn instrumenten heen en weer. Het was bijna alsof je een maestro viool zag spelen. Hij begon zachtjes te fluiten en Finn herkende het wijsje; het was de herkenningsmelodie van *The Flint-*

stones. Ze glimlachte terwijl hij nog een beetje bijstuurde, om de rukwinden te compenseren die kort door het vliegtuig trokken toen ze de grond naderden. De wielen raakten de grond met een haast onmerkbaar schokje en toen waren ze geland, de achterste wielen eerst en de stevige grote wielen een seconde later.

15

Het vliegtuig rolde door en minderde snel vaart toen Hilts gas terugnam en de flappen uitzette. Hij draaide het vliegtuig tegen de wind in, bracht het helemaal tot stilstand en liet de motoren twee volle minuten draaien voor hij ze uitzette. De propellers hielden langzaam op met draaien en toen was er alleen nog het geluid van de wind tegen de romp en een zacht wiegen van de vleugels. Vlak voor hen, een half voetbalveld verder, lag een hoge rotswand, gebarsten en gebroken, met iets links van hen de toegang tot een kloof prominent afgetekend in de schaduwen.

'Je zou nooit zeggen dat er hier iets was,' zei Hilts.

'Misschien is er ook niets,' waarschuwde Finn.

'Ja hoor,' zei Hilts. 'Ze gaan hier elke ochtend met hun yogamatjes naartoe om een potje te mediteren en in de lotushouding te zitten.'

'U bent echt te cynisch, meneer Hilts.'

'Cynisch is wat de dwaas zegt als hij realistisch bedoelt.' Hilts ontgrendelde de van boven scharnierende deur met het grote raam erin en duwde het naar de vleugel toe. Hij dook door de opening en stapte naar buiten, de blakerende zon in. Finn deed hetzelfde aan haar kant en liep toen om het vliegtuig heen naar Hilts.

'Hoelang denk je dat we hebben?'

'Ze gaan nooit voor twee uur 's middags, en met de Hummer doe je er minstens een uur over. Dus hebben we minstens anderhalf uur voor we hier weg moeten zijn.'

'Het zou wel handig zijn als we wisten wat we zochten.'

'De sporen van de Hummer leiden recht de kloof in.'

'En onze sporen dan? Zien ze die niet?'

'Dit vliegtuig weegt nog geen ton. De Hummer weegt vier keer zo veel.' Hij wees. 'Kijk eens naar die geulen. Ze zijn door de korst aan de oppervlakte gebroken. Die sporen kunnen ze waarschijnlijk in de spaceshuttle nog zien. Niet het meest milieuvriendelijke voertuig ter wereld. En je kunt zien dat ze hier zo'n zes keer geweest zijn. Ons spoor is bijna onzichtbaar.'

'Niet alleen cynisch, ook nog zelfverzekerd.'

'Niet zo tobben. Ze hoeven nooit te weten dat wij hier zijn geweest.' Hij stapte weer onder de vleugel, dook het vliegtuig in en kwam naar buiten met een van de oude Nikons die hij in de Stad der Doden ook bij zich had gehad en een paar veldflessen. 'Voor het geval dat we iets vinden,' legde hij uit toen hij bij haar terug was. Hij gaf Finn een veldfles, die ze om haar schouder hing. Samen volgden ze de diepe geulen van het verse spoor van Adamson en zijn makkers de woestijnkloof in.

'Het is niet alleen de Hummer,' zei Finn, die naar het harde, met rotsen bezaaide gruis staarde. 'Er zijn hier nog meer sporen, heel vaag.'

'Woestijnen zijn veel minder verlaten dan je denkt,' antwoordde Hilts. 'Al voor de oorlog was het hier net het Grand Central Station in New York. Britten, Fransen, archeologen, petroleumzoekers. De Italianen waren hier zelfs nog eerder... Graziani heeft hier honderden kilometers prikkeldraad neergelegd om de Senussi-rebellen te vangen, Bagnold hield ontdekkingstochten en dan had je ook de LRDG nog.'

'De LRDG?'

'Long Range Desert Group, alias de Woestijnratten. Kleine commando-eenheden die de woestijn ingestuurd werden om de Duitsers en de Italianen lastig te vallen.'

'Ik dacht dat zulke dingen alleen in het noorden gebeurden.'

Hilts bukte zich en groef met zijn vingers een klein stukje steen los. Het bleek helemaal geen steen, maar de onderkant van een blikje te zijn. Hij trok het uit het zand. Een deel van het blauw met wit bedrukte etiket was nog leesbaar, met een reepje metaal en een opener in de vorm van een sleuteltje eraan. Hij gaf het blikje aan Finn.

'Swift's Plate Corned Beef,' las ze.

'Op een bepaald moment vóór Adamson zijn er hier Britten langsgekomen. Misschien in de oorlog, of nog eerder.'

'Waarom speciaal hier?'

'We zitten vlak bij drie landsgrenzen: Soedan, Egypte en wat vroeger Frans Equatoriaal Afrika heette. In die tijd was een plek als deze van strategisch belang, vooral als er water in de buurt was. Misschien een wadi in een van de grotere kloven.' Hij schudde zijn hoofd. 'Vreemd hoe de dingen kunnen veranderen. Net als Normandië: nu een paar stranden aan de Franse kust, maar zestig jaar geleden hing het lot van de wereld ervan af.'

'Hier hangt zo te zien niets van af,' merkte Finn op.

'Dat kun je nooit weten,' zei Hilts.

Ze liepen door naar de ingang van de kloof. De opening was nauwelijks vijftien meter breed en de rotswand stak aan één kant verder uit naar voren dan aan de andere. Daardoor lag de opening praktisch onzichtbaar in de schaduw als de zon er niet recht op scheen. Finn en Hilts liepen verder en gingen de kloof in. De rotswanden rezen claustrofobisch aan weerszijden op. Ze liepen steeds dichter naar elkaar toe, tot er aan elke kant nog maar zo'n zestig centimeter tussen de wanden en het spoor van de Hummer zat.

'Ze waren niet de eersten hier,' zei Hilts. Hij gebaarde met zijn hoofd naar een stel andere, vagere sporen. 'Lang geleden kende iemand deze plek ook al.'

Zo'n dertig meter verder maakte de kloof plotseling een scherpe bocht naar rechts, liep toen weer recht en werd nog smaller. Op de zandstenen muren kon Finn duidelijk groeven zien waar de zware bumpers van een truck tegen de rotswand geschuurd hadden. Vlak na het rechte stuk boog de kloof opnieuw af, deze keer naar links. Honderd meter verder liep de smalle doorgang uit op een kleine vallei met hoge wanden. Hilts en Finn bleven opeens staan en staarden naar een versteend moment uit een gebeurtenis van lang voor hun geboorte.

'Grote hemel, wat is er hier gebeurd?' fluisterde Finn. Ze hief een hand op om haar ogen af te schermen tegen de zon. De valleibodem voor hen bood een gruwelijk schouwspel. Hilts hief zijn Nikon, haalde de lensdop eraf en begon foto's te schieten.

Vlak voor hen lag het karkas van een militair voertuig, een open truck op wat ooit enorme banden geweest moesten zijn, te oordelen naar de afmetingen van de velgen en de enorme gebogen spatborden. De banden zelf waren verdwenen. Het beetje rubber dat was overgebleven, was lang geleden al uit elkaar gevallen. Het voertuig werd bemand door drie mannen, een chauffeur, een boordschutter naast hem en een man achterin die een zwaar antitankgeschut bediende. De overblijfselen van de drie mannen zaten nog in de truck. Het gemummificeerde lijk van de chauffeur hing achterover in zijn stoel. Zijn grijnzende schedel was nog bedekt met een perkamenten huid en een paar rafelige stukjes hoofdhaar. De oogkassen zaten vol aangekoekt vuil en gruis, na ruim een halve eeuw zandstormen en blootstelling aan de elementen. De boordschutter was een ineengezakte hoop botten op de gebarsten leren stoel naast de chauffeur, slechts bij elkaar gehouden door de rafelige resten van zijn uniform. Een oude, bolle helm hing scheef op zijn hoofdloze wervelkolom. Het derde bemanningslid had misschien iets langer geleefd dan zijn metgezellen; wat van hem over was zat tegen de laadklep van het voertuig aan gekropen, met het hoofd naar beneden. De leerachtige stokken van zijn armen lagen nog om de lege huls van zijn uitgedroogde ribbenkast geslagen, als in een eeuwige poging om de doodskou te verjagen.

Hilts deed een stap naar voren en haalde zijn hand over de flank van de truck. Er zaten tientallen kogelgaten in het metaal. De gaten waren net groot genoeg om zijn pink doorheen te steken, .45 kaliber of nog minder. Een licht machinegeweer. De truck was doorzeefd als een blikje dat voor schietoefeningen gebruikt is.

'Italiaans,' zei de fotograaf. Hij knielde om een vervaagde eenheidsaanduiding achter op het voertuig te bekijken. '103de Compagnie Arditi Camionettisti, een verkennerscompagnie. Ze noemden zo'n vrachtwagen een Sahariane. Het was zo'n beetje het eerste voertuig dat speciaal voor de woestijn ontworpen was.'

Hij stond op.

'Wie heeft ze neergeschoten?' vroeg Finn.

'Zij daar,' antwoordde Hilts, wijzend. Honderd meter verder in de vallei was nog een tafereel te zien. Dit bestond uit twee trucks, een kleiner, jeepachtig voertuig en een geïmproviseerd kamp dat over de valleibodem uitgespreid was, compleet met de skeletten van verschillende kleine tenten in een halve kring rondom een uitgegraven vuurkuil, een rij afgedankte jerrycans en een lange loopgraaf. De jeep leek een voltreffer van het grote antitankgeschut op het Italiaanse voertuig te hebben verwerkt. Hij was uitgebrand en verkoold, de voorruit gesmolten, de grotere wielvelgen weggezonken in de grond. De twee andere, grotere trucks waren in betere conditie. De banden waren weg maar de camouflagestrepen waren nog zichtbaar.

Hilts liep naar de voertuigen en de spookachtige overblijfselen van het kamp toe en begon nog meer foto's te nemen. Hij concentreerde zich op de aanduidingen van de eenheden op de trucks en de oude uitrusting die rond het kamp verspreid lag.

'Rode en zwarte strepen met een witte schorpioen. Bewakingseenheid, LRDG. De truck is een Britse Chevy van anderhalve ton zwaar.'

'Hoe weet je dat allemaal?'

'Ik heb als kind veel aan modelbouw gedaan. En er was zelfs een tv-serie over deze mannen. *Rat Patrol* heette die, en ik heb alle herhalingen gezien. Christopher George speelde daarin mee, als je je die nog kunt herinneren. Een soort goedkope versie van George Peppard.'

'Nee.'

'Tot zover zijn carrière.'

'Er zijn hier geen lijken,' zei Finn terwijl ze het kamp rondkeek. 'Er moeten toch lijken zijn?'

Hilts draaide zich om en keek weer naar de Italiaanse truck. Hij zag onmiddellijk dat de kogels die de driekoppige bemanning gedood hadden waarschijnlijk niet vanuit het kamp waren afgeschoten. In de eerste plaats stonden de trucks en de uitgebrande jeep verkeerd, en in de tweede plaats waren de machinegeweren op de Britse voertuigen veel te zwaar: grote Vickerses en Brownings en een nog groter Boys-antitankwapen achter op de tweede truck. Hilts keek de ruige wanden van de steile vallei rond en toen wist hij het.

'Het was een hinderlaag,' zei hij. Hij schopte met de teen van zijn laars tegen een oud, platgestampt blik Shell Benzene-brandstof. 'Ze hoorden de Italianen aankomen, dus gingen ze boven op de rotsen zitten en wachtten hen op. Daarom zijn ze de vallei niet verder in gegaan. Ze namen ze van bovenaf te grazen.'

Finn liep door het kamp en bukte zich af en toe om een verroest stuk uitrusting of een of ander verbleekt voorwerp te bekijken. 'Twee trucks en dat jeepachtige ding. Hoeveel mannen zijn dat?'

'Moeilijk te zeggen. Misschien twaalf, maar omdat er maar drie tenten zijn waren het er waarschijnlijk zes, twee per tent. Onderbezet. Misschien waren ze er een paar kwijtgeraakt.'

'Zes tegen drie en toch hebben ze niet gewonnen?'

'Wie zegt dat ze verloren hebben?'

'De trucks staan hier nog. Waarom zijn ze niet weggegaan? Gebrek aan brandstof of water?'

Hilts schudde zijn hoofd. 'Die lui waren best slim. Ze hadden overal brandstofvoorraden en ze zorgden altijd dat ze genoeg overhielden om er één te bereiken, of anders de basis, wat maar dichterbij was. En alle trucks hadden condensatoren voor hun radiators. Water is het probleem niet geweest.'

'Er is wel iets gebeurd, dat is duidelijk.' Finn draaide langzaam 380 graden rond. 'Het is een interessant raadsel, maar dit kan toch niet zijn wat Adamson zoekt?'

'Dat denk ik niet,' zei Hilts.

'We moeten verder zoeken,' zei Finn. 'En we moeten ook op de tijd letten.' Ze keek op haar horloge. Ze waren al bijna een halfuur aan de grond.

Hilts keek in de resten van de tenten en klom toen op een van de trucks. Hij sprong van de laadbak van de tweede af en liep terug naar

Finn, die een smalle, ondiepe greppel doorzocht onder een blokkade van zandzakken tegenover de ingang van de kloof.

'Iets gevonden?'

'Blikjes – nog meer corned beef – gecondenseerde melk, een raar soort Birkenstock-sandaal, een oven gemaakt van een veertigliter-vat met gaten erin, en dit.' Ze hield de resten omhoog van wat ooit een zwarte baret was geweest. Er zat een aangetast insigne vol zandkrassen voorop gespeld.

'Een schorpioen in een cirkel.' Hij knikte. '*Non vi, sed arte*, niet door geweld, maar door overleg. Die pet en insigne zijn van de LRDG.' Hilts stak zijn hand uit en hielp haar uit de greppel.

'Waarom zouden de Italianen de kloof eigenlijk binnengegaan zijn? En hoe hebben ze hem gevonden?' vroeg Finn toen ze nog een keer speurend door het kamp liepen.

'Op dezelfde manier als wij, denk ik,' zei Hilts. 'Ze volgden de sporen van de LRDG-trucks.'

'Oké, maar waarom zijn de Britten hier dan naar binnen gegaan?'

'Op zoek naar een plek voor hun kamp?'

'Of misschien volgden zij ook weer een spoor.'

'We zullen het nooit weten,' zei Hilts. Hij bleef stilstaan. Halverwege de rechterwand van de vallei zagen ze het wrak van een oud vliegtuig hangen. 'Wat zullen we nou...'

Het leek alsof iemand geprobeerd had de oude dubbeldekker aan de grond te zetten, de macht over het toestel was verloren en toen in volle vaart tegen de wand van de vallei gesmakt was. De motorkap was kapot, de propeller verbrijzeld en de onderste vleugel was verfrommeld en gescheurd, zodat alleen de helft van de bovenste vleugels en een paar stijlen nog intact waren. Het landingsgestel was volkomen verdwenen. In de loop van de tijd had de woestijn zijn tol geëist. Het doek dat de romp had bedekt lag helemaal aan rafels. Wat er nog van over was vertoonde geen nationale kentekenen.

'Misschien zochten de Britten dit,' zei Finn. Ze staarde naar het stukgeslagen vliegtuig. De deur van het toestel hing open en ze kon in de cockpit kijken. De voorruit was gebarsten, maar niet gebroken.

'Misschien zocht Adamson dit ook,' zei Hilts. Hij klom naar het wrak, trok zichzelf stukje bij beetje de steile helling op en klauwde met zijn handen in de harde zandsteen.

'Waarom zou Adamson geïnteresseerd zijn in een oud vliegtuig?'

'Omdat Lucio Pedrazzi een vliegenier was. Hij was een van de eerste archeologen die luchtbeelden gebruikte en hij vloog in net zo'n vliegtuig als dit, een Waco UIC.'

'Zo te horen Amerikaans.'

'Dat was het ook,' antwoordde Hilts. 'William Randolph Hearst vloog er als eerste in. Die man van *Citizen Kane*. Dit vliegtuig was over de hele wereld populair.'

Ze waren eindelijk bij het wrak en Hilts ging aan een van de vleugelstijlen hangen om in de cockpit te kunnen kijken. Finn volgde zijn voorbeeld. Er waren twee kuipstoeltjes, het leer tot op de vering verrot, een Y-vormige knuppel en twee bakelieten stuurwielen, een voor de piloot en een voor de copiloot naast hem. Het achterdeel was uitgebouwd tot vrachtruimte. Het was leeg op een oud geraamte van een kubus na, gemaakt van gelaste aluminiumbuizen. Midden in het kistachtige ding lag iets wat op het eerste gezicht een eenvoudige versie van een kindergyroscoop leek. Onder in de kubus zat een metalen huls die naar onder in de vliegtuigromp leidde.

'Een camerastandaard?' vroeg Finn.

Hilts knikte. 'Een Bagley, misschien een K-5. Maar geen camera.'

'Adamson.'

'Zou kunnen.'

'Ik dacht dat Pedrazzi op zoek was naar ons koptische klooster.'

'Misschien zocht hij ook nog iets anders.'

'Wanneer is Pedrazzi precies verdwenen?' vroeg Finn. Ze staarde in de lege cockpit.

'In 1938.'

'In een zandstorm?'

Hilts knikte. 'Dat zeggen ze.'

'Was hij alleen?'

'Nee. Er was toevallig een Fransman bij hem. Een man die Pierre DeVaux heette.'

'Wie was dat?'

'Een archeoloog. Monnik, net als Laval. Hij ging mee om Aramese inscripties te vertalen voor Pedrazzi.'

'Van l'École Biblique? Die school uit Jeruzalem?'

'Weet ik niet precies,' zei Hilts. 'Misschien wel.'

Finn dacht onwillekeurig aan Arthur Simpson, de man in haar hotelkamer. De man die haar vader de archeoloog kende. De man die een Britse spion was geweest. De man die zelf ook een archeoloog als vader had gehad. Drie generaties die in hetzelfde verleden groeven.

'Nogal toevallig, vind je niet?'

'Na zestig jaar?' De fotograaf trok een grimas. 'Niet echt.' Hij fronste zijn wenkbrauwen. 'Waar wil je heen?'

'Ik weet het niet zeker, maar volgens mij ontbreken er een paar lijken. Pedrazzi of die Fransman zijn nergens te bekennen. En de Britse soldaten ook niet. Vreemd.'

'Dit is geen sciencefiction. Of ze zijn hier weggegaan en omgekomen in de woestijn, of ze zijn hier nog.'

'Waar dan?'

Hilts keek de vallei rond. Uiteindelijk knikte hij bij zichzelf.

'Nou?' vroeg Finn.

'Pedrazzi is vertrokken vanaf het oude Italiaanse vliegveld in Al-Kufrah. Volgens de rapporten zouden hij en DeVaux opnames maken van een rotsformatie aan de grens met Frans Equatoriaal Afrika. Het zou helder en zonnig zijn. Perfect vliegweer, maar een paar uur later, wat ongeveer klopt, kwam er uit het niets een enorme zandstorm opzetten.'

'Waar wil je naartoe?'

'Kijk eens,' zei hij en hij wees naar de bodem van de vallei. 'Wat zie je?'

'Niets.'

'Kijk nog eens.'

Dat deed ze, en toen zag ze het. Nog meer sporen, maar anders dan de andere. Twee lange lijnen, zo'n twee meter uit elkaar, met een veel smallere lijn ertussen. De sporen liepen weg in de verte, naar het eind van de kale vallei. Finn schermde haar ogen weer af tegen de brandende zon. Er stak een hete wind op, die gruis de lucht in voerde. Ze voelde het in haar neusgaten en haar haar.

'De Waco is een vliegtuig met een staartwiel, net als de Wilga waarin wij vliegen. Die laat precies zo'n spoor achter.'

'Ik begrijp het niet. Hoe kunnen die sporen daar liggen terwijl het vliegtuig hier is neergestort?'

'Omdat die sporen van een eerder bezoekje zijn,' zei Hilts. 'Pedrazzi was hier al eerder geweest.'

'Ze gingen dus helemaal geen opnames maken.'

'Nee. En dat wil zeggen dat ze iets gevonden hebben waarvan ze niet wilden dat iemand anders het wist.'

'Maar er is hier niets.'

'Er moet hier iets zijn. Pedrazzi, verdwenen soldaten, neergestorte vliegtuigen. Te veel toevalligheden voor een onbeduidende oude rivierbedding midden in de woestijn. En dan zijn Adamson en zijn vrienden er ook nog.'

'Waar moeten we dan naar zoeken?' vroeg Finn.

'Ik zou zeggen naar een grot,' antwoordde Hilts. Hij keek op naar de rotswanden. 'Maar dat is ook niet zo logisch' – hij zweeg even – 'tenzij...'

'Tenzij wat?'

'Dit is allemaal zandsteen. Grotten ontstaan meestal op plekken waar water door kalksteen stroomt. Hier is al heel lang geen water geweest.'

'Waar denk je dan aan?'

'Ik denk aan Qumran.'

'Van de Dode Zeerollen?' Finn fronste haar voorhoofd. 'Die zijn toch geschreven door de Essenen of zo?'

'Essenen of kopten, maar dat maakt nu niet veel uit... maar de grotten van Qumran zijn speciaal gemaakt om de rollen te verbergen voor mensen die ze wilden vernietigen. Het waren kunstmatige grotten... uitgehold in steen. Toen de mensen die de rollen verborgen Qumran verlieten, metselden ze de grotten dicht en bedekten de ingang met puin.'

'Wil je zeggen dat ze dat hier ook hebben gedaan?'

'Pedrazzi heeft iets gevonden en die soldaten moeten ergens zijn. Het is een goede gok.'

'Waar moeten we naar zoeken?' vroeg Finn.

'Een uitsteeksel, een schaduw die niet helemaal lijkt te kloppen, iets wat er een beetje te geometrisch, te vierkant uitziet.'

'Lekker vaag,' zei ze grijnzend.

'Makkelijker kan ik het niet voor je maken.'

Ze gingen zoeken.

Finn was degene die het zag: een combinatie van alle drie de aanwijzingen. Halverwege de verste kloofwand stak een stuk donker zandsteen uit. Precies daaronder liep iets wat een onderbroken verticale schaduwlijn leek, die er gewoon te geometrisch uitzag om een speling van de natuur te kunnen zijn. Toen ze de helling op klommen, vonden ze uiteindelijk een haast onzichtbare richel, nauwelijks zestig centimeter breed, en de overblijfselen van een smalle grotingang die lang geleden dichtgemetseld en met zand overdekt was. Honderden jaren geleden moest er op een bepaald moment een vorm van seismische activiteit geweest zijn, want één kant van de muur van gedroogde blokken leem was ingestort en omgevallen, zodat er een opening vrijkwam. In de loop der tijd had een zandstorm of een gedeeltelijke instorting van het uitsteeksel de ingang weer verborgen en haast helemaal afgesloten.

Finn en Hilts hurkten zwetend voor het gat in de rotswand en keken naar binnen.

'Ik kan niet veel zien,' zei Hilts.

'Laten we naar binnen gaan,' antwoordde Finn gretig.

Hilts legde een hand op haar arm om haar tegen te houden.

'Wacht even,' zei hij. 'Woestijngrotten kunnen bewoond zijn.'

'Door wie dan?'

Hilts greep het uitstekende stuk rots met één hand vast en hield zich met de andere hand op Finns schouder in evenwicht. Hij tilde zijn linkerbeen op en trapte met zijn voet tegen de oude bakstenen muur die de doorgang versperde. Hij deed het nog eens. Een groot stuk muur stortte naar binnen en wierp een plotselinge stofwolk op.

Er klonk een snel, schuifelend geluid als van ritselende bladeren en toen stroomden er tientallen bleke, krabachtige vormen de grot uit. Ze renden tikkend en krassend over Finns bergschoenen. Ze gilde, sprong achteruit en viel haast van de richel toen de twee centimeter grote wezens bij haar weg renden.

'*Leiurus quinquestriatus*,' zei Hilts. 'De doodsteker- of sahara-schorpioen. Een van de dodelijkste soorten ter wereld. Overdag zitten ze graag op koele, donkere plekjes. 's Nachts gaan ze naar buiten om te jagen.'

Finn knikte stil en knarste met haar tanden. Zelfs de herinnering aan het geluid dat ze gemaakt hadden was al angstaanjagend. Ze bleef bij de opening uit de buurt.

'En nu?'

'Nu gaan we naar binnen,' zei hij. 'Het omvallen van de muur heeft ze weggejaagd.'

'Maar als er nou nog meer zijn?'

'Dan trap je die plat.'

Met een grijns bukte Hilts zich en stapte de grot in. Finn slikte moeizaam en ging achter hem aan.

Door het inschoppen van het oude metselwerk was de ruimte ineens vol licht gestroomd. Het was duidelijk te zien dat de grot oorspronkelijk niet meer dan een smalle holte onder de uitstekende punt geweest was, een schuilplaats tegen de zinderende stralen van de zon. In een onbekend verleden was de holte met oude werktuigen verder uitgehold tot een ovenvormige uitsparing in de rotsen. Ooit was het een geheime bergplaats voor een oude bibliotheek geweest, zoals de grotten in Qumran aan de kust van de Dode Zee. Maar in de moderne tijd was de ruimte veranderd in een crypte. Vijf gemummificeerde lijken, allemaal nog in de rafelige resten van hun LRDG-uniform, zaten op een kluitje in een hoek. Twee lagen meelijwekkend opgekruld in foetushouding. Eén leek versteend te zijn terwijl hij op handen en knieën zat, half boven een altaarachtige steen. Een andere zat met zijn rug tegen de muur, en de vijfde lag op zijn buik, half bedekt met het puin dat Hilts over hem heen had geschopt. Eén spichtige, touwachtige arm hield iets vast wat op een met kopergroen overdekte, koperen urn leek. De hals van de urn was verdwenen en hij was leeg. Achter in de grot lag een zandhelling, achtergelaten na een instorting in het verre verleden.

'De verdwenen soldaten,' mompelde Hilts. Hij bukte zich en doorzocht zorgvuldig de resten van het uniform van het uitgedroogde lijk met de koperen urn. 'Voorzichtig met de wapens. Misschien doen sommige het nog.' Er lagen wapens door de hele grot verspreid, oude Enfield-geweren, een enorm Lewis-machinegeweer, een Thompson en een stuk of wat Mills-granaten.

'Ik vraag me af waaraan ze gestorven zijn,' zei Finn. 'Zo te zien is het snel gegaan.'

Hilts schoof een been van het uitgedroogde lijk dat hij fouilleerde opzij en liet een stuk of vijf lege pantsers zien van dezelfde wezens die over Finns bergschoenen waren gekropen.

'Ze hebben een nest schorpioenen verstoord, misschien wel honderden dieren. Aan één steek ga je al dood. Zij moeten tientallen keren gestoken zijn. Niet zo'n prettige dood.' Hij haalde zijn schouders op. 'Ze hebben geen tijd gehad voor iets anders dan sterven.'

Hilts trok een oude portemonnee uit een binnenzak van de man en klapte die voorzichtig open. De resten van zijn organen lagen als stoffig papier in de benige holte van de ribbenkast.

'Iets interessants?' vroeg Finn.

'Bonnetje van de bar van Shepherd's Hotel, lidmaatschapskaart van de Victory Club. Bibliotheekpas van Haddon Library in Cambridge.' Hij groef dieper in de portemonnee. 'Hier is zijn identificatie. Professor George Pocock, Strategic Operations Executive, Grey Pillars, Cairo. Dat was het hoofdkwartier, als ik het me goed herinner.'

'Haddon is de bibliotheek van de faculteit archeologie in Cambridge. Mijn vader heeft mijn moeder daar leren kennen.'

'De Strategic Operations Executives waren spionnen,' zei hij. 'Deze vent zat helemaal niet bij de Long Range Desert Group.'

'Een archeoloog en een spion, erop uitgestuurd om Pedrazzi te zoeken?'

'Daar lijkt het wel op.'

Hilts liet de portemonnee in de zak van zijn legerjasje glijden, nam de tijd om een paar foto's te nemen, stond toen op en liep verder de grot in. Finn voelde plotseling een haast hopeloze claustrofobie. Ze liep naar de ingang van de nauwe grot en keek uit over de vallei. Er had zich niets bewogen en er was niets veranderd in het oorlogsdiorama onder hen, behalve het wervelende zand dat opgejaagd werd door een frisse wind die door de kloof begon te gieren. De lucht boven hun hoofd was van fel metaalblauw veranderd in een lelijke saffraankleur, als van een oude blauwe plek. Het weer sloeg om. Ze draaide zich om en wilde het tegen Hilts zeggen, maar toen zag ze dat hij iets had opgegraven. Een beetje ongemakkelijk liep ze naar hem toe, terwijl haar ogen de grond afspeurden naar tekenen van beweging. Eenmaal bij Hilts zag ze dat hij de bovenkant en zijkanten van een grote stenen kist had uitgegraven. Hij was rechthoekig, ongeveer één meter twintig hoog, negentig centimeter breed en één tachtig lang. De voorkant wees naar de ingang. Er was iets in de steen uitgehakt wat op het hoofd van Medusa leek, met een massa kronkelende slangen als haar. Rondom het hoofd, als letters op een muntstuk, stond een vage, bijna afgesleten inscriptie.

'Ik kan het niet lezen,' zei Hilts.

Finn draaide de dop van haar veldfles, goot water in haar handpalm en veegde snel met haar hand over de inscriptie. De letters werden onmiddellijk donker en leesbaar.

'Slim,' zei Hilts vol bewondering. Hij las de woorden hardop. '*Hic Latito Lux Excito, Vox Luciferus.*' Hij schudde zijn hoofd. 'Jammer dat ik nooit Latijn heb gehad op school.'

'Ik wel,' zei Finn. 'Mijn ouders stonden erop. Volgens hen gaat er niets boven een klassieke opleiding. Dat is goed voor het lezen van kreten op belangrijke oude gebouwen.'

'Wat staat hier dan?'

'Hier ligt verborgen de Brenger van Licht: het Woord van Lucifer.'

'Je maakt een geintje,' zei Hilts.

'*No grappa est,*' zei ze. 'Dat is geen grap.'

'Lucifer, als in dé Lucifer?'

'Lucifer was een heel gewone naam in het oude Rome. Tweeduizend jaar geleden had die nog niet zo'n negatieve bijbetekenis.'

'Dus in dit ding ligt een of andere Romein begraven die Lucifer heet?'

'Zijn woord, in elk geval.'

'Laten we eens kijken.'

Hilts schepte met twee handen het zand van de kist.

'Maken we hem open?'

'Zo te zien hebben een heleboel mensen veel moeite gedaan om dit ding te vinden, wat het ook is. We kunnen op zijn minst een kijkje nemen.'

'En Adamson en zijn makkers dan?' vroeg Finn fronsend.

Hilts keek op zijn horloge.

'Nog minstens een halfuur. Dan kunnen we allang weg zijn.'

Het duurde nog vijf minuten om het zand van de stenen kist te scheppen. Toen ze daarmee klaar waren pakte Hilts een vijftien centimeter lang 'slagersmes'-bajonet van een van de Enfield-geweren en hamerde die met de palm van zijn hand in de maar net zichtbare spleet tussen de kist en het zware deksel. Hij wrikte langzaam en het deksel gleed een heel klein stukje opzij. Er kwam muffe, stoffige lucht vrij. Hilts en Finn wisten met vereende krachten het deksel van de sarcofaag af te duwen en lieten het op de grotbodem glijden, schuin tegen de zijkant van de stenen kist geleund. Samen keken ze erin.

In de zware stenen doodskist lag de gekromde figuur van een man. Hij droeg een vaalgroene broek, een lang, dichtgeknoopt jack in dezelfde kleur en zware laarzen. Zijn gezicht was leerachtig bruin, maar afgezien van een verdwenen oor was het nog relatief intact. Scheef op zijn haviksneus stond een bril met een stalen montuur. Dat ene oor was verdwenen doordat er een rafelig gat in de rechterslaap zat, groot genoeg om een vuist in te steken. Er ontbrak ook een deel van de kaak, waardoor er een mondvol gele tanden te zien was. De tong was verschrompeld tot een zwarte klont. Tussen de benen van het op natuurlijke manier gemummificeerde lijk lag een koperen urn, eenzelfde als de dode man bij de ingang vasthield.

Finn stak haar hand in de kist en greep de vaas. Hij was leeg, net als die in de handen van de dode archeoloog. Hilts begon de zakken van het legerjasje met de koperen knopen te doorzoeken.

'Dat lijkt wel een uniform,' zei Finn.

'Is het ook,' antwoordde Hilts. 'Italiaanse Woestijnstrijdkrachten. Geen insigne of wat ook. Geen rang.'

'Hij heeft een ring om.' Voorzichtig pakte ze de rechterhand. Er glansde nog een gouden ring om de leerachtige haak van de wijsvinger. Hij viel in haar handpalm. 'Er is een wapen in gegraveerd.'

'Vijf tegen tien dat dit Pedrazzi is. Hou even vast.'

'Heb je iets gevonden?'

'Hij rookte.' Hilts gromde. 'Als iemand zijn kop er niet af geschoten had, zou de longkanker hem wel te pakken gekregen hebben.' Hij wierp haar een kleine, verbleekte sigarettenkoker toe. Ze kon nog een geëmailleerde afbeelding van een rustende vrouw en de naam Fatima onderscheiden.

Heel vaag, eerder als een trilling dan als een geluid, hoorde Finn iets in de verte. Iets wat boven het zuchten van de wind uitkwam.

'Wat is dat?' vroeg ze zenuwachtig.

Hilts onderbrak zijn onderzoek even en luisterde, fronsend van de concentratie.

'Verdomme!' Het was de eerste keer dat Finn hem hoorde vloeken.

'Wat is er?'

'Een helikopter.'

'Adamson?'

'Het is een gevechtshelikopter.' Hij rende naar de ingang van de grot en keek naar buiten. Finn ging naast hem staan. Ze zag helemaal niets, behalve het opwaaiende zand en de oude voertuigen in de vallei. Het geluid werd steeds luider en zwol aan tot een diepe, ronkende herrie. Hilts knikte grimmig. 'Russisch. Een Mil-24. Het is die griezel met de baret.'

'Kolonel Nasif.'

'Dat moet wel.'

'Wat doet hij hier?'

‘Ik geloof niet dat we de kans zullen krijgen om dat te vragen.’
‘Dus wat doen we nu?’
‘Rennen!’

16

Ze bereikten het wrak van de Italiaanse Sahariane voor de insectachtige Russische gevechtshelikopter er was. De Mil-24 gleed ineens over de rand van de kloof, als een mechanische gruwel uit een sciencefictionfilm, een zwevende stalen bidsprinkhaan. Het toestel draaide zoekend naar zijn prooi heen en weer onder de grote schroef, bleek van de lichte camouflagekleuren. Tergend langzaam zweefde hij de vallei in, iets schuin, neus naar beneden, zwaaiend van links naar rechts.

'Ze hebben ons nog niet gezien,' zei Hilts.

'Maar ze weten dat we hier zijn. Ze hebben het vliegtuig natuurlijk gezien,' zei Finn. Ze zaten samen weggekropen onder het enorme spatbord van de oude vrachtwagen.

'Ze weten dat we in de vallei zijn, meer niet,' zei de piloot. Hij moest in haar oor schreeuwen om boven het donderend geraas van de Mil uit te komen. 'We hebben nog een kans.'

Terwijl de helikopter langzaam over de vallei gleed, bleven ze zich achter de Sahariane verschuilen. Ze zorgden dat ze de massa van het voertuig steeds tussen hen en de helikopter in hielden, als een schild. Finn boog zich over de laadbak van het uitgebrande woestijnvoertuig en keek achterom. De toegang tot de kloof lag minstens dertig meter verderop; te onbeschut.

'We moeten ze afleiden,' riep ze.

Hilts knikte. Hij stak een hand in de diepe zak van zijn legerjasje en haalde er een van de oude Mills-granaten uit de grot uit.

‘Doet die het nog?’

‘Er is maar één manier om daarachter te komen!’ Hij trok de pin eruit en wachtte, de veerbeugel stevig in zijn vuist geklemd. Hij wachtte tot de Mil geland was, met de neus bij hen vandaan, en slingerde de honkbalgrote granaat toen weg. De stalen fragmentatiebom vloog met een boog bij hen vandaan en de veerbeugel sprong weg, glanzend in de zon.

‘Tel tot vier en ren dan naar de kloof,’ instrueerde Hilts. ‘Ik kom zo!’ Hij haalde nog een granaat uit zijn zak en wierp die ook, deze keer naar de andere kant van de vallei.

Finn telde snel tot vier, sprong toen op en rende weg, met haar ogen op de donkere schaduw gericht die de ingang van de kloof aangaf. Ze bereikte de kloof precies op het moment dat de eerste granaat ontplofte. Ze wilde achteromkijken, maar voelde Hilts’ handpalm in haar rug die haar naar de ingang duwde. Ze struikelde en zijn hand lag om haar arm, trok haar omhoog. De tweede granaat ging met een scherpe knal af en toen was het donker om haar heen.

‘Lopen! Lopen! Lopen!’ schreeuwde Hilts, en zij liep. Achter haar klonk een scherp, hoestend geluid toen de motor van de Mil haperde, toen aansloeg, en vervolgens weer haperde. ‘Ik geloof dat ik de schroef heb geraakt!’ zei Hilts.

Finn knikte blindelings en bleef rennen. Uiteindelijk was ze de nauwe kloof uit en stond ze in de open woestijn. Hun vliegtuigje stond een kleine honderd meter verderop. Er was geen teken van de helikopter.

Ze stond stil, als verstijfd en staarde naar links, de woestijn in. Daar rees een donker gordijn op van honderden meters hoog, als een agressieve vloedgolf. De donkere lucht hield het licht van de zon tegen.

‘Kijk daar!’

‘Zandstorm!’ schreeuwde Hilts. ‘Ga het vliegtuig in!’

Finn rende nog harder. Ze had het gevoel dat haar longen uit elkaar zouden klappen en haar hart hamerde fel in haar borst. Haar ademhaling kwam in ruwe, hete stoten. Ze bereikte de schaduw van de vleugel en wrong de deur van het vliegtuigje open. De wind die haar in de rug blies was gloeiend heet en zat vol zandkorrels die brandden, langs haar blote huid schuurden en zelfs haar handen pijn deden. Het geluid van het zand tegen de vleugels en de romp klonk als het zenuwachtige getik van miljoenen uitgemergelde vingers, een voorbode van haar einde. Ze zou stikken en verteerd worden in dit reusachtige duistere ding, dat als een monster boven haar uittorende, het addergebroed of de demon van de woestijn.

Ze wierp zich het vliegtuig in en had moeite om de deur dicht te krijgen, terwijl Hilts naast haar naar binnen klom. Hij begon onmiddellijk aan zijn vertrekprocedure, drukte boven zijn hoofd de knop voor de flappen in en gaf een mep op het luchtflesventiel en de brandstofontsteking. De radiaalmotor startte brullend. Hij liet de rem los en duwde de gashendel hard naar voren met zijn linkerhand; de rechter lag op de stuurkolom. De grote propeller begon te draaien, leek hen haast naar voren te slepen, maar de klifwand lag recht voor hen.

'Moet je niet keren?' riep Finn, die de wand nog geen tweehonderd meter voor haar zag.

'Dat gaat te langzaam! Dit vliegtuig keert zo traag als een slaapwandelaar!' zei hij terwijl hij de gashendel nog verder naar voren duwde. Ze schoten vooruit over het harde zand. Rechts van Finn kwam de zandstorm als een stoomwals op hen af. Hij vulde haar hele blikveld.

'Gaan we dat redden?'

'Denk aan verheffende dingen!'

Plotseling vloog de gevechtshelikopter over de rand van het klif en dook vlak voor hen naar beneden. Finn zag vuur spuiten uit de dubbelloops geschutskoepel onder de neus. De woestijnbodem vlak voor hun vliegtuigje werd aan flarden geschoten.

Hilts trok de stuurkolom hard naar rechts, stampte met zijn voet op het rechter roerpedaal en duwde de gashendel zo ver mogelijk naar voren. Het vliegtuig zwenkte naar rechts en sprong omhoog, terwijl de Mil-24 naar links gleed. Ze gingen recht op de naderende muur van de brullende storm af. Er klonk plotseling een kletterend geluid achter hen en Finn kreeg het gevoel dat een reuzenhand het toestel vastgreep en door elkaar schudde. Toen sloeg de zandstorm in en verdwenen ze in de hongerige kaken.

Ze vlogen door de storm, blindelings en wanhopig stijgend tot ze boven de donkere, kolkende gruwel uitstegen en in het zonlicht kwamen. De storm onder hen zag eruit een zwarte, angstaanjagende zee, doorschoten met bliksemflitsen.

'Wat een storm,' zei Finn terwijl ze naar beneden staarde.

'Een gek verschijnsel,' zei Hilts en hij knikte terwijl hij zijn instrumenten controleerde. 'De wrijving van het zand veroorzaakt de bliksem. En ook allerlei soorten magnetische storingen.'

'Je ging daarbeneden recht op die helikopter af. Je draaide niet weg.'

'Dit ding vliegt als een tierelier, maar draait heel slecht. En de Mil-24 is trouwens ook zo'n beetje de minst wendbare helikopter die de Russen hebben gemaakt. Als je daarin vliegt, moet je grote cirkels maken. Maar ik wist dat we erop en erover konden gaan.'

'Dat wist je?'

'Dat hoopte ik.' Hilts grinnikte.

'Denk aan verheffende dingen? Kon je niets beters verzinnen?'

'Altijd beter dan: zeg maar dag met je handje,' zei Hilts. 'En dat was het enige alternatief.'

'En de helikopter? Komen ze achter ons aan?'

'Nee. Ze hadden niet genoeg tijd om hoogte te maken. Die Nasif zal de storm aan de grond moeten uitzitten. En daarna moet hij misschien hulp oproepen om weer te kunnen starten.'

'Dus wat doen we nu? We kunnen niet terug naar de opgraving.'

'Er is een oud olievliegveld bij Ayn al Ghazal. Daar kunnen we tanken en de grens oversteken naar Egypte.'

'En dan?'

'Dan moeten we eens goed nadenken. Cairo. De ambassade. Nieuwe paspoorten. Misschien een babbeltje maken met jouw vriendje Mickey Hearts.'

'Of we kunnen uit gaan zoeken waar Pedrazzi mee bezig was.'

'Je had een van die koperen urnen mee moeten nemen,' zei Hilts.

'Ik zat met mijn hoofd ergens anders,' antwoordde Finn. Ze haalde de oude, platte sigarettenkoker met de rustende vrouw op het deksel uit de zak van haar jack. 'Ik heb alleen deze.'

'En we roken niet eens,' zei Hilts. 'Verdorie.' Ze vlogen nu recht naar het oosten, naar de grens in de verte, bij de zandstorm en de dreiging van Nasif en zijn helikopter vandaan.

Finn rammelde met het blikje, maar hoorde niets. Voor een lege koker leek hij vrij zwaar. Ze prutste nieuwsgierig het deksel open en zag tot haar verrassing een opgevouwen stuk linnen. Hilts wierp een blik door de smalle cockpit.

'Heb je iets?'

'Dat weet ik niet,' zei ze. 'Het lijkt wel een zakdoek.'

'Ik zorg dat we onder de radar blijven,' zei Hilts. Hij duwde de stuurknuppel voorzichtig naar voren. Het vliegtuig reageerde onmiddellijk en dook op de woestijn af. 'Ik zou niet graag zien dat onze vriend de cavalerie op ons afstuurt.'

Finn vouwde de zakdoek open. Het had een monogram in een hoek, twee vervlochten letters onder een wapenschild. 'L.P. Lucio Pedrazzi. Dat is hetzelfde schild als op de ring die hij om had.'

'Dat gat in zijn hoofd heeft hij niet van een schorpioenenbeet opgelopen,' zei Hilts. 'Eerder van een pistool van dichtbij.'

'Is hij vermoord?'

'Dat denk ik wel, ja.'

'Maar volgens jou was de enige die bij hem was...'

'Pierre DeVaux, de monnik,' maakte Hilts haar zin af.

'Een monnik met een pistool?'

'Agatha Christie had dat vast geweldig gevonden.'

Finn had de zakdoek helemaal opengevouwen. Midden in het vierkante lapje lag een gouden medaillon te glinsteren. Het kwaadaardige gezicht van een fronsende Medusa staarde in reliëf naar haar op. Ze had kwaad vertrokken lippen en een massa kronkelende slangen als haar.

'Een munt?' vroeg Hilts, die naar het voorwerp in haar hand keek.

'Een medaillon.'

'Wat staat erop?'

'Dezelfde inscriptie als op de stenen kist,' zei ze. '*Hic Latito Lux Excito, Vox Luciferus*. Hier ligt verborgen de Brenger van Licht: het Woord van Lucifer.'

Ze draaide het gouden schijfje om. Aan de andere kant was en profil een knap gezicht gegraveerd, en nog een inscriptie.

'Wat staat daar?'

'*Legio III Africanus, Domus in Venosa est*. Derde Afrikaanse legioen, thuis in Venosa,' vertaalde ze.

Hilts fronste zijn wenkbrauwen. 'Waar ligt Venosa?'

17

Het plaatsje Venosa telt ongeveer twaalfduizend inwoners, verspreid over een vulkanische heuveltop in het district Basilicata. Het district is een kleine, onbeduidende *regione* die ruwweg in de voetholte van de laars van Italië ligt en in het zuiden begrensd wordt door de Golf van Taranto en in het noorden door de marmeren wervelkolom van de Apennijnen. De gebouwen zijn er opgetrokken uit bleek, witgekalkt stucco, beige steen en stoffige rode pannendaken. Er komen maar weinig toeristen; het heeft niet de smaak van Toscane of de grandeur van Rome. Maar ooit, lang geleden, was het een verzamelpunt aan de Via Appia voor de grote Romeinse legioenen die eropuit trokken om de wereld te veroveren. Tegenwoordig heeft Venosa een paar onbelangrijke kerken, verschillende catacomben, een fort en één goed restaurant, Il Grifo, vlak bij het plein midden in het centrum.

Finn parkeerde de blauwe Fiat Panda op het kleine plein en zette de motor uit. Het enige verschil tussen het plein en het eenvoudige parkeerterrein met kinderkopjes was een middelgroot beeld van een oude Romein in toga met een boekrol in de hand en een olijfkrans op zijn half kale hoofd. Kennelijk was dit de beroemdste telg van dit dorp, Quintus Horatius Flaccus, in de literatuurgeschiedenis beter bekend als de dichter Horatius. Finn zat aan het stuur omdat zij de taal vloeiend sprak. Ze had een jaar in Florence gestudeerd om materiaal te verzamelen voor haar doctoraalscriptie over de tekeningen van Michelangelo. Ook was het een praktische manier om om te gaan met de onverbiddelijk chauvinistische *polizia* op de snelwegen, die altijd bereid waren om een oogje dicht te knijpen voor een knappe roodharige toeriste; vooral als die met zo'n charmant accent *per favore* en *grazie* kon zeggen.

Finn deed het portier van het minuscule autootje open.

'Blijf hier,' droeg ze Hilts op.

'Hoezo?' vroeg Hilts, die zijn autogordel al losmaakte.

'Als een vrouw in dit land vragen stelt werkt het beter als ze in haar eentje is dan als er iemand bij is,' antwoordde Finn. 'Italiaanse mannen zijn allemaal hetzelfde, ze denken dat ze op aarde zijn om vrouwen te plezieren en dat we allemaal jonkvrouwen in nood zijn die naar mannelijke aandacht snakken. Jij bent maar concurrentie, althans in hun ogen.'

'En oude mannen dan?'

'Die zijn nog erger,' zei ze grijnzend. 'Die hebben iets te bewijzen.'

'En homo's?'

'Zelfs die willen me knijpen, al was het maar om de nationale eer hoog te houden.'

'Het feminisme slaat hier dus niet zo aan.'

Ze lachte. 'Feminisme en Italië zijn heel verschillende dingen.'

Finn stapte uit en stak het claustrofobisch kleine pleintje over. Ze ging de plaatselijke *Municipio* binnen, het gemeentehuis. Het was een vierkant, vervallen stenen gebouw met een ingang als een mond vol uitgeslagen tanden, dat geen enkel opvallend bouwkenmerk had. Hilts zakte onderuit in zijn stoel en pakte de gids die ze twaalf kilometer eerder op een benzinestation in Rapolla gekocht hadden.

Volgens de gids heette dit plaatsje tweeduizend jaar geleden Venusia, naar de Romeinse godin van liefde en schoonheid. Tegenwoordig was het plaatsje vooral van belang vanwege het graf van de vrouw van Robert Guiscard, de man die Sicilië had veroverd, wat geleid had tot de oprichting van de maffia. Voor zover Hilts begreep, stond niets hier in verband met Lucio Pedrazzi en een grot vol mummies naar modern ontwerp in de Libische woestijn. Aan de andere kant hadden ze ook geen andere aanwijzingen.

Vijf minuten later kwam Finn weer terug en stapte de auto in.

'En?' vroeg Hilts.

'Geloof het of niet, hij heette Alberto Pacino. En hij wilde per se slechte imitaties uit *Scarface* doen, met een Italiaans accent.'

'Maar had je er nog iets aan, behalve dat je *"Ello!"* mocht zeggen tegen zijn *little friend*?'

'Ik heb helemaal niets tegen zijn *little friend* gezegd, maar wel ontdekt wie de plaatselijke geschiedenisgek is. Hij heet signore Abramo Vergadora. Hij is een gepensioneerd professor en hij woont op een plek die Villa Embreo Errante heet, een paar mijl naar het noorden.'

'Embreo Errante?'

'De Wandelende Jood,' vertaalde Finn.

18

De villa van signore Vergadora lag in een aangenaam beschaduwde vallei tussen twee schijnbaar eindeloze rijen rotsachtige heuvels, die dwars door het hele gebied verspreid lagen als begroeide zandhopen die waren opgeworpen door een naar botten gravende reuzenhond. Anders dan de meeste dalen waar ze doorheen waren gereden, leek deze zowaar in staat om landbouwproducten voort te brengen. De villa lag in een olijfboomgaard. Een lieflijk beekje slingerde tussen de bomen door. De villa zelf was tamelijk bescheiden en heel oud. Vergeeld stucco bladderde van oeroude stenen af, de diepe ramen waren afgeschermd met smeedijzeren roosters, de terracotta dakpannen waren stoffig rood en een toren aan de voorkant waakte over de rest van het uitgestrekte bouwwerk.

Finn parkeerde voor de hoofdpoort en ze stapten uit, het warme, heldere zonlicht in. Ze kon nu het beekje horen, dat zachtjes in zichzelf babbelde, en de namiddagbries in de populieren die als schildwachten om het huis stonden, veel hoger dan de knoestige olijfbomen die hier misschien al net zolang stonden als het huis zelf, eeuwenlang misschien.

Ze stonden voor een zware houten voordeur en Finn trok aan de bel. Ergens achter in de villa hoorden ze een tinkelend geluid en het geschuifel van naderende voeten. Even later zwaaide de deur krakend open en verscheen er een gezicht: een Italiaanse J.R.R. Tolkien, met een keppeltje boven op een woeste bos zilverkleurig haar, uitgezakte wallen onder twinkelende ogen en rozige wangen, die door de tijd en de zwaartekracht waren gaan hangen, naast een haast vrouwelijke mond die zo te zien niet vaak ontevreden stond. De man had een felrode leesbril op zijn voorhoofd en droeg een bruin ribfluwelen pak, veel te warm voor de zomer, met een vestje, wit overhemd en stropdas. Op het vest zat een horlogezakje en een ketting die over een aardig buikje spande. De man droeg paarsfluwelen sloffen.

'Ah,' zei hij blij. 'Het Amerikaanse stel.'

'Hoe weet u dat?' vroeg Hilts.

'Alberto belde me van de Municipio,' antwoordde de oude man, nog steeds glimlachend. 'Die denkt dat elke Amerikaan een Hollywood-producer op zoek naar nieuwe sterren is.' Hij deed een stap opzij en gebaarde dat ze verder mochten komen. 'Komt u toch binnen. Ik ben Abramo Vergadora.'

Vergadora ging hun voor door een aantal spaarzaam gemeubileerde ruimtes met hoge plafonds en liet ze uiteindelijk binnen in wat duidelijk zijn heilige der heiligen was: een bibliotheek. De wanden gingen schuil achter uitpuilende boekenplanken, de stenen vloer was bedekt met overlappende Perzische tapijten. In de kamer stonden een stuk of tien stoelen en banken, en overal lagen boeken hoog opgetast op tafels en stoelen en in stapels op de vloer. De kamer rook naar papier, leer, sigarenrook en as uit de gigantische haard in de hoek. Finn bleef staan. In de schoorsteenmantel was hetzelfde wapenschild uitgesneden als op Pedrazzi's ring en de oude zakdoek die om het gouden medaillon gewikkeld zat.

'Dat is het wapen van de familie Pedrazzi,' zei ze.

Vergadora keek haar nieuwsgierig aan.

'Nee, dat is het niet,' zei hij. 'Maar het is bijzonder dat je het kent.'

'Het is het wapen dat Lucio Pedrazzi gebruikte,' hield ze vol.

'Dat is waar, maar de familie Pedrazzi had daar geen enkel recht toe,' antwoordde Vergadora rustig. 'Maar voordat we hier verder over discussiëren: kan ik u koffie of thee aanbieden? Limonade? Frisdrank? Ik heb helaas alleen Dr. Pepper.' De glimlach van de oude man werd nog breder. 'Of misschien iets sterkers? Een martini? Brandy Alexander? Dat zijn de enige twee Amerikaanse dranken die ik kan maken. Jammer genoeg moet ik het zonder huishoudelijke hulp stellen, met uitzondering van de oude vrouw die donderdags mijn was komt doen.'

'Koffie graag,' zei Finn.

'Ja, graag,' zei Hilts met een knikje.

'Geweldig.' Vergadora straalde. Hij draaide zich om en schuifelde weg. Zijn sloffen fluisterden in de verte.

'Hij is een mafkees,' zei Hilts. 'Een aardige mafkees, maar niettemin een mafkees.'

'Ik gebruik liever het woord "excentriekeling",' zei Finn glimlachend. Ze begon langs de rijen boeken te dwalen.

'Hij heeft hier alles van Dantes *Inferno* tot *De beproeving* van Stephen King.'

'Niet zo'n grote stap, als je erover nadenkt,' zei Hilts, die zich in een van de comfortabele leren stoelen liet vallen en toekeek terwijl Finn haar inspectie van de boekenplanken voortzette. 'Wat vind je van dat gedoe met Pedrazzi?'

'Ik ben benieuwd naar de verklaring,' zei Finn.

'Hij is Joods,' peinsde Hilts. 'Dat is een beetje vreemd.'

'De villa heet de Wandelende Jood. Er zijn al duizenden jaren Joden in Italië.'

'Daar hoor je niet veel over.'

'Fiorello La Guardia was een Italiaanse Jood. Modigliani, de beeldhouwer, ook. En volgens mij was de man die de Olivetti-typemachine heeft uitgevonden ook Joods.'

'Dat was hij inderdaad. Hij heette Camilo Olivetti.' Vergadora kwam de kamer weer binnen met een dienblad. Behalve koffie stond er één enkele roos in de knop op het blad, in een smalle porseleinen vaas. Hij zette het op een tafel.

'Ik kende zijn zoon, Adriano, vrij goed,' ging de oude man verder. 'We hebben samen de oorlog in Lausanne doorgebracht, als zogenaamde bannelingen. Als hij niet zo rijk was geweest, was hij communist geworden, dat weet ik zeker.'

Hij zweeg even met een weemoedige blik op zijn gezicht. 'Wist u dat zij het enige bedrijf zijn waar nog mechanische typemachines gemaakt worden? Ik vind dat een troost in een wereld waar mensen in plaats van adresboekjes dingen hebben die Blackberry's heten, en waar computers naar fruit worden vernoemd.' Hij glimlachte naar Finn. 'Melk? Suiker?'

'Zwart,' zei ze.

'Allebei,' zei Hilts.

Vergadora schonk in en deelde de kopjes rond, en Finn ging aan tafel tegenover hem zitten.

'Vertelt u eens over Pedrazzi en dat wapenschild,' vroeg Finn.

'Zegt u maar wat u wilt weten,' antwoordde Vergadora.

Hilts gaf antwoord. 'Een paar dagen geleden vonden we Pedrazzi's uitgedroogde lijk in de Libische woestijn. Iemand had hem door het hoofd geschoten.'

'Wat geweldig,' zei de oude man stralend. 'Een afloop waar iedereen oprecht dankbaar voor mag zijn. Dat was een werkelijk kwaadaardig individu.' Hij nam een slok koffie, staarde naar de roos en verschikte iets aan de ene stengel. 'Hebt u ook de overblijfselen van die *busone* DeVaux gevonden?'

'Nee. Pedrazzi's lijk lag verstopt in een oude sarcofaag,' zei Finn. 'De enige andere lijken waren van Britse soldaten van jaren later.'

'Zonde. Als rabbijn hoor ik boven dat soort gedachten te staan, maar soms kan ik het gewoon niet laten om te denken dat sommige mensen bij hun geboorte al gewurgd hadden moeten worden, en Pierre DeVaux staat hoog op mijn lijst.'

'U hebt nog steeds niet uitgelegd hoe het met dat wapenschild zit,' drong Finn aan.

'Wat deed u beiden midden in de Libische woestijn?'

'Antwoordt u altijd op vragen met een tegenvraag?' vroeg Hilts.

'Dat is een rabijnentrekje, een slechte gewoonte maar wel nuttig.' Vergadora schonk hun een van zijn beminnelijke glimlachjes. 'Het geeft een oude man wat ruimte om na te denken. Ik ben niet meer zo scherp als jullie jongeren.'

'Ja, dat zal wel.'

'Dat wapenschild?' hield Finn aan.

'Drie handen die een halvemaan vasthouden, drie palmbomen en een klimmende leeuw. In Pedrazzi's beperkte visie is daar niets Hebreeuws aan. Maar het hertogdom van Lorro, dat ongeveer lag waar nu de olijfgaard om mijn huis ligt, was vroeger van mijn familie, de Duca di Levi Vergadora Ibn Lorro. Oorspronkelijk waren zij de houders van de titel, die hun in de twaalfde eeuw geschonken is door de Lombardijse koningen. Als Pedrazzi zijn huiswerk had gedaan, zou hij geweten hebben dat halvemanen, palmen en open handen in de heraldiek allemaal aanduidingen voor het joodse geloof zijn. Ik was de laatste hertog van Lorro. Niet dat Italiaanse titels destijds veel betekenis hadden. Maar in 1938 volgde Mussolini Hitlers voorbeeld en verklaarde hij de joden tot persona non grata. Ik woonde in die tijd niet in Italië, maar in mijn afwezigheid namen ze mij mijn titel, dit huis en het overgebleven land af. Het werd allemaal aan Pedrazzi gegeven, als een geschenk van Il Duce zelf. Pedrazzi nam zijn hertogschap heel serieus. Hij liet overal een wapenschild op zetten.'

'En u ging naar Lausanne, in Zwitserland,' zei Finn.

'En na de oorlog naar Amerika, toen naar Canada, toen een tijdje naar Israël. Maar ik ben even Italiaans als Joods, dus kreeg ik heimwee. Ik hoorde dat de villa te koop stond en kocht terug wat ooit van mij was geweest. Pedrazzi had de villa naar hemzelf genoemd, maar die naam kon ik ook uitwissen.'

'De Wandelende Jood kwam thuis,' zei Hilts grijnzend.

'Zoiets.' Vergadora knikte. Hij dronk zijn koffiekopje leeg en zette het weer op het blad. Hij leunde achterover in zijn stoel, diepte uit zijn zak een oude bruyèrepijp op en stak die aan met een keukenlucifer, die hij uit een andere zak haalde en langs zijn duimnagel afstreek. De oude man pufte en zoog lawaaierig klokkend aan de pijp. Hij leek meer op Tolkien dan ooit. 'Zo,' zei hij toen de pijp goed brandde en aromatische rookwolken naar het nicotinekleurige plafond omhoogzond. 'U leek verbaasd dat u mijn familiewapen op de schoorsteenmantel zag. Ergo, dat is niet de reden dat u hier bent. Aangezien u Amerikanen bent en onlangs in de Libische woestijn bent geweest, kan ik alleen maar aannemen dat u deel uitmaakte van die zogenaamde archeologische expeditie van hansworst Rolf Adamson, die de laatste tijd zo veel in het nieuws is geweest. Klopt dat?'

'Zogenaamd?' vroeg Finn.

'Rolf Adamson heeft de enigszins beperkte archeologische reputatie van een man die een beerput in zijn eigen achtertuin heeft gegraven.'

'Ik zie dat u niet bang bent om voor uw mening uit te komen,' zei Hilts lachend.

'Archeologie is een serieuze zaak, jongeman,' zei Vergadora. Hij zette zijn woorden kracht bij met de steel van zijn pijp. 'Zoals iemand ooit zei: de blauwdruk van het verleden levert vaak een landkaart voor de toekomst.'

'Als je niet weet waar je vandaan komt, hoe weet je dan waar je naartoe moet?' antwoordde Hilts.

Nu was de beurt aan de oude man om te lachen.

'Wie het verleden vergeet is gedoemd het te herhalen.'

'En deze dan: "Archeologie is zoeken naar feiten... niet naar de waarheid. Als je de waarheid zoekt is doctor Tyrees college filosofie aan de overkant van de gang",' citeerde Hilts.

'Nu zit u mij voor de gek te houden,' pufte Vergadora, nog harder lachend.

'Jullie zijn allebei gek,' zei Finn. Ze stak haar hand in haar zak, haalde er de oude sigarettenkoker uit en schoof die over de tafel naar de oude man toe. Hij keek even naar de afbeelding van de vrouw op het deksel en klikte de koker toen open. Pedrazzi's oude zakdoek had plaatsgemaakt voor een vierkante plak watten van de drogist. Vergadora staarde naar het glanzende medaillon, draaide het toen voorzichtig om en keek naar de achterkant.

'Dat is waarom we naar Venosa zijn gekomen,' zei Finn.

'O, lieve deugd,' mompelde de oude man.

'Lieve deugd?'

'De jonge Luciferus Africanus en zijn mythische legioen.'

'Mythisch?'

'Er zijn maar heel weinig harde bewijzen voor zijn bestaan, laat staan voor dat van zijn legioen. Toen Rome viel, stortte ook de bureaucratie in, weet u. Er zijn hier en daar wat verwijzingen, niet veel meer dan vage toespelingen. Hij was een legionair in Judea ten tijde van Jezus, zoveel is bekend. Sommigen zeggen dat hij de Romein is die Christus' graf heeft bewaakt en getuige was van de opstanding. Anderen zeggen dat hij de bron was voor Lloyd C. Douglas' roman *De mantel*. Hij zou ook de man zijn die het Verloren Legioen de woestijn in heeft geleid, en Almasy dacht dat de legende over de blonde mannen met blauwe ogen die Zerzura bewaakten bij hem vandaan kwam.'

'Met andere woorden: hij is alles wat je wilt.'

'Daar komt het wel op neer, ja.' Hij keek weer naar het medaillon. 'Hoewel hij hiermee het rijk van de mythen lijkt te verlaten... als dit echt is.'

'Hoe komen we erachter of het echt is?' vroeg Hilts.

'Dat zal niet meevallen,' zei de oude man schouderophalend. 'Goud is vreselijk moeilijk goed te dateren. Iemand die gouden objecten uit die tijd omsmelt met Romeinse gietmethoden op basis van zwaartekracht, kan zo'n object makkelijk vervalsen.'

'Het zat in Pedrazzi's zak toen we zijn lijk vonden.'

'Vergeet de authenticiteit dan maar,' snoof de oude man. 'Als iemand ooit met recht beschuldigd kon worden van vervalsing, was hij het wel.' Hij schudde zijn hoofd. 'Bovendien zijn er nog die andere legendes.'

'Welke andere legendes?'

'Van de Luciferianen en het Luciferevangelie.'

'De Luciferianen?' vroeg Finn.

'Zo te horen erg duivels,' zei Hilts.

'Doe me een lol,' verzuchtte Finn.

'De Luciferianen waren een afscheidingsbeweging binnen de Katholieke Kerk uit het einde van de vierde eeuw. Ze volgden de leerstellingen van een man die Lucifer Calaritanus heette, een bisschop uit Sardinië. Lucifer was vroeger volgeling geweest van Arius, een vrij vooraanstaand theoloog die beweerde dat Christus geen deel van het goddelijke was, maar slechts de sterfelijke uitdrukking daarvan. Sommige mensen, onder wie Pedrazzi, geloofden dat Luciferus Africanus vernoemd is naar Lucifer Calaritanus, de bisschop. Daar zit behoorlijk wat vrijmetselarij en tempeliers-gekte bij. En Pedrazzi geloofde dat natuurlijk allemaal gretig, want het was grotendeels het mythische fundament voor het nazisme, die waanzin over Beowulf en Wagner en de *Übermensch*. Uw vriend Pedrazzi dacht zelfs dat er een verband bestond tussen Arius de kluizenaar en het woord "arisch", de rasaanduiding die is verzonnen door krankzinnigen als de Franse graaf van Gobineau en zijn Engelse vriend Houston Stewart Chamberlain.'

'Nooit van gehoord,' zei Hilts.

'Hitler wel. Hij gebruikte Gobineaus *An Essay on the Inequality of the Human Races* als blauwdruk voor *Mein Kampf* en de Endlösung. Daarin stond het concept van een concentratiekamp perfect beschreven, en nog wel meer. De Fransen hebben het idee van Vrijheid, Gelijkheid en Broederschap dan wel uitgevonden, maar helaas is het nazisme ook door een Fransman bedacht, niet door een Duitser. Chamberlain was een van zijn leerlingen. Hij kwam op het amusante idee dat Jezus op een of andere manier niet Joods kon zijn. Hitler noemde zijn goede vriend Herr Chamberlain de Rijksprofeet.'

'Een echte blanke onderdrukker,' zei Finn.

'Ja,' zei de oude man, en hij knikte.

'Wat weet u over de man die bij hem was toen hij verdween, DeVaux?' vroeg Hilts.

'Ook een Fransman. Opgeleid aan l'École Biblique in Jeruzalem. Persoonlijk privésecretaris van kardinaal Maglione toen die de pauselijke nuntio in Frankrijk was. Hij bleef de rest van zijn carrière bij hem, zowel als Vaticaans staatssecretaris onder Pacelli, Pius XII, en interessant genoeg ook als Grootkanselier van het Pauselijk Instituut voor Christelijke Archeologie.'

'Wat betekent dat precies?' vroeg Finn.

'DeVaux was sterk betrokken bij alle archeologische zaken binnen de Kerk. Het is bekend dat bepaalde elementen binnen het Vaticaan in die tijd zochten naar archeologische bewijzen voor een paar dingen die Hitler en Mussolini uitkraamden. De Speer van het Noodlot, de Ark des Verbonds, Ultima Thule of Atlantis... Een van de grootste angsten uit die tijd was de stichting van een Joodse staat in Palestina. DeVaux en een heleboel andere franciscanen waren bang dat ze de macht over het Heilige Land zouden verliezen als dat gebeurde.' De oude man glimlachte met de pijp in zijn mond. 'En om de zaken nog interessanter te maken: Maglione, de baas van De-Vaux, DeVaux zelf en Pedrazzi waren allemaal vooraanstaande leden van de Maltezer Orde.'

'Wie waren dat?'

'U hebt vast de *Godfather*-films wel eens gezien?'

'Natuurlijk.'

'Onze vriend Tony Montana in het *Municipio* kan uitgebreid citeren uit alle drie. U herinnert u dat Al Pacino in het laatste deel een medaille krijgt?'

'Vaag.'

'Dat is het Kruis van Sint-Sebastiaan. Hij wordt tot Maltezer Ridder benoemd. Dat zegt wel wat, denk ik.'

'Is dat net zoiets als de tempeliers?' vroeg Finn.

'Zij *zijn* de tempeliers. De orde werd opgericht met twee afdelingen, de Hospitaalridders, die de zieken verzorgden en zwart droegen, en de militaire orde, die wit droegen zoals de cisterciënzers.'

Hilts keek geamuseerd. 'Zijn we nu aanbeland bij Dan Brown, *De Da Vinci Code*, dat soort dingen?'

'Inderdaad,' zei Vergadora met een knikje. 'Maar met deze mannen valt niet te spotten. In de afgelopen jaren is de broederschap van Sint-Sebastiaan teruggekeerd naar zijn paramilitaire wortels. Het zijn fanatiekelingen, getraind als mariniers en uiterst gehoorzaam. Ze hebben zelfs een website: www.christiansoldiers.org. Dit zijn lui die je serieus moet nemen.'

'Ze zijn zo te horen vriendjes van Rolf Adamson,' zei Hilts.

'Ze hebben zeker dezelfde basisfilosofie,' zei de oude man. 'Wat me dus bij het laatste stukje mythologie brengt dat in verband staat met jullie legionair Luciferus Africanus.' Vergadora stak zijn hand uit en raakte het medaillon aan. 'Kent een van u het verhaal van de Zeven Slapers?'

'Nooit van gehoord,' zei Hilts. Finn schudde alleen haar hoofd.

'Zonder twijfel is dat de bron voor uw eigen volksverhaal over Rip Van Winkle. Gregorius van Tours vertelt het in de zestiende eeuw, maar voor die tijd was het ook al zeer bekend. Er zijn verschillende versies, maar het verhaal gaat ongeveer als volgt: zeven jonge mannen weigeren ten tijde van de Romeinse keizer Decius afstand te doen van hun geloof in de wederopstanding. Ze worden ingemetseld in een grot, maar ze sterven niet. In plaats daarvan slapen ze twee eeuwen achter elkaar en worden dan wakker, waarmee ze bewijzen dat wederopstanding van het vlees mogelijk is. En daarna vallen ze weer in slaap, tot de komst van de Messias. Ze liggen daar nog steeds te slapen, die zeven dapperen, in een grot vol rijkdommen ergens voorbij de westelijke zee.'

'Voorbij de westelijke zee?' vroeg Hilts.

'De Verenigde Staten,' zei Finn.

'Precies,' zei de oude man, en hij knikte.

'Een grot vol rijkdommen in de Verenigde Staten, dat is echt een kolfje naar Adamsons hand.'

'En naar die van zijn grootvader, dominee Schuyler Grand.'

'Hebt u van hem gehoord?' zei Hilts, duidelijk verbaasd.

'Jongeman,' zei de oude man vriendelijk, 'als je maar lang genoeg leeft worden je oren wel slechter, maar heb je uiteindelijk alles wel een keer gehoord.'

Finn lachte, maar hij dacht onwillekeurig aan Arthur Simpson in haar hotelkamer en zijn waarschuwing voor senator Jimmy 'Het Zwaard van de Heer' Judd en zijn militie van de Tiende Kruistocht.

Hilts stond op. 'Die koffie loopt gewoon recht door me heen. Mag ik even van uw toilet gebruikmaken?'

'Natuurlijk. Er is een toilet in de gang bij de keuken.' Hij stond op. 'Ik wijs het u even.'

'Ik vind het wel,' zei Hilts. 'Geen punt.' Hij ging de kamer uit.

Finn keek naar het glanzende medaillon op de tafel voor haar. De verbanden werden griezelig duidelijk, maar de uiteindelijke bedoelingen bleven duister. Wat was Adamsons echte doel met dit alles, en hoever zou hij gaan om dat te bereiken?

'Wat had DeVaux te winnen bij Pedrazzi's dood?' vroeg Finn.

'Geheimhouding, denk ik,' mompelde Vergadora. 'Hij had duidelijk heel andere plannen.'

'Ik vraag me af of hij levend de woestijn uit gekomen is. Dat vliegtuig was een wrak.'

'Misschien was hij altijd al van plan om Pedrazzi die dag te laten sterven,' zei de oude man. Hij gebruikte nog een lucifer om zijn pijp opnieuw aan te steken en keek haar toen boven de rokende kop aan. 'Misschien had hij een ander vervoermiddel.'

Hilts kwam de kamer in.

'Misschien wel,' zei hij, terwijl hij weer ging zitten. 'Met het juiste vervoermiddel en genoeg water zou het niet zo moeilijk hoeven zijn voor een man die de woestijn kent.'

'DeVaux vergezelde Almasy op één expeditie tussen de wereldoorlogen en ging een paar keer mee met Bagnold.'

'Bagnold?'

'De oprichter van de Long Range Desert Group, waar die mannen in de schorpioenengrot bij hoorden.'

'Precies,' zei Vergadora. 'DeVaux en Bagnold hebben samen in Cambridge gestudeerd. Daar hebben ze elkaar ontmoet.'

Cambridge, dacht Finn. Arthur Simpson, haar vader, DeVaux, en die Bagnold: allemaal hadden ze dezelfde achtergrond. Waren er meer? Ze had nog een ander idee, maar dat was ver weg van de universiteit in Cambridge.

'Kwam Lucio Pedrazzi uit Venosa?'

'Dat is een interessante vraag,' zei Vergadora. 'En het antwoord is nee. Pedrazzi's familie waren verweesden uit de Pauselijke Staten. Zijn familie bestond uit *burocrates* uit de commune van Pontecorvo, iets ten zuiden van Rome, tot Napoleon hen eruit gooide.'

'Waarom kwam hij dan hierheen? Was er een band tussen uw familie en de zijne?'

'Niet dat ik weet. Hij was geïnteresseerd in de Joodse catacomben hier, dat weet ik wel.'

'En DeVaux?'

'De inscripties in de benedictijnse abdij waren zijn specialiteit. De abdij en de Kerk van de Drie-Eenheid zijn gebouwd op de ruïnes van de catacomben.' De oude man trok een zuur gezicht. 'Helaas voert het Vaticaan een streng toegangsbeleid. Ze zeggen dat je alleen maar contact met de conservator in Rome hoeft op te nemen, maar die lijkt nooit beschikbaar te zijn voor dergelijke verzoeken. Dat is al zo zolang ik me kan herinneren.'

'Kan Luciferus Africanus daar begraven liggen?'

'Wel als hij Joods was, wat te betwijfelen valt. De legaat of tribuun van een Romeins legioen kwam meestal uit de senatorsklasse, niet bepaald een groep die bekendstond om koosjer eten.'

'Ik krijg hoofdpijn,' zei Finn. 'Veel te veel informatie in één keer.' Dat, en haar groeiende vermoedens over Vergadora, om nog maar te zwijgen over de rookwolken uit zijn pijp.

'Het heeft dus geen zin om te proberen de catacomben binnen te komen, bedoelt u?' vroeg Hilts. Hij negeerde Finns opmerking.

'Volstrekt geen zin,' antwoordde de oude man. 'Tenzij u raad weet met Oud-Griekse, Latijnse en enkele Aramese inscripties. De enige die daar veel van af wist was een oude man genaamd Mueller, een van mijn docenten. Zelfs DeVaux had er maar een oppervlakkige kennis van, voor zover ik begrepen heb.'

'Dan denk ik dat we op een dood spoor zitten,' zei Finn. Ze wilde alleen nog maar weg en wat tijd krijgen om na te denken over alles wat er de afgelopen dagen gebeurd was.

'Misschien wel,' zei de oude man. 'Het hangt er natuurlijk van af waar je in de eerste plaats naartoe wilde.'

'We wilden onder meer weten waarom die Luciferus Africanus voor iedereen zo interessant is,' zei Hilts. Hij stond op, liep naar de tafel, pakte de sigarettenkoker op en klikte die dicht met het medaillon erin. 'Interessant genoeg om vijfenzestig jaar geleden voor te moorden, en interessant genoeg om nu voor te moorden.' Hij gaf het oude blikje aan Finn, die het in haar jaszak stopte.

Vergadora keek hen over zijn brillenglazen van de andere kant van de tafel aan en nam de pijp uit zijn mond. Hij duwde een nicotinegele duim in de kop en stampte de pluk as en tabak aan.

'Ik zou u aanraden om uw zoektocht te staken voordat uw nieuwsgierigheid u het leven kost, zoals Pedrazzi,' waarschuwde de grijsharige heer. Er klonk nog iets anders door in zijn stem dan het zachte timbre van een gepensioneerde professor. De waarschuwing leek meer op een dreigement, met iets duisters en akeligs erin. 'Oude geheimen zijn als oude wonden; ze gaan zweren.'

'Hoelang werkt u al voor de Mossad?' vroeg Hilts vlak.

'U bedoelt de *Hamossad Le'mode'in U'le'tafkidim Meyuchadim*, het Instituut voor Coördinatie? De Israëlische inlichtingendienst?' De oude man glimlachte. 'Neem maar van mij aan, jongeman, dat ik slechts een oude professor ben die met pensioen is.'

'Vast wel,' zei Hilts. Hij draaide zich om naar Finn. 'We moeten maar eens gaan.'

Finn stond op.

'Bedankt voor uw hulp, signore,' zei ze en ze stak haar hand uit.

Vergadora kwam overeind. Hij schudde haar hand met een sterke en stevige grip. 'U waagt u op zeer gevaarlijk terrein,' zei hij. 'Het zou zonde zijn als u verstrikt raakt in een gevecht dat het uwe niet was.'

'Daar hebt u misschien wel gelijk in,' antwoordde ze. Hij leek oprecht genoeg, maar er klonk opnieuw een dreigende ondertoon door in de stem van de oude man.

Hij liep met hen mee naar de deur, bleef in de deuropening staan terwijl ze in hun huurauto stapten en bleef hen nakijken toen ze wegreden over de lange oprijlaan, tussen de populieren en oude olijfgaard door. Toen draaide hij zich om en ging de villa weer in.

19

'Wat denk jij ervan?' vroeg Hilts toen ze wegreden.

'Dat weet ik niet precies,' zei Finn. Ze schakelde terug voor de bocht aan het eind van Vergadora's oprijlaan en ging op de hoofdweg weer naar een hogere versnelling. 'Ik loog niet, ik kreeg echt hoofdpijn van al dat geouwehoer.'

'Een groot deel was niet meer dan dat, geouwehoer,' gromde Hilts. Hij trommelde boos met zijn vingers op het dashboard. 'Die oude man is heel goed in zijn werk. Dat moet ik hem nageven.'

'Wat voor werk?'

'Ons om de tuin leiden. Al die flauwekul over Pedrazzi. Hij weet meer over wat Adamson uitspookt. Vergeet dat verleden maar.'

'Wat was dat voor gedoe over de Israëlische inlichtingendienst? Het is toch een beetje vergezocht dat hij daarvoor zou werken, en dat allemaal omdat hij Joods is?'

'Het is niet omdat hij Joods is. Het is om wat hij weet, hoe goed en hoeveel. En dan heb ik het nog niet eens over het feit dat niet veel mensen de echte naam van de Mossad kennen. Na de jaren vijftig noemt niemand het meer het Instituut voor Coördinatie. Een gepensioneerde geschiedenisprofessor die zo veel weet over de huidige staat van de inlichtingenwereld is meer dan gewoon een gepensioneerde geschiedenisprofessor. Ik ben ervan overtuigd dat hij minstens een *sayan* is, zo niet meer.'

'Wat is dat?'

'De *sayanim* zijn Israëls "slapers" over de hele wereld, in alle gelederen van de maatschappij. Ze zijn per direct oproepbaar om bij een operatie te helpen. Hij past perfect in dat profiel.' Hilts schudde zijn hoofd. 'Hij heeft zelfs zijn maatje Al Pacino in het gemeentehuis om hem snel te waarschuwen.'

'Waarom zou hij ons zo willen afschrikken?' vroeg Finn. 'Hij heeft heus niet al die jaren in zijn villa op ons zitten wachten.'

'Niet op ons,' zei Hilts. 'Maar op iedereen die langskomt en geïnteresseerd is in Pedrazzi of in de rest van het verhaal.'

'Maar waarom?' hield Finn vol. 'Het is allemaal verleden tijd. Wie is er nou geïnteresseerd in een man die tweeduizend jaar geleden een legioen heeft aangevoerd?'

'Tweeduizend jaar geleden, dat is een belangrijke tijd. Het grootste deel van de westerse wereld, met name de Verenigde Staten, rekent de tijd vanaf die datum. De hele Katholieke Kerk is erop gebaseerd.'

'Natuurlijk,' zei Finn en ze lachte. Ze nam gas terug toen ze achter een stokoude vrachtwagen met een kar vol mest erachter kwamen te zitten. 'Een oude Joodse rabbijn die voor het Vaticaan werkt.'

'Ga maar na,' zei Hilts. 'Ze hebben in Cairo geprobeerd om ons te doden. Een monnik uit Jeruzalem begint rond te snuffelen. Adamson en zijn maten voeren iets in hun schild in de Libische woestijn wat niet helemaal koosjer is, zoals Vergadora zou zeggen. Ons pad kruist toevallig dat van iemand die zich van de domme houdt op een plek die vroeger en nog steeds verbonden is met alles wat er aan de hand is. Er is een man die gewoon wacht tot er iemand langskomt en de toverwoorden zegt: Luciferus Africanus. Een man met zijn eigen geheimen.'

'Zoals?'

'Weet je nog dat ik naar het toilet ging in de villa?'

'Ja.'

'Ik zat niet op het toilet. Ik was aan het rondsnuffelen.'

'En?'

'Waarom zou een oude rabbijn, die duidelijk niet dol is op onze moordlustige DeVaux van vroeger, het nummer van een andere franciscaner monnik in zijn persoonlijke telefoonboek hebben?'

'Stond er een adres bij?' vroeg Finn. Ze hadden de rotonde naar de Autostrada bereikt. Ze konden ofwel naar het westen, naar Rome, of naar het noorden richting Milaan.

'Ja, er stond een adres bij.'

'Waar dan?'

'Lausanne, Zwitserland. Het klooster van St.-François. Waar Vergadora de oorlog uitzat met signore Olivetti, weet je nog?'

Finn reed naar het noorden.

20

Finn Ryan lag met al haar kleren nog aan op bed in haar hotelkamer. Ze luisterde naar de geluiden van de slapende stad. Zij en Hilts waren in één ruk vanuit Venosa hierheen gereden, met maar één tussenstop om snel iets te eten in een wegrestaurant. Ze hadden nog geen acht uur over de reis gedaan. Toen waren ze anderhalf uur kwijtgeraakt door hopeloos te verdwalen in de tweeduizend jaar oude metropool, tot ze de huurauto uiteindelijk kwijtgeraakt waren op wat de allerlaatste vrije parkeerplek in Milaan leek te zijn. Daarna hadden ze rondgelopen tot ze een relatief goedkoop hotel vonden dat hun kamers wilde verhuren terwijl ze geen reservering en praktisch geen bagage hadden.

De kamers bleken piepklein te zijn en zaten op de bovenste verdieping weggepropt onder de dakbalken. Ze keken uit over de stoffige straat in plaats van de binnentuin van het hotel, met de pas gerenoveerde tuin en openluchtrestaurant. Ze waren allebei te moe om te eten, dus wensten ze elkaar goedenacht en gingen naar hun kamer. Maar de slaap wilde niet komen. Ze lag maar te malen en zelfs de warme avondlucht leek te tintelen van de zenuwen. Ze verlangde naar een bad, maar ze zou zich op een of andere manier te kwetsbaar voelen als ze zich uitkleedde en weggleed in de verlokkelijke warmte. Beelden uit oude Hitchcock-films zoemden als gonzende bijen door haar hoofd.

Door het open raam kon Finn in de verte verkeer horen, en dichterbij het galmende tikken van hoge hakken op de harde straatstenen en de schrille lach van een vrouw. Iemand zei iets en de vrouw lachte opnieuw, waarna een man een spottend loeigeluidje maakte. Plotseling schrok ze op van het gedempte gillen van een treinfluit die door de donkere nachtlucht sneed; Milaans gigantische en ongure Stazione Centrale lag als een van Mussolini's stenen nachtmerries een paar straten verderop. De enorme witgranieten kolos bewees de stelling dat Il Duce er tenminste in geslaagd was om de Italiaanse treinen op tijd te laten rijden, al was dat dan het enige.

Milaan, wist Finn, was een kleine en aanzienlijk vervallener versie van Parijs. En net als in Parijs waren er bijna geen wolkenkrabbers. Er leken voortdurend overal steigers te staan, als vaste exoskeletten rond gebouwen die onafgebroken gerenoveerd werden. Hier was het fascisme van de jaren dertig geboren, hier was *Het laatste avondmaal* van Leonardo en Dan Brown op vertoon van een kaartje voor ongeveer anderhalve dollar per minuut te zien, en hier was het fascisme van de jaren dertig uiteindelijk ook gestorven, op een Esso-station aan Piazzale Loreto waar Benito Mussolini aan zijn enkels werd opgehangen terwijl een stuk of vijf GI's toekeken. Dit was het thuis van de beste Italiaanse mode, de extreemste Italiaanse politiek en de best uitgeruste oproerpolitie ter wereld. De *duomo* of kathedraal was de op twee na grootste kerk uit de hele christelijke geschiedenis, maar de ware religie van de stad was voetbal, alleen nog voorbijgestreefd door de jacht op geld. Het was een stad die veel te ruig en ondernemend was om charmant te zijn. De uitgestrekte achterwijken en soms verstikkende smog waren vast en zeker niet wat de gemiddelde lezer van *The New York Times* in zijn hoofd had als hij van een vakantie in Toscane droomde.

Finn sprong op toen de deur opengegooid werd en Hilts verscheen. Zijn hemd hing open tot op zijn middel. Zijn haar stond alle kanten uit en zijn ogen waren groot en verhit.

'Zet de tv aan!'

'Wat is er?'

'Zet aan!'

Finn pakte de afstandsbediening van haar nachtkastje en drukte de AAN-knop in. Het scherm van het grote tv-meubel aan de andere kant van de kamer floepte op CNN, wat het laatste kanaal was wat ze gezien had voor ze in slaap probeerde te komen. Er was een weerkaart van Oost-Europa te zien. Het regende in Praag.

'Niet die! Zappen!' blafte Hilts. Hij liep de kamer in en deed de deur dicht. Finn deed wat hij zei en ging de kanalen af.

'Daar!' riep hij. 'Hou vast!'

Het was kanaal 6, Telelombardia, een plaatselijk nieuwsprogramma. Een goed geklede donkerharige vrouw las met een ernstige blik een verslag voor. Ze stond midden in een futuristisch decor dat was opgebouwd uit dingen die op met chroom beklede steigers leken. Er waren inzetjes met oude zwart-witfoto's van twee glimlachende mannen van middelbare leeftijd. Eén van hen kwam haar bekend voor.

'Zet eens harder! Wat zeggen ze?'

'Als je even je mond houdt zal ik je dat vertellen,' zei Finn en ze zette het geluid harder met de afstandsbediening. Ze luisterde. De verslaggeefster praatte verder. Finn vertaalde voor Hilts terwijl het verslag verder ging, en onder het kijken trok ze haar hardloopschoenen aan.

'... hier met zijn vriend Adriano Olivetti. Vergadora was een bekend en gewaardeerd lid van de academische gemeenschap en een vermaard historicus. Zijn plotselinge en gewelddadige dood, waarschijnlijk door de hand van leden van de terroristische groepering Third Position, was een grote schok voor de inwoners van Venosa, de boerengemeenschap waarin hij zich een thuis gevonden heeft.'

Het beeld op de televisie ging over op idyllisch archiefmateriaal van glooiende heuvels en wijngaarden, gevolgd door meer beelden van het dorp zelf. Uiteindelijk kwam er een door schijnwerpers verlichte opname van de villa tussen de populieren, omgeven door efficiënt uitziende agenten die tape afrolden terwijl de zwaailichten op hun patrouillewagens onrustig over het tafereel streken. Tot Finns grote schok werden hier abrupt twee korrelige, uit de hoogte genomen zwart-witfoto's overheen gelegd, met Hilts en Finn duidelijk herkenbaar voor de poort van de villa.

'Deze foto's, afkomstig van het beveiligingssysteem van rabbijn

Vergadora, tonen de aanvallers vlak voor de bejaarde professor in zijn bibliotheek omgebracht werd...'

'Ik heb helemaal geen camera gezien,' zei Finn, geschokt en gruwelend van wat ze zag.

'Ze hebben hem vermoord,' mompelde Hilts, terwijl hij naar het scherm staarde. 'En ze schuiven het ons in de schoenen.'

'Wie?'

'Adamson en zijn vriendjes.'

'Dat meen je toch zeker niet!'

'Denk jij dat dit toeval is?'

'De camera heeft ons toevallig opgenomen. Het is een misverstand, meer niet,' zei Finn. 'We moeten gewoon naar de politie gaan om het uit te leggen.'

'Waar halen ze die onzin vandaan dat wij leden van de Third Position zijn?'

'Wie zijn dat?'

'De Italiaanse variant op Al-Qaida. We worden erin geluisd.'

'Het is een misverstand.'

'Het is geen misverstand. Vergadora is dood. Als het nieuws zegt dat het Third Position was, betekent dat hoogstwaarschijnlijk dat Vergadora op een gewelddadige manier om het leven is gebracht. Hun favoriete wapen is een afgezaagd geweer, een maffia-*lupara*. Dit zijn geen padvinders, Finn. Het zijn harde jongens. En ze willen ons dood hebben.'

'Maar waarom doden ze Vergadora dan?'

'Omdat hij wat hen betreft duidelijk dood moest, en omdat wij verschoppelingen worden als ze ons de schuld kunnen geven, onaanraakbaren. Na dit kunnen we nergens hulp krijgen.'

'Dus wat stel jij voor?'

'Dat we als de bliksem maken dat we wegkomen. En snel ook. We moeten ons even hergroeperen.'

'Als ze ons op de band hebben, zullen ze waarschijnlijk ook een beschrijving van de auto hebben. Misschien zelfs een kenteken.'

'Naar het station, dan.'

Precies op dat moment hoorden ze een gillende, tweetonige sirene en piepende banden. Finn sprong van het bed af en rende naar het raam. Ze keek naar beneden en zag dat de donkere straat bezaaid was met blauw-witte Alfa's van de *polizia*. Een zwart-wit busje kwam met veel kabaal aangereden, en er stroomden een stuk of zes leden van de speciale politie uit, gekleed in camouflageshirts, zwarte helmen en wijde legerbroeken. Allemaal droegen ze compacte Beretta-machinewapens of Benelli-geweren met een korte loop.

'SISDE,' mompelde Hilts, die over haar schouder keek. Hij greep haar pols en trok haar weg bij het raam.

'Wie zijn dat?'

Hij trok haar naar de deur. 'De Italiaanse geheime politie. Kom mee!'

'Mijn kleren! Mijn spullen!'

'Geen tijd!'

Ze kreeg nauwelijks de tijd om haar portemonnee en horloge van het nachtkastje te graaien voor Hilts haar naar buiten duwde, de smalle hal in. Er lagen twee kamers links en drie rechts, zo ook aan de andere kant van de hal, en in het midden hing een ouderwetse kooilift. Het mechanisme kwam al in beweging terwijl ze daar stonden.

'Daar komen ze!'

Links van haar zag Finn een verlicht bordje, wit op rood: ESITO. Uitgang.

'Hierheen!' Ze trok hem naar links. Drie seconden later waren ze er. Ze stormden door de branddeur. Zes verdiepingen lager stampten gelaarsde voeten en klonken kreten.

'*Su! Su!*' schreeuwden harde stemmen. Omhoog. Ze zaten in de val. De lift en de trappen waren versperd.

'Misschien moeten we ons overgeven.'

'Deze jongens zijn van het soort dat eerst schiet, en ze hebben machinegeweren.'

'Daar,' zei Finn en ze wees omhoog. 'Het dak!' Er was een ladder die naar beneden getrokken kon worden. Hij leidde naar een luik in het plafond boven het trappenhuis. De stampende voeten kwamen steeds dichterbij.

Hilts sprong omhoog, greep de onderste sport van de ladder en trok er hard aan. Hij kwam krakend naar beneden en bedolf hen onder schilfers uitgedroogde menie. Hilts klom eerst omhoog en bonkte hard met zijn hand op het luik. Dat sloeg open en hij kroop door de opening. Even later verscheen hij weer. Hij stak zijn hand omlaag naar Finn, die omhoogklom.

Een paar seconden later stond ze op het dak van het hotel. Hilts haalde de ladder op en liet het luik dichtvallen. De zomerlucht was warm en zwaar. Er waren geen sterren of maan. De nacht was donker, afgezien van het schijnsel uit de straat.

'Ze zullen snel genoeg doorhebben waar we heen zijn als ze zien dat onze kamers leeg zijn.'

'Waar nu heen?' vroeg Finn.

'Als we hier maar weg zijn.'

Zoals zo veel oude Europese steden is Milaan zijn bestaan begonnen achter muren, en ruimte is er altijd kostbaar geweest. Grasvelden, achtertuinen, opritten en garages zijn er gewoon nooit geweest. Rome had in de eerste eeuw al huurflats, en Milaan volgde niet veel later. Tegen de renaissance werd alles wat minder krap, maar oude gewoonten slijten maar langzaam. Zelfs buiten de muren van de oude binnenstad zaten de mensen dicht opeengepakt, met de gebouwen stijf tegen elkaar aan gebouwd, zodat hele straten uit één enkele muur van huizen bestonden die samen één gevel vormden. Achter de gebouwen lagen gemeenschappelijke binnenplaatsen of luchtschachten, soms met elkaar verbonden en soms niet.

Hotel Caravaggio lag op de hoek van zo'n blok in het Brera-district van de stad, ooit bekend als het Montmartre van Milaan, maar inmiddels allang verlaten door de avant-gardekunstenaars, de ontwerpers en de musici die het ooit beroemd hadden gemaakt. Het Caravaggio lag tussen Via Marangoni aan de noordkant, Via Locatelli aan de zuidkant en Via Vittor Pisani aan de achterkant.

De kern van het onregelmatig gevormde gebouw bestond voornamelijk uit ontoegankelijke luchtschachten. Alleen een restaurant in een kantoorgebouw op Via Vittor Pisani gebruikte wat ooit een oude stal was geweest in de zomermaanden als terras, en het Caravaggio had zijn pas gerenoveerde tuinrestaurant en privétuin. Haast alle gebouwen die samen één blok metselwerk langs de straat vormden hadden gemeenschappelijke zijmuren. De platte daken werden van elkaar gescheiden door niets dan een zestig centimeter hoog muurtje of een paar stenen.

Finn en Hilts liepen rechtsaf over het platte dak met teerpapier. Toen het dak ophield, sprongen ze over de lage afscheiding op het dak van het volgende gebouw. Dit gebouw had een uitbouw voor een mechanische liftkamer van gasbetonblokken en een paar eenvoudige pijpgaten, maar het enige luik was stevig van binnenuit vergrendeld.

'Ze schieten ons binnen de kortste keren zo af,' zei Hilts. 'We moeten beneden zien te komen.' Hij greep Finns hand en samen renden ze over het tweede dak, sprongen over het muurtje naar het derde en renden daar ook overheen. Hilts leidde ze naar een interne luchtschacht, maar het was hopeloos. Dit was Europa. Brandtrappen waren hier de uitzondering, niet de regel.

De luchtschacht was een zwart gat met vierkantjes licht erin van de ramen die erop uitkeken. Finn kon net de schachtbodem vol vuilnis onderscheiden. Zelfs al zou er een weg naar beneden zijn, dan was er nog geen weg naar buiten. Ze draaiden zich om en renden snel naar het volgende gebouw. Dit dak lag een hele verdieping lager dan dat waarop ze stonden. 'We moeten springen,' zei Hilts. Finn knikte alleen maar.

Zonder vaart te minderen liet ze zich op het muurtje vallen, ging eraan hangen en liet los. Ze viel zo'n twee meter lager op het dak van het volgende gebouw. Hilts kwam achter haar aan en ze gingen snel door naar het volgende muurtje. Daar bleven ze plotseling stilstaan. Tussen de twee gebouwen gaapte een spleet van een kleine meter. Finn keek naar beneden. Om de een of andere reden was er ruimte tussen de gebouwen opengelaten, en ze dacht dat ze wel wist waarom. Vroeger was het regenwater waarschijnlijk vanaf de gebouwen hierdoorheen naar de straat gestroomd, om daar uiteindelijk weg te lopen in wat in die dagen voor een goot doorging. De open afvoerruimte was nu niet meer nodig, en de latere huizenbezitters hadden de spleet gebruikt voor het ophangen van allerlei leidingen en pijpen. Sommige daarvan waren modern, zoals de dikke, rubberen elektriciteitsdraden en de dunne lijnen van de telefoon en kabel, en andere waren oud en versleten, zoals de loden dakgoten, vangbakken en ouderwetse afvoerpijpen.

'We halen het wel,' zei Hilts, die over de spleet keek.

'Waarom gaan we niet naar beneden?' stelde Finn voor. 'Ze kunnen ons elk moment zien.'

'Misschien staat er op het volgende dak wel een luik open,' zei Hilts. Hij keek neer in de nauwe spleet tussen de gebouwen. 'En hoe bedoel je dat eigenlijk? Er is geen ladder of zo.'

'Schoorsteenafdaling,' zei Finn. 'Geen probleem.'

'Wat is een schoorsteenafdaling?'

'Met je rug tegen de ene muur en je voeten tegen de andere, ongeveer op kniehoogte. Dan zet je je handen tegen de muur tegenover je, met je duimen naar beneden voor de steun. Je laat je voeten een voor een zakken, één, twee, en dan volg je met je rug. Zo loop je min of meer naar beneden terwijl je jezelf vastklemt om niet te vallen.'

'Zo te horen heb je dat vaker gedaan.'

'Heel vaak zelfs. Klimmen was een van mijn hobby's op school. In Columbus klom ik in de winter binnen, in de Lifetime and Vertical Adventure, en in de zomer ging ik naar buiten voor het echte werk. Het is heel leuk.'

'Vast,' zei Hilts sceptisch. Hij staarde in de spleet tussen de twee gebouwen.

'Ik geloof niet dat we veel keus hebben.'

'Leg het nog eens uit.'

'Ik laat het wel zien.'

Finn ging op de rand van de spleet zitten en liet haar rug langzaam zakken, haar voeten stevig tegen de muur tegenover haar geplant. Toen ze er helemaal tussen zat, stak ze haar handen uit en legde ze plat tegen de overkant. Er was nu niets wat haar omhooghield, behalve de spanning in haar rug en knieën. Ze verschoof haar rug iets en daalde ongeveer een halve meter af.

'Dit is krankzinnig,' mompelde Hilts terwijl hij op de rand ging zitten. Hij liet zich in dezelfde positie zakken als Finn en hield zijn adem in. Hij hing maar net onder de rand of er gleed een zoeklicht over het dak. 'O godogodogodogod,' fluisterde hij terwijl hij zich naar beneden in de gapende afgrond liet glijden, zijn lichaam zo gespannen als een veer. Het zweet parelde op zijn voorhoofd. Hij drukte zijn rug tegen de muur achter zich en duwde zijn voeten tegen de muur voor zich. Hij hing boven het niets, alleen maar omhooggehouden door de kracht van zijn wanhoop. Zo, centimeter voor angstaanjagende centimeter en meter voor angstaanjagende meter, daalde hij langzaam af.

21

In minder dan drie minuten waren ze beneden. Hoog boven hen hoorden ze geschreeuw en rennende voetstappen. Hilts liet zich naast Finn tussen het vuilnis in het smalle steegje vallen en klopte het stof van zich af.

'Belachelijk. Het lukte nog ook.'

'Natuurlijk lukte het,' spotte Finn. 'Laten we maken dat we hier wegkomen voor ze ons zien.' Samen liepen ze het steegje uit en sloegen Via Locatelli in.

'We hebben misschien vijf minuten voordat ze het hele gebied hebben afgesloten,' zei Hilts zachtjes.

'We kunnen maar beter rennen,' zei Finn.

'Ik heb een beter idee.' Hilts wees naar een gedeukte oude Vespa Sprint die een paar meter verderop geparkeerd stond. De ketting was om de stuurkolom en een loden afvoerpijp aan het gebouw ernaast geslagen. Hij keek om zich heen. De smalle straat was verlaten. Ze hoorden nog meer geschreeuw op het dak boven hen. Hij liep naar de scooter, greep de pijp en trok hard. De pijp kwam los van de muur en brak. Hij haalde de ketting los, gooide die de steeg in en bekeek de scooter. 'Waar zit het contact?' vroeg hij geïrriteerd.

Finn duwde hem weg en klom op de scooter. 'Heeft hij niet. Alleen exportmodellen hebben contactsleuteltjes. Ik heb een heel jaar in Florence rondgereden op zo'n ding. Spring maar achterop.'

Hilts fronste zijn wenkbrauwen, maar klom achter op het smalle duozadel. Finn haalde de kickstarter een paar keer over en de scooter kwam hoestend tot leven. Ze paste de stand van de choke bij haar knie aan, trapte de standaard weg met haar hak, draaide met haar rechterhand het gas open en weg waren ze.

Ze ging rechtsaf, weg van Via Fabio Filzi en alle politiewagens, en sloeg toen links af Via Vittor Pisani in zonder op de verkeerslichten te letten. Ze staken drie rijstroken en een trambaan over en reden toen linksaf de boulevard op. Links en rechts haalden ze woedende chauffeurs in terwijl ze naar het noorden reden, naar de groezelig witte massa van het Stazione Centrale, die als een verlichte kerstboom een kleine kilometer voor hen lag.

Finn draaide haar hoofd iets om.

'En nu?' vroeg ze.

'Naar het station.'

'Ja, maar dan?'

'Het duurt wel even voor ze doorhebben dat wij ervandoor zijn.'

'Zouden ze het station niet bewaken?'

'Waarschijnlijk wel. We zullen gewoon ongemerkt langs moeten glippen.'

'Hoe dan?'

'Ik verzin wel iets. Rij nou maar.'

Finn stuurde de Vespa naar het noorden over de brede, moderne boulevard tussen de kantoorgebouwen. Hilts boog zich voorover op zijn zitplaats en verhief zijn stem om over de herrie van de oude scooter heen te komen.

'We moeten naar een drogist!'

Finn zag op de begane grond van een gebouw rechts het groene neonkruis dat aangaf dat daar een *farmacia* zat. Ze reed tussen twee geparkeerde auto's door en liet de Vespa de lage stoep op rijden. Ze zette de scooter in zijn vrij, maar liet de motor draaien.

'Wat ga je halen?'

'Een paar dingetjes,' zei Hilts. 'Ben in twee minuten terug.'

Ze wachtte en keek steeds achterom terwijl Hilts de felverlichte drogisterij in liep. Ze keek uit naar het veelbetekenende knipperen van lichten en luisterde gespannen naar het jengelen van naderende sirenes, maar er was niets. Het was al laat, maar er was nog veel verkeer en de trottoirs waren vol stadsbewoners en toeristen. Recht voor hen lag de massieve, glanzende kolos van het treinstation. Ze probeerde haar bonkende hart tot bedaren te brengen, maar het lukte niet. Vergadora was vermoord en zij en Hilts werden gezocht. Het zou het verstandigst zijn om de Vespa direct naar het dichtstbijzijnde Amerikaanse consulaat te rijden, maar ze wist dat het maar een illusie was dat je veilig was op eigen terrein. Er was tastbaar bewijs dat ze in de villa van de oude man waren geweest, en dat was meer dan genoeg om ze aan de Italiaanse autoriteiten uit te leveren. Ze zouden voor eeuwig vastzitten in de gevangenis. Erger nog: als Hilts gelijk had konden Adamsons machtige vriendjes hen vinden, waar ze ook waren.

Hilts kwam terug met een plastic zak. Hij klom achter op de scooter.

'En nu?'

'We moeten een plekje vinden waar we ons een uurtje kunnen verstoppen.'

'Een bioscoop?' Er was een bioscoop twee deuren verderop. Volgens de luifel vertoonden ze een doorlopend Franco Zeffirelli-retrospectief. Vanavond draaide *Endless Love*. Op een of andere manier kon Finn Brooke Shields moeilijk als onderdeel van een retrospectief beschouwen.

'Nee, we moeten alleen zijn.'

'Een ander hotel?'

'Nee. Niet nadat we op het nieuws zijn geweest.' Hij keek om zich heen. 'Hebben ze in deze stad ook parkeergarages?'

'Hier en daar,' zei Finn knikkend. Ze zag een blauw-wit P-bord aan de overkant van de boulevard. Een helderoranje stadstram rammelde voorbij en benam haar het uitzicht even, maar toen hij voorbij was zag ze het bordje weer. 'Daar,' wees ze.

'Breng ons erheen.'

Op echt Italiaanse wijze negeerde Finn het verkeersbord dat het maken van U-bochten verbood, hotste met de scooter over de betonnen rand die de trambaan van de weg afscheidde, stak de boulevard over tussen de rode lichten door en reed de parkeergarage in. Er zat geen bewaker in het hokje, dus reed Finn gewoon om de slagboom heen naar de kleine opgang in het gebouw aan Via Vittor Pisani. Nu parkeren zo moeilijk was in de oude stad hadden de projectontwikkelaars van het kantoorgebouw gewoon de hele binnenplaats opgekocht en er een parkeergarage van vijf verdiepingen neergezet.

'We zoeken een busje,' instrueerde Hilts terwijl ze omhoogreden. Finn knikte en reed door. Ze vonden wat ze zochten op het dak van de garage: een heldergele Fiat Ducato, een lichte bestelbus met de naam Marcello di Milano in rode letters op de zijkant. Hilts tikte Finn op haar schouder en wees. Ze zette de Vespa naast het busje en schakelde de motor uit. Er stonden nog drie bestelbusachtige voertuigen op het dak. Bij alle parkeerplekken hingen bordjes met *Riservato* erop. Deze plekken waren kennelijk voor langere tijd gereserveerd, waarschijnlijk voor bedrijven in de buurt.

'Hoe komen we binnen?'

Hilts klom van de scooter en keek om zich heen. Hij zag een afgebroken brok beton zo groot als een vuist naast de heuphoge muur om de rand van het dak. Hij ging ermee naar het raam aan de bestuurderskant en tikte de ruit in.

'Zo,' antwoordde Hilts. Hij stak zijn hand door het ingeslagen raam en maakte het portier open.

'Heel subtiel.' Finn stapte van de Vespa, zette hem op de standaard en klom achter haar metgezel aan het busje in.

'Kan niet beter,' zei Hilts terwijl hij het licht aanknipte. De bus zat vol kleren. Aan de ene kant stonden rekken vol lange en korte broeken, aan de andere kant lagen stropdassen en overhemden in plastic gewikkeld op elkaar gestapeld. Hilts knielde neer op de vloer en gooide zijn tas met spullen leeg: een stuk of tien flesjes met een soort modderige substantie, een schaar, een paar leesbrillen, een reisgids over Milaan, allerlei kleine toiletartikelen waaronder tandpasta, tandenborstels en een scheermesje, twee kleine goedkope rugzakjes en een flesje Neutrogena Direct-Bruin.

'Wat is dat allemaal?' vroeg Finn.

'We kunnen jouw sproeten en lichte huid niet verstoppen, maar wel bedekken,' antwoordde hij terwijl hij de Neutrogena omhooghield. 'En we kunnen allebei ons haar verven.' Hij controleerde het hoopje plastic flesjes. 'Jij donkerder, ik lichter.' Hij las de etiketten. 'Wat wil je, chocoladebruin of kaneelbruin?'

Uiteindelijk koos ze kastanjebruin.

Drie kwartier later, toen ze hun haren hadden afgedroogd aan een paar van Marcello's sweaters, klommen Finn en Hilts op de voorbank van het busje. Finns haar was in een jongensachtig rattenkopje geknipt en was nu donker kastanjebruin. De Neutrogena-zelfbruiner had haar gezicht wat donkerder gemaakt en verborg de opvallende gezichtskleur die bij roodharigen hoort. Hilts' haar was ook geknipt en was van donkerblond veranderd in zongebleekt. Ze droegen allebei modieus gekreukte legerbroeken en felgekleurde T-shirts, Finn groen en Hilts felrood. Nog wat andere kleren en toiletartikelen voor beiden zaten in de twee rugzakjes gepropt. Finn en Hilts droegen allebei leesbrillen, die van Finn groot en rond en die van Hilts in een pilotenmodel.

'Zo doen we het,' zei Hilts. 'Alles wat ze verwachten, doen we juist niet. Ze verwachten een stel, we gaan uit elkaar. Ze zoeken Amerikanen, we geven ze iets anders. Wat voor talen spreek jij behalve Engels?'

'Een aardig mondje Italiaans, Mexicaans-Spaans. Schoolfrans.'

'Hoe goed is dat Frans?'

'Zo goed als schoolfrans meestal is.'

'Canadese.'

'Wat?'

'Dat ben je, een Canadese studente. Franstalig, uit Montreal. Je heet... Hoe heten Frans-Canadese meisjes?'

'Celine Dion. Alanis Morissette.'

'Perfect. Je heet Celine Morissette en je spreekt geen woord Italiaans. Als het fout loopt, ga je huilen en schreeuwen in het Frans.'

'Als wat fout loopt?'

'Als ze je pakken.'

'En jij dan?'

'Du er så grim at du gør blinde børn bange.'

'Wat is dat nou weer?'

'Dat is Deens voor: "Jij bent zo lelijk dat zelfs een blind kind nog bang voor je is."'

'Ik wist niet dat jij Deens sprak.'

Hilts glimlachte, boog zich naar haar toe en kuste haar op een pas gebruinde wang.

'Jij weet een heleboel niet over mij. En dat van dat blinde kind meende ik niet.'

22

Finn liep onder de dertig meter hoge poort van het Stazione Centrale in Milaan door en probeerde in het Frans te denken, een oude truc uit haar eindexamentijd. Het probleem was dat het niet werkte. In plaats daarvan bleef ze maar haar docent geschiedenis aan de universiteit van New York horen, die met nasale stem vertelde dat het Engelse woord *crap* uit de napoleontische oorlogen stamde, toen de Britse infanterie het Franse woord voor kikker – *grenouille* – niet kon uitspreken en in plaats daarvan het woord voor pad gebruikte, *crapaud*, zoölogisch gesproken dichtbij genoeg voor de gemiddelde Engelse voetsoldaat. Om een of andere reden was dat verhaal in haar hoofd blijven hangen en Finn kon op dat moment geen enkel woord Frans bedenken, behalve *oui* en *non*. Ze probeerde niet in paniek te raken en liep de centrale hal door, die ongeveer zo groot was als een voetbalveld.

Het station was van binnen onlogisch ingedeeld en verkwistend groot, vooral als je dacht aan de fascistische oorsprong. De fascisten waren juist trots geweest op hun meedogenloze efficiency. De eerste steen van het gigantische gebouw was gelegd in 1906, toen Italië nog een monarchie was. In 1912 had de architect, een man die Stacchini heette, de plannen voor Burnham's Union Station in Washington gestolen en de schaal daarvan domweg verdubbeld. Twintig jaar later werd het station eindelijk geopend, compleet met een parade van zwarthemden die in ganzenpas onder dezelfde enorme boog door marcheerden als Finn zojuist had gedaan. Het hele station, inclusief de vijfentwintig perrons en de tongewelven met glas in lood, was 340 meter lang en besloeg iets meer dan 65.000 vierkante meter. Vijfenzeventig jaar na de opening was het station een thuis voor van alles, van bendes zwervende zigeuners tot honderden zakkenrollers, twee keer zo veel daklozen, 320.000 reizigers per dag, een Gucci-winkel, twee McDonald's-filialen en een Budget Rent-a-Car. Er werden ook treinkaartjes verkocht, zelfs midden in de nacht. Tussen de bogen van de eerste McDonald's en het loket werd Finn vier keer aangesproken door mannen van uiteenlopende leeftijd, die allemaal van hun viriliteit en hun wens getuigden om haar op een drankje, een kop koffie of een hotelkamer te trakteren. Het woord *crapaud* bleek beter van pas te komen dan ze had gedacht. Op weg naar het loket zag ze ook minstens tien politieagenten in blauwe uniforms. Ze doorzochten de relatief dunne mensenmassa van laat op de avond. Allemaal hadden ze een soort strooibiljet bij zich. Hilts had gelijk: ze zochten haar en de fotograaf. Plotseling was ze dankbaar voor haar slecht geknipte haar, de verfbeurt en haar nieuwe kleren. Ook was ze zich scherp bewust van het feit dat hun paspoorten nog in het hotel lagen en dat ze geen enkel bewijs had voor haar identiteit als Celine Morissette, de gekruiste Canadese zangsensatie.

'Crapaud klopt wel,' fluisterde ze in zichzelf in de korte rij voor het loket. Ze had de grote borden met vertrektijden bekeken en gezien dat ze niet veel keus had. Ze kwam aan de beurt, probeerde Engels te spreken met een soort Frans accent en kocht een kaartje. Toen ze bij het loket wegging liep ze vlak langs Hilts, zoals afgesproken.

'Lyon, wagon 11, compartiment D, perron 9,' zei ze zachtjes in het voorbijgaan en zonder hem aan te kijken. Hilts ging in de rij staan en Finn liep door. De trein zou over elf minuten vertrekken. Ze liep langzaam en bekeek de poort naar de sporen. Er stonden vier geüniformeerde politiemannen bij het hek, en twee agenten in burger die in walkietalkies spraken. Ze vroegen de mensen niet naar hun papieren, maar de agenten in burger loerden naar de passagiers die de smalle poort in het hoge metalen hek door gingen. Hilts leek opnieuw gelijk te hebben, want ze hadden speciale aandacht voor jongere stellen.

Met haar kaartje goed zichtbaar in de hand liep Finn tussen de twee agenten met hun walkietalkies door. Ze bleef voor zich uit kijken en hield haar adem in. Als ze eenmaal tussen de twee mannen bij de opening stond, kon ze op geen enkele manier nog wegkomen. Ze dacht aan hoelang ze vol kon houden dat ze Celine Morissette was als de politie haar zou ondervragen. Niet lang, dat wist ze, en bovendien: wat had het voor zin? Als ze haar hadden, was het einde verhaal. Ze dacht aan haar moeder, hoe die in Columbus zou reageren. Een eenvoudig vakantiebaantje dat helemaal crapaud werd. Vreemd genoeg merkte ze dat ze ook aan Hilts dacht. Hij was het soort man dat haar moeder altijd een ploert had genoemd, maar als ze dat woord zei klonk het altijd weemoedig en glimlachte ze erbij. Haar vader was volgens haar moeder ook een ploert geweest.

'*Scusi, signorina, parla Italiano?*'

'*Pardon?*' Ze versteende. Ze was Frans-Canadese en ze heette Dion. Nee, Celine. Crapaud.

'*Parla Italiano, signorina?*'

'*Je ne comprend pas.*' Dat was alles, ze had nu de absolute bodem van het vat bereikt. Ze had verder geen lettergreep Frans meer in zich. Haar mond was zo droog alsof ze bij de tandarts zat.

De langste van de twee mannen deed een stap naar voren en versperde haar half de weg. Uit haar ooghoek kon ze het bordje van perron 9 en de bestemming van de trein wit op zwart zien.

'*Signorina, per quanto tempo sei stato in viaggio?*'

De agent vroeg haar hoelang ze al reisde. Ze begreep elk woord dat hij zei, zelfs met zijn dikke, Milanese accent. Maar ze mocht hem niet verstaan. Ze sprak helemaal geen Italiaans, want ze was niet Fiona Katherine Ryan, jonge kunsthistorica annex voortvluchtig moordenares, ze was Celine Morissette, een zorgeloos Frans-Canadees meisje dat in haar eentje Italië rondreisde op twintig dollar per dag en de nachttrein nam om hotelkosten uit te sparen.

'*Signorina, per favore...*'

En toen, als door een wonder, had ze het ineens, compleet met dat vreemde nasale geluid als een dolgedraaide Cajun dat altijd achter in de keel van Celine Dion hing als ze te gast was bij een talk-show. Finn liet een stortvloed van woorden over haar lippen stromen, voornamelijk over Raymond en het uitwisselingsproject van zijn school en hoe opwindend dat allemaal was. Het kwam allemaal rechtstreeks, tot op de letter, uit haar Franse leerboek uit de onderbouw, *Premières Années de Français*. Ze bedolf de Milanese agent van top tot teen onder de woordenstroom, alles even razendsnel en met dat verschrikkelijke accent. Het leek te werken. Uiteindelijk bereikte Finn het einde van de avonturen van Raymond en zijn nieuwe vriendin Elaine, dus hield ze haar mond en glimlachte. De grote man wendde zich tot zijn partner.

'*Esse un po' di fuori*,' zei hij, wat betekende dat Finn niet goed snik was. Ze glimlachte nog breder. Ze zwaaide met haar ticket.

'Canadese?' vroeg de eerste agent.

Ze wierp de agent haar beste studentenrevolutieblik toe. '*Non, je suis Québecoise!*' Ze lachte, zwaaide met haar ticket en zei: '*S'il vous plait, messieurs! Mon train est on depart à ce moment!*' Dat was waar. De trein naar Lyon floot snerpend. Laatste waarschuwing.

Ze lieten haar gaan. Ze haalde de trein, liet haar kaartje aan een beambte op het perron zien en stapte in.

De nachttrein was een van de oude langzame Corail-TRN's, die zoetjesaan vervangen werden door de kogelvormige hogesnelheids-TGV's, de Trains à Grande Vitesse. Ze vond haar coupé, die nog leeg was, en zuchtte van opluchting. Een halve minuut later klonk de fluit weer en zoals Mussolini beloofd had, zette de trein zich precies op tijd in beweging.

In Europa reden de treinen haast allemaal op elektriciteit, dus het horten en stoten van de Amerikaanse dieseltreinen ontbrak bij het vertrek; de trein maakte gewoon vaart in een vloeiende, langzaam versnellende beweging die hen snel buiten het enorme station bracht, de duisternis van Milaans buitenwijken en industrieterreinen in. De kleine coupé bleef leeg en Finn begon zich wat te ontspannen. Het leek haar gelukt te zijn, als Hilts tenminste ook de trein had gehaald.

'Is deze plek bezet?' Hilts stapte de coupé in en schoof de deur achter zich dicht. Hij ging tegenover haar zitten.

'Je hebt het gehaald.' Ze glimlachte.

Hij keek veel minder blij.

'En Badir ook,' zei hij.

'Wie?'

'Badir. Een van de bedienden bij Adamsons expeditie. Hij schaduwde die twee agenten bij de poort. En hij liep achter me aan de trein in.'

'Weet je dat zeker?'

'Ik heb een behoorlijk goed geheugen voor gezichten. Hij is geen bediende, waarschijnlijk ook nooit geweest. Hij is een gorilla.'

'Denk je dat hij achter ons aan zit?'

'Ik denk niet dat hij in de trein zit om schade te veroorzaken, en ik weet vrij zeker dat hij alleen is. Ik denk dat ze hem op het station hebben neergezet voor het geval we daar toevallig zouden opduiken, wat we ook deden. Hij volgt ons.'

'Met een mobiele telefoon.'

'Ongetwijfeld.'

'We zijn erbij.'

'Ongetwijfeld.'

'Dus wat doen we nu?'

'We moeten de trein uit voor de versterkingen arriveren.'

'Waar dan?'

'Waar gaan we ook alweer naartoe?'

'Lyon.'

'Is dit een sneltrein of een stoptrein?'

'Het is geen TGV maar zo'n oude, dus volgens mij is het een stoptrein.' Ze haalde haar schouders op. 'Ik weet het niet zeker. Maakt dat uit?'

'Wel iets. Daarom wilde ik niet meteen naar Zwitserland. Dat land hoort niet bij de EU, het is neutraal, dus daar controleren ze nog paspoorten. Soms doen ze een steekproef in de hogesnelheidstreinen, maar in een stoptrein is die kans minder groot.'

'We moeten toch een keer paspoorten hebben.'

'Om met Scarlett O'Hara te spreken: morgen is er weer een dag,' zei Hilts. 'We moeten eerst onze Libische vriend Badir zien kwijt te raken.'

23

Finn en Hilts zaten in de restauratiewagen van de voortdenderende trein, die door de bergachtige duisternis kronkelde. Finn dronk zwarte koffie en Hilts had een flesje Fanta Grape. Marco, de barkeeper, zat diep in slaap op zijn kruk achter de U-vormige bar, met zijn armen over elkaar en zijn hoofd achterover. Hij snurkte. Badir zat aan het andere eind van de wagon aan één stuk door te roken en nipte af en toe van een piepschuimen bekertje koude citroenthee. Hij deed net alsof hij een oud nummer van *Jours de France* las. Het was bijna twee uur 's nachts en ze waren alleen in de bar, afgezien van een oude vrouw die diep in slaap was boven een breiwerkje. Een plastic borrelglas stond zachtjes trillend voor haar op een rond tafeltje.

'Waar zijn we?' vroeg Hilts. Hij nam een slok Fanta en vertrok zijn mond vanwege de ongelooflijke zoetheid van het brouwsel. Finn had voor de grap een slokje geproefd. Het smaakte naar vloeibare kauwgum.

'Volgens de man die onze bedden kwam opmaken, moeten we nu zo'n beetje bij de grens zijn,' antwoordde Finn zachtjes. 'Een plaatsje dat Bardonecchia heet. We gaan over zo'n drie minuten de Frejus-tunnel in. Die tunnel is de grens. We komen eruit in Frankrijk, in een skiresort dat Modane heet.'

'Stoppen we daar nog?'

'Vijf minuten, alleen om personeel te wisselen.'

'Daar moeten we hem afschudden.'

'Hoe dan?'

'Dat zul je wel zien.'

Een moment later gleed de trein de tunnel in, en de lampen knipperden en gingen uit. Hilts stond op in het donker, greep Finns hand en ging terug naar hun slaapwagon. Bijna onmiddellijk hoorden ze Badir overeind krabbelen. Hilts trok de deur naar de volgende wagon open. Het geluid knalde hun plotseling tegemoet vanaf het spoor onder hen. In plaats van de volgende wagon in te gaan, trok Hilts Finn het kleine toilethokje in en sloot de deur. Finns neus zat plotseling vol met de geur van ontsmettingsmiddelen en vloeibare zeep. Ze kon geen hand voor ogen zien. Ze hoorden dat de zware deur weer opengetrokken werd toen Badir de volgende slaapwagon in ging. Toen werd het stil.

'Kom mee,' fluisterde Hilts. Hij leidde Finn het wc-hokje uit en ze gingen terug naar de restauratiewagen. Hilts liep verder en Finn ging achter hem aan. Het was nog steeds aardedonker, maar de lampen boven hun hoofd flitsten waarschuwend. 'Schiet op!'

Ze liepen de slaapwagon voor de restauratiewagen in. De doorgang boog af naar links. Toen Finn de hoek omsloeg, zag ze dat de wagon er precies zo uitzag als die van hen: rechts een gang met ramen erlangs, links zo'n tien coupés, allemaal met een verschillend aantal couchettes, van de privécoupé met twee couchettes zoals zij hadden tot de Cabine 8, waar aan elke kant vier smalle bedden gepropt zaten, zodat je niet meer dan dertig centimeter tussen je neus en de onderkant van het bed boven je had. Ze liepen door de gang toen de blauwe nachtlampjes boven hun hoofd weer aan knipperden. De deuren van de coupés waren allemaal gesloten. Achter in de wagon was een Cabine 8 met open deuren, wat waarschijnlijk betekende dat die niet bezet was.

'Hierin!' fluisterde de fotograaf.

Finn stapte de coupé binnen en trok het gordijn voor de onderste couchette rechts open. Maar voor ze erin kon glippen, schoven de gordijnen van het bed erboven open. Er verscheen een arm in pyjama met een zeer realistisch vormgegeven konijn op de hand, dat iets zei in het Engels met een verschrikkelijk theatraal Frans accent.

'*Bonjour, mon ami*, ik ben Henri. Wil je met mij vissen?' Toen sloeg Henri zijn ogen ten hemel en stiet een demonisch lachje uit, als een Hannibal Lecter met een bontvacht.

'Wat is dat in vredesnaam?' vroeg Hilts achter haar.

Er verscheen een gezicht achter het konijn, een jongetje met donker, verward haar, grote intelligente ogen en de duim van zijn andere hand veilig in zijn mond. Hij haalde zijn duim eruit en prikte er hard mee in de bleke bontvacht op de borst van het konijn. Het was even stil en toen klonk het Franse accent weer: '*Bonjour, mon ami*, ik ben Henri. Wil je met mij vissen?'

Toen legde de jongen zijn konijn neer en droogde zijn natte duim in de oksel van zijn pyjama. 'Ik heet Harry. Ik ben op vakantie met mijn vader en moeder, en die slapen in de volgende coupé, dus jullie hoeven niks raars te proberen. Mijn konijn heet Henri. Vinden jullie hem leuk? Ik wel. Zijn we al in Frankrijk? Wat is Frankrijk?'

Finn legde haar vinger op haar lippen. 'Ssst,' fluisterde ze en ze glimlachte naar het jongetje. Hij glimlachte niet terug.

'Waarom moet ik "ssst" doen? Jullie zijn mijn vader en moeder niet. Ik hoef niet te doen wat jullie zeggen.' De kleine Harry porde Henri weer in zijn buik en het konijn herhaalde zijn uitnodiging. Hilts leunde over Finns schouder.

'Ik ben je vader of je moeder niet, maar als jij niet stil bent en onmiddellijk weer gaat slapen ruk ik de kop van jouw stomme konijn en rooster ik hem boven een roodgloeiend vuurtje in een koekenpan voor het ontbijt. Begrepen?'

De jongen en Henri trokken zich zwijgend terug achter het gordijn, dat met een ruk werd dichtgetrokken. Hilts gebaarde naar het onderste bed recht tegenover hen. Finn gleed de couchette in en Hilts kwam achter haar aan. Hij ging zo liggen dat hij door een spleet in de gordijnen kon kijken. Ze hoorde een zacht snuffend geluid aan de andere kant van de coupé.

'Je hoeft toch niet zo gemeen tegen hem te doen,' fluisterde Finn.

'Maar het werkt wel, hè?' zei Hilts. 'En bovendien was dat konijn een viezerik.' Plotseling duwde hij zichzelf dieper weg in de couchette en perste Finn plat tegen de achterwand. Hij schoof het gordijn helemaal dicht. Finn kon de harde spieren van de rug van de fotograaf tegen haar borst voelen en vroeg zich af of hij haar hart voelde kloppen. Ze hoorde het geluid van de openschuivende coupédeur. Ze wist dat ze verloren waren als Harry's moeder even bij het kind kwam kijken. Het was een paar minuten stil, toen klonk er een stem.

'*Bonjour, mon ami*, ik ben Henri. Wil je met mij vissen?'

Finn verstijfde en vroeg zich af of Badir gewapend was. Er klonk gefluister en toen werd het weer stil. Er gingen een of twee seconden voorbij en toen hoorde Finn de coupédeur weer open- en dichtgaan. De trein minderde vaart. In het duister voelde Finn dat Hilts uit de couchette gleed. Ze ging achter hem aan de krappe coupé met acht couchettes in. Hilts opende de schuifdeur en keek naar buiten. In het blauwe licht zag Finn dat Henri hen aanstaarde, tussen de gordijnen tegenover haar door. Hilts draaide zich naar haar om.

'Alles veilig,' fluisterde hij. 'Zo te zien zijn we hem kwijt.' Hij glipte de coupé uit. Finn aaide Henri tussen zijn oren.

'Goed gedaan, konijn,' zei ze met een grijns. Henri zweeg. Finn liep achter Hilts aan het vertrekje uit. Hij opende de deur achter in de wagon voor haar en gebaarde dat ze door moest lopen. Ze stapte de nauwe ruimte tussen de wagons in.

'Hij is een eindje verderop, denk ik,' zei Hilts.

Finn knikte en Hilts gooide de treindeur open. Hij sprong op de grond zonder het ingebouwde, korte metalen trapje neer te laten en keek links en rechts om zich heen. Hij leek tevreden en gebaarde naar Finn, en zij liet zich op het betonnen perron vallen. Ze huiverde. Zelfs midden in de zomer was het koud, zo hoog in de bergen. Ze onderdrukte een nies. Alsem. De lucht zat stikvol pollen.

'Ik zie hem niet,' zei Hilts zachtjes.

Finn keek het perron langs. Aan de kop van de trein kon ze een klein groepje van drie figuren onderscheiden. De personeelsploeg die gewisseld werd. Verder was er niemand op het perron. Ze kon het station onderscheiden, een lang gebouw in chaletstijl met een alpendak op een fundament van uitgehouwen stenen. Honderd meter erachter stond een modern gebouw van ongeveer tien verdiepingen. Misschien een hotel. Daarachter lagen de enorme, donkere vormen van de Haute Marienne, de scherpgetande bergketen op de grens tussen Frankrijk en Italië en de zuidgrens van de ooit beruchte Ligne Maginot, de kostbare en volkomen nutteloze verdedigingslinie die Frankrijk tegen de vijand had moeten beschermen voordat het land ruw wakker geschud werd door de Tweede Wereldoorlog.

'Waar gaan we heen?' vroeg Finn.

'Daarheen.' Hilts wees naar het gebouw en ze renden erheen. Ze bereikten de schaduw en stonden stil om nog eens uit te kijken over het perron. Nog steeds geen teken van Badir, of van wie dan ook. Er werd op een fluit geblazen, de trein schokte en zette zich weer in beweging.

'Het is gelukt,' zei Finn opgetogen.

Nog voor ze uitgesproken was, verscheen er een figuur in de open deur van de slaapwagon. Hij hurkte en sprong, net toen de trein vaart begon te maken.

'Helaas,' zei Hilts.

'Wat nu?'

'Een of andere vorm van vervoer hiervandaan zien te vinden.'

Ze glipten om het gebouw heen en zagen dat er nog een spoor tussen hen en de weg lag. Finn zag nog een stationsgebouw vlak voor het hotelcomplex. Rechts van het station lag een parkeerterrein met een stuk of zes auto's erop. Hilts gluurde om de hoek van het gebouw en ging toen terug naar Finn.

'Hij gaat de andere kant op. Kom mee.'

Ze draaiden zich om en renden weg, sprongen van het betonnen perron af, gleden over het natte grind van het spoorbed en stapten de rails over. Ze bereikten het perron aan de overkant en doken erachter weg. Hilts wachtte een lang ogenblik en keek toen of Badir hen nog volgde.

'Nog steeds nergens te bekennen. Misschien hebben we geluk.'

'Ik zou er niet op rekenen.'

Ze liepen diep gebukt naar het parkeerterrein naast het donkere stationsgebouw. Hilts ging van auto naar auto en keek door de ramen naar binnen. Finn koos een uitkijkpunt en hield het spoor en het grotere stationsgebouw erachter in de gaten, uitkijkend naar Badir. Er stonden een paar hoge lantaarnpalen, maar de helft was kapot en het hele perron lag in de schaduw. In vergelijking daarmee was de overkant van de weg een helder verlicht baken. Ze kon het bord boven de deur lezen: HOTEL OLYMPIC.

Plotseling kreeg ze een geurig visioen van Jack en Benny's, een goedkope eettent bij de campus van de Ohio State University in Columbus. Ontbijt. Perfecte eieren met spek, spiegeleieren, eigengemaakte friet, toast met aardbeienjam en koffie. Haar maag ging tekeer. Ze wist niet meer wanneer ze voor het laatst gegeten had. Nadat ze bij de oude man waren geweest en voor Milaan. Hilts kwam terug.

'Wat is dit? Alle auto's hebben een alarm. Als ik inbreek maken we de hele buurt wakker.'

Finn hoorde knarsend grind en een stem uit de duisternis.

'Houd je handen waar ik ze kan zien.'

Ze versteende. Er stapte een figuur uit de schaduw. Badir, met een pistool in zijn hand. Een klein, plat automatisch pistool.

'Kom nu hierheen, uit het licht.'

'En als we dat niet doen?' zei Hilts.

'Dan schiet ik jullie neer.'

'Maar dan horen de mensen de schoten.'

'Dan zijn jullie toch al dood. Wat maakt het jullie uit of het geluid iemand stoort?' Badir glimlachte.

'Waarom doe je dit?' vroeg Finn.

'Ik word ervoor betaald.'

'Door Adamson?' vroeg Hilts.

'Hierheen.' Badir zwaaide met zijn wapen. 'Naar achteren.'

'Val dood.'

Er reed een auto het parkeerterrein op. De koplampen gleden over de drie figuren. Badir verborg het pistool razendsnel achter zijn rug. Hij stapte de schaduw weer in, opnieuw onzichtbaar. Hilts en Finn bleven staan waar ze stonden en de auto reed een parkeerplek op. De motor werd uitgezet, de koplampen doofden en er stapte een kleine, gezette gedaante uit. De man was een hele tijd bezig om de auto af te sluiten en liep daarna in de richting van Finn en Hilts. Ze hoorde Badir een halve meter verderop zijn adem inhouden en wist dat de man uit de auto zo goed als dood was. De man liep nog een paar stappen door en hief toen nonchalant zijn arm op, alsof hij zwaaide in een groet. In plaats daarvan wees hij naar de schaduwen. Er leek een heldere flits uit zijn uitgestrekte hand te schieten, gevolgd door een zacht, ploppend geluidje, alsof iemand een natte papieren zak liet klappen. Na de eerste flits-plop kwam er meteen nog een. Finn hoorde het geluid van lucht die uit een band ontsnapte en Badir viel voorover in het licht. Er zat een klein, rond gaatje vlak boven zijn neusbrug en zijn rechteroog was een bloederige massa. Het gezette mannetje schroefde de geluiddemper van zijn Stechkin APS-pistool en liet ze allebei in de zak van zijn oude tweedjasje vallen.

'Leg hem even in de kofferbak, wil je?' vroeg Arthur Simpson vriendelijk. 'Ik ben veel te oud om met lijken te zeulen. Is slecht voor mijn rug, hè?' Hij glimlachte, en zijn ogen twinkelden achter de dikke glazen van de bril met het stalen montuur. Finn staarde neer op Badir. Bijziend of niet, dat waren fantastisch goede schoten, vooral in het donker.

'Misschien kunt u ons beter eerst vertellen wie u bent,' zei Hilts.

'Weet u dat wel zeker, jongeman? U wilt toch niet gevonden worden met het lijk van een Libische boef aan uw voeten? De plaatselijke gendarmerie heeft waarschijnlijk een paar vervelende vragen aan een stel voortvluchtige terroristen die al voor moord worden gezocht.'

'Hij heet Simpson,' zei Finn. 'En hij heeft gelijk.'

'Ken jij die vent?'

'We hebben elkaar gesproken in Cairo.'

'Leuke vrienden heb jij.'

'Ik dacht anders dat ik goed van pas kwam,' verdedigde Simpson zich.

Hilts keek hem lang aan, bukte zich toen en greep Badir onder zijn oksels. Finn stapte naar voren en greep het lijk bij de hielen. Ze sjouwden hem de parkeerplaats over naar Simpsons auto, een onopvallende Mercedes 240 D uit de jaren negentig. Simpson maakte de kofferbak open en deed een stapje terug.

'Pas op dat hij niet op de bekleding druipt.'

'Is dit uw auto?' vroeg Hilts. Hij en Finn lieten Badir vallen. Simpson deed de achterbak dicht.

'Gestolen bij het hotel,' zei de grijsharige man. 'En net op tijd, zo te zien.' Hij liep om naar de bestuurderskant, deed de portieren open en ging aan het stuur zitten. Finn ging voorin zitten en Hilts stapte achterin.

'Hoe wist u dat we hier zouden zijn?' vroeg Hilts terwijl hij het portier sloot.

'Ik volg jullie al vanaf Venosa,' zei Simpson. Hij startte de auto, zette hem in zijn achteruit en keerde. Toen stond hij stil, zette de versnellingspook in zijn één, reed zachtjes het parkeerterrein af, sloeg links af en reed het hotel voorbij waar hij de auto had gestolen. 'Ik zag dat die vent in de achterbak jullie schaduwde in Milaan, dus volgde ik hem. Ik dacht dat ik misschien een handje kon helpen.' Ze waren inmiddels het verlichte dal uit en werden opgeslokt door het duister. Ze reden een paar minuten en sloegen toen van de hoofdweg af, een smalle B-weg op die naar de hoogoprijzende bergen leidde.

'Waar gaan we heen, als ik vragen mag?' vroeg Hilts.

'Omhoog,' zei Simpson. 'En terug.'

Ze reden nog twintig minuten door. De koplampen van de oude Mercedes verlichtten een smalle grindweg, met aan de ene kant een rotswand en aan de andere kant een lange vangrail en een donkere afgrond. Uiteindelijk bereikten ze een plek waar de weg zich verbreedde tot een klein plateau aan de berghelling. Finn dacht eerst dat het een soort uitkijkplek voor toeristen was.

'Waar zijn we nu?' vroeg Hilts zuur toen ze de weg af reden.

'Halverwege Les Sarrasins,' antwoordde Simpson. Zijn uitspraak van het Frans was uitstekend. 'Een berg.'

Het licht van de koplampen streek over een vreemde, bolle structuur die direct in de berghelling ingebouwd leek. Aan weerszijden van de betonnen bol was een stenen muur, en in het midden daarvan zat een grote stalen deur die bespijkerd was met enorme klinknagels. Het bouwwerk was duidelijk heel oud. Het oude cement was donker en gevlekt, de gevel brokkelde af en de deur zat onder een aangekoekte laag roest.

'Wat is dit?' vroeg Finn.

'De officiële naam hiervoor is *un gros ouvrage*, een groot vestingwerk. Een ondergronds fort dat ongeveer driehonderdvijftig man kon huisvesten. Dit is de hoofdingang. Als je goed kijkt, zie je de resten van het smalspoor waarmee ammunitie en voorraden omhoog gebracht werden. Er zijn kilometers aan tunnels en schuilkelders in de rotsen uitgehakt. Vanaf hier konden ze iedereen neerschieten die het dal naderde. Aan de andere kant ligt een pad dat klimmers het Observatorium noemen. Een goedgekozen naam. Dit is allemaal aangelegd als verdediging tegen een Italiaanse inval.' Simpson schudde zijn hoofd. 'Is nooit gebeurd, natuurlijk. Mussolini had veel kwaliteiten, maar lef hoorde daar niet bij.'

De dikbuikige man in het tweedjasje parkeerde de Mercedes en schakelde de motor uit. Hij liet de koplampen aan. Ze schenen recht op de met klinknagels bedekte ijzeren deur.

'Waarom wilt u onze vriend in de kofferbak hier achterlaten?'

'Het is vandaag de dag erg lastig om je van een lijk te ontdoen,' zei de oude man. Hij bukte zich over de stoel naast hem, viste een zaklamp uit het handschoenenkasje en stapte uit. Finn en Hilts liepen met hem mee naar de kofferbak. 'Overal politie, beveilingscamera's, kwaliteitscontroles in de vleesverwerkende industrie. Privacy is moeilijk te vinden.' Simpson deed de kofferbak open en keek neer op Badir. 'De gemiddelde forensisch expert kan zijn lol op als hij gevonden wordt. Niet zoals vroeger. Als er lijken in de Seine of in de Spree dreven, bekeek niemand die echt goed.'

Hilts en Finn haalden samen het lijk uit de kofferbak en zeulden het onder Simpsons aanwijzingen naar de grote ijzeren deur. Die stond al een stukje open en was makkelijk verder open te krijgen. Simpson stapte naar binnen en zwaaide rond met de zaklamp. Afgezien van de betonnen vloer was de hele hal bedekt met hetzelfde beklinknagelde ijzer als de deur: de wanden, het plafond en delen van de vloer. Het was alsof ze in het ruim van een oud oorlogsschip stonden.

'De trap af,' instrueerde Simpson, wijzend met de zaklantaarn. Aan het eind van de ruimte van zes bij zes hing een enorme kooilift, als in een oude kolenmijn. Ernaast was een ronde trap. Simpson ging voorop om hen bij te lichten, en Finn en Hilts volgden met Badir, kreunend onder het gewicht van de dode man.

'Denkt u echt dat hij gevonden wordt op een plek als deze?' vroeg Hilts hijgend. 'Ik bedoel, wie weet nou dat dit bestaat?'

'O, hemeltjelief! Duizenden mensen. Bunkerfreaks, militaire types, ingenieurs.'

'Bunkerfreaks?'

'Vergelijk ze maar met mensen die videospelletjes spelen of het leven van seriemoordenaars op internet napluizen om daar dan over te chatten. Obsessief. Er zijn hele verenigingen voor, die pelgrimages naar oude ondergrondse inrichtingen over de hele wereld maken. Ze organiseren uitstapjes.'

'Hoe kende u dit?' vroeg Finn. 'Bent u... eh... zelf toevallig een bunkerfreak?'

'Ik ben hier inderdaad eerder geweest,' antwoordde Simpson. Ze waren op de benedenverdieping, een lange tunnel met een laag plafond met links en rechts zijtunnels. Net als de ruimte erboven was alles bedekt met metalen platen. Een miniatuurspoor liep midden over de betonnen vloer. Overal lag afval: patatbakjes, bierblikjes en gebroken flessen. Iemand had in een hoek een geïmproviseerde bar gemaakt en er lag een oud matras tegen de muur ertegenover. 'Ik kwam hier voor de oorlog al met Bernal en Solly Zuckerman.'

'Bernal?' vroeg Hilts. 'Solly Zuckerman?' Hij en Finn lieten Badir met een plof op het matras vallen. Finn huiverde en veegde haar handen af aan haar spijkerbroek. Het was in de ijzeren kamer koud en tochtig, heel toepasselijk voor een graf.

'John Bernal. Hij heeft mij het spionnenvak bijgebracht, in Cambridge. Hij was ook mijn docent natuurkunde. Solly Zuckerman was een expert in de anatomie van de primaten uit Oxford. Een vreemd stel.'

'Wat hadden een primatenanatoom uit Oxford en een docent natuurkunde uit Cambridge in een oude Franse bunker te zoeken?' vroeg Finn.

'Apen opblazen, om te zien wat er gebeurde,' zei Simpson. Hij trok een paar dunne leren handschoenen aan en begon Badir met een laag rommel te bedekken. 'Dat was in 1938. Het ministerie van Defensie had ze de leiding gegeven over het ontwerp van schuilplaatsen voor luchtaanvallen. Maar ik denk dat Bernal ook met agenten uit Moskou sprak. En de plaatselijke duiven voerde hij ook, de sluwe vos. Ik was hun assistent. Hun jonge leerling, zou je kunnen zeggen.'

'Wat deed u dan voor hen?' vroeg Hilts.

'Ik was degene die de apen daadwerkelijk opblies,' antwoordde Simpson. Hij gooide een stuk oud karton over het kapotgeschoten gezicht van de dode. 'Liet de lading ontploffen en zo. Bloederige toestand. Overal apenhersenen.' Hij keek naar Badir. De man was bijna helemaal bedekt met rommel. Simpson knikte. 'Hij zal wel redelijk intact blijven. Hopelijk brengen de ratten hem nog wat schade toe, dat vertraagt de identificatie een beetje.' De grijsharige man wierp een blik op zijn twee metgezellen. 'Ik neem aan dat jullie er niet aan gedacht hebben om jullie paspoort mee te nemen toen jullie Milaan ontvluchtten?'

'Nee,' zei Hilts. 'We hadden nogal haast.'

'Geen zorgen, jonge vriend. Ik ken een man even verderop, in Aix-les-Bains, die jullie wel nieuwe kan bezorgen.'

24

De eerste die de mogelijkheden van Aix-les-Bains inzag, was waarschijnlijk een Romeinse centurion die van Italië op weg was naar Gallië om daar de opstandige barbaren te onderwerpen. Toen hij uit het leger afzwaaide keerde hij terug naar het mooie plekje aan het meer, bouwde een zwembad boven de hete bronnen en noemde dat *Aquae Grantianae*. Er was een traditie geboren.

Het stadje Aix-les-Bains ligt in de schaduw van de berg de Revard aan de oever van het meer Bouget, de grootste zoetwaterplas van Frankrijk. Al tweeduizend jaar lang worden hier de reumatische gewrichten van rijke gasten vertroeteld. Vanaf 1880 won het stadje sterk aan populariteit na een bezoek van koningin Victoria van Engeland. Ze vond het er zo aangenaam dat Hare Koninklijke Hoogheid het gebied van de Franse overheid wilde kopen. Die sloeg haar bod vriendelijk af en bouwde een casino en een racebaan om de kuurgasten nog meer te verwennen, en gaf de hete bronnen de nieuwe naam Royale-les-Bains.

Er arriveerden speciale treinen uit Parijs vol deftige reizigers die op het *plage* kwamen peddelen. Stoomboten voeren het Engelse Kanaal over, vol strohoeden en tennisliefhebbers die zich tijdens de hete zomermaanden kwamen verpozen in de frisse alpenlucht. Vrouwen bedrogen hun mannen, mannen hun vrouwen en goede vrienden elkaar, en de grammofoon speelde Clara Butt's 'The Keys of Heaven'. Het was de belle époque, en net als alle époques doofde die uiteindelijk als een nachtkaars uit. De vergulde plafonds begonnen af te bladderen, de marmeren vloeren barstten en de buizen die het water van de hete bronnen aanvoerden rammelden oorverdovend, ongeveer zoals de gewrichten van de gasten die ze ooit bediend hadden. Het kleine, oude, in de bergen verscholen stadje werd bijna vergeten. En dat was precies de reden dat Liam Alexander Pyx, documentenbezorger, hier woonde; en bovendien was het dicht bij zijn vele bankrekeningen op nog geen honderdvijftig kilometer verder in het Zwitserse Genève.

Finn Ryan werd wakker door de roze stralen van de opkomende zon op de bergen en grillige heuvels die de grens tussen de Franse Alpen en de Haute Savoie vormden. Op een of andere manier was ze onderweg op de achterbank van de Mercedes terechtgekomen en zat Hilts nu voorin naast Simpson, die nog steeds reed.

'Goedemorgen,' zei de oude man opgewekt toen ze ging zitten, met haar ogen knipperde en om zich heen keek. 'We zijn er bijna.'

'Waar zijn we?' Finn geeuwde. Ze staarde uit het raam. Ze reden over een hoge bergweg. Links rezen dichtbeboste hellingen op; onder hen zag ze in het eerste licht de geometrische vormen van een stadje aan het einde van een langgerekt, breed meer.

'Aix-les-Bains,' antwoordde Simpson. Links verscheen er een smal grindpad en Simpson sloeg dat in. Hij stuurde de oude Mercedes tussen de sjofele dennenbomen door. De weg kronkelde om rotsformaties heen tot ze een brede, platte bergwei op een klein plateau bereikten. Vlak voor hen lag een klassiek Frans boerenhuis, regelrecht uit *Toujours Provence*; een rechthoekig gebouw van oude, witgekalkte steen, met een paar diepe ramen en een steil pannendak. Aan het einde van de oprit, tegen de zijkant van het huis aan, stond een ruwe carport met een groen afdak van geribbeld fiberglas. Eronder stond een heel dure, diep donkerblauwe Mercedes SLK-230 tweezitter te glimmen.

'Wie het ook is, hij boert in elk geval goed,' zei Hilts toen hij de auto zag.

'Heel goed, zeg dat wel,' stemde Simpson in. 'De oorlog van Bush tegen het terrorisme heeft ongeveer hetzelfde effect als de oorlog tegen alcohol van Woodrow Wilson. Het is altijd al zo geweest: op een of andere manier is oorlog altijd goed voor de zaken. Liams vaardigheden zijn vandaag de dag erg in trek.'

Er hing een houten bordje boven de deur waarop in nette letters een naam was uitgesneden: LE VIEUX FOUR.

'Wat betekent dat?'

'De Oude Oven,' vertaalde Simpson. De oude man zette de Mercedes achter de sportwagen en schakelde de motor uit. Het geluid van de oude diesel stierf trillend en hoestend weg. Ze stapten uit in de koelte van de vroege ochtend. Hilts en Finn rekten zich uit en geeuwden. Simpson stak een sigaret op. Pyx moest een of ander waarschuwingssysteem hebben, want hij wachtte ze al op bij de deur, met een brede grijns op zijn vriendelijke gezicht. Hij zag er in Finns ogen niet uit als een vervalser. Hij leek eerder op een popster die met vakantie was. Hij was lang, iets gebogen, en droeg een spijkerbroek met een wit hemd dat uit de broek hing. Zijn blote voeten staken in sandalen. Hij had dik, warrig donker haar, een baard van twee dagen en een paar buitengewoon intelligente bruine ogen achter ronde, iets getinte brillenglazen. Hij leek ergens achter in de twintig of voor in de dertig. Finn voelde dat er zich iets roerde in haar maag en dwong dat gevoel weer terug. Een paar uur eerder had ze een vermoorde man onder een stapel afval begraven, en in heel Italië zocht de politie haar vanwege een andere brute moord. Dit was geen goed moment voor een romance.

'Arthur!' zei Pyx blij. 'Je komt me werk bezorgen, hè? Of kom je alleen maar langs voor een *pain au chocolat* en een kop van mijn geweldige koffie?' Behalve dat uiterlijk had hij ook nog een Iers accent als Colin Farrell.

'Werk, om eerlijk te zijn. Maar ik geloof niet dat we koffie met iets erbij zouden afslaan.' Hij wendde zich tot Finn en Hilts. 'Of wel?' Hij stelde hen voor, de een na de ander, en Pyx stapte opzij en ging hun voor naar zijn keuken. Die was meedogenloos low-tech, met uitzondering van een helderrode Gaggia-espressomachine die sissende en stomende geluiden stond te maken op een eenvoudig houten aanrecht dat net zo oud leek als het huis. De vloer bestond uit donkere tegels, het plafond uit pleisterwerk en blootliggende eiken balken, de muren uit witgekalkte stenen. Er was een oeroude koelkast, een vrijstaande voorraadkast, een aparte oven en een groot, professioneel uitziend stel gaspitten. Aan spijkers hingen kruiden, aan de balken koperen pannen en gietijzeren koekenpannen en het ochtendlicht stroomde naar binnen door één raam met kleine ruitjes van gerimpeld oud glas in de muur naast de grill. Buiten kon Finn de vogels horen tsjilpen. Op ieder ander moment was dit een idyllische ochtend op het platteland geweest; maar nu was die beladen met angst, zorgen en gruwelen.

Pyx nodigde hen uit aan een grenen keukentafel midden in de keuken te gaan zitten, haalde een bord warme en heerlijk ruikende chocoladecroissants uit de voorraadkast en ging druk in de weer met de exotisch uitziende koffiemachine. Hij schonk grote bekers schuimende cappuccino voor hen in en zette die op tafel. Zelf nam hij ook plaats, doopte een punt van zijn croissant in de koffie en nam een hap van het natte baksel. Finn deed hetzelfde. Er zat zo veel boter in de vlokkerige korst verwerkt dat die letterlijk in haar mond leek te smelten.

'Zo,' zei Pyx. 'Jullie lijken me niet het soort mensen dat Arthur normaal gesproken meebrengt, maar ik heb geleerd dat uiterlijke schijn kan bedriegen.'

'Het gaat om paspoorten,' zei Simpson. 'En alle andere parafernalia.'

'Zeg eens iets,' zei Pyx tegen Finn.

'Hoe bedoel je?'

'Zeg eens "de kat krabt de krullen van de trap".'

'Ik begrijp je niet.'

'Ik wil weten of je een accent hebt.'

'Heb ik niet.'

'Dat hangt van je perspectief af. In Castleknock heb ik geen accent, maar hier wel. Zeg eens iets.'

Finn deed wat haar gezegd werd.

'Columbus, Ohio,' zei Pyx en hij knikte. Finn staarde hem met open mond aan.

'Hoe weet je dat?'

'Veel ervaring,' zei hij grijnzend. 'Dat is mijn vak.' Pyx wendde zich tot Hilts. 'Nu jij,' zei hij. 'Hetzelfde.' Hilts herhaalde met tegenzin de genoemde zin.

'Geboren in Florida, in Tallahassee of St. Petersburg, maar je hebt lang in New York gewoond, hè?'

'Dat klopt ongeveer, ja.' Het leek de fotograaf een beetje te irriteren dat Pyx het goed had. Als Finn niet beter had geweten, had ze gedacht dat Hilts jaloers was. Maar dat was natuurlijk belachelijk.

'Jullie hebben geen van beiden een accent dat iemand die geen expert is oppikt, en de meeste Amerikaanse paspoortcontroleurs zijn dat niet. We maken Canadezen van jullie. Heeft een van jullie daar veel rondgereisd?'

'Ik ben een paar keer in Toronto geweest, en in Montreal,' zei Finn.

Pyx keek naar Hilts. 'En jij?'

'Ik ook.'

'Ontario dan. Dat is makkelijk. Daar hebben ze eenvoudige geboortecertificaten en rijbewijzen. En je moet ook een verzekeringspas hebben.'

'Een verzekeringspas?'

'Is gratis. Zo is de overheid in Ontario. Heel efficiënt met zulke pasjes, en vanwege een of andere privacywet mogen de verschillende diensten hun databases niet met elkaar vergelijken. Goede fotoidentificatie. Verzekeringspas, rijbewijs en geboortecertificaat kan ik allemaal hier doen.'

Finn begreep geen woord van wat de man zei.

'En ook paspoorten,' drong Simpson aan.

'Nog makkelijker.' Pyx glimlachte. 'Maar eerst foto's.' Hij stond op en ging hun voor. Ze kwamen in een L-vormige hal vol boekenkasten die naar de slaapkamer leidde, maar in plaats van door te lopen stond Pyx stil bij de hoek van de L en trok een boek van een plank. Er was een zachte klik te horen en de boekenkast draaide open op volmaakt onzichtbare scharnieren.

'Sesam open u,' zei Pyx, en hij stapte opzij om hen binnen te laten. Hij kwam achter hen aan en sloot de boekenkastdeur achter hen. Finn keek rond in de geheime kamer. Die was groot, vijf meter aan alle zijden, en had geen ramen. Langs drie muren liepen werkbanken met ingebouwde planken erboven. Er stonden tientallen keurig gelabelde ordners op de planken, op kleur gesorteerd, en in één hoek een opstelling met een stuk of zes grote flatscreenmonitors. Onder de monitors stonden stalen rekken met onopvallende computerservers, elk met een knipperend groen lichtje aan de voorkant. De werkbanken waren afgeladen met een hele verzameling randapparatuur, van grote scanners tot fotolichtbakken en verschillende, zeer professioneel uitziende kleuren- en fotoprinters. Tegen de achtermuur stond een geavanceerde Lightworks-montagecomputer met drie beeldschermen, om film te monteren.

'Je laat je geheimen wel makkelijk zien,' zei Hilts. 'We konden wel van de politie zijn.'

'Dat zijn jullie niet,' zei Pyx. 'In dat geval had Arthur jullie allang gedood. Hij heeft me trouwens ook laten weten dat jullie eraan kwamen, en anders had ik dat geweten zodra jullie van de hoofdweg afsloegen.' Hij glimlachte, duidelijk niet beledigd door Hilts' commentaar. 'En dan had ik jullie zeker niet met koffie en croissants verwelkomd.' Hij haalde zijn schouders op en knikte naar de Lightworks-computer. 'Bovendien heb ik hier een keurig montagebedrijf voor films. Er is hier niets verdachts, behalve op de harde schijven. En die kan ik sneller wissen dan een agent hier binnen kan komen.'

Hilts fronste zijn voorhoofd. 'Ik heb helemaal niet gezien dat hij je belde.'

'Hij stuurde een sms vanuit Modane. Ik neem aan dat jullie daar problemen hadden.'

'Min of meer.' Hilts' aandacht werd plotseling getrokken door een grote camera op een professioneel statief bij de muur, tegenover de boekenkastdeur. 'Een Cambo Wide DS met een Schneider 35 mm f/5.6 Digitar lens, en een Phase One P25 medium achterwand!' Hij zette grote ogen op. 'Die kost... nou, dertigduizend?'

'Eerder vijfendertig,' zei Pyx. 'Zo ongeveer de duurste instantcamera die je kunt kopen.'

'Ik zou dat nou niet direct een instantcamera noemen,' zei Hilts.

Voor Finn leek het een dikke lens op een groot en plat vierkant stuk metaal. Het leek niet eens op een camera.

'Komt overeen met de digitaliseerapparatuur die de overheden gebruiken,' zei Pyx. 'Want zo maken ze tegenwoordig paspoorten, althans in de Verenigde Staten en Canada. Het is een zogenaamd waterdicht systeem. In plaats van foto's op te plakken en te lamineren, digitaliseren ze ze en printen ze direct op de bladzijde.'

'Dat zal jouw werk wel een stuk lastiger maken,' zei Hilts.

'Makkelijker juist, om eerlijk te zijn.' Hij gebaarde naar de achterkant van de boekenkastdeur. Die was in een neutraal gebroken wit geschilderd, en er hingen lampen aan weerszijden van de deur die elke schaduw uitwisten. 'Ga daar even staan, als je wilt,' zei hij. Hilts stelde zich op bij de deur. 'Hoofd omhoog, niet glimlachen, mond dicht,' instrueerde hij. Er klonk een klikkend geluid en er was een felle flits, en Finn begreep dat de lampen naast de deur fotografische stroboscopen waren. 'Ga nu aan de kant en laat Finn daar even staan.' Hilts stapte opzij en Finn ging voor de deur staan. Pyx stelde het statief bij om het lengteverschil te compenseren en liet de stroboscopen weer flitsen. 'Prachtig,' zei Pyx en hij knikte. Hij nam een flashcard uit de camera, stopte die in een speciale drive naast een van de flatscreens en typte een reeks instructies in de computer in. 'Voorkeur voor een naam?'

'Nee,' zei Hilts.

'Ik ook niet,' beaamde Finn.

'Oké, dan ben jij... eh... Norman Page, en Finn Ryan wordt Allison Mackenzie, is dat wat?'

'Mij best.' Hilts haalde zijn schouders op.

'Prima,' zei Finn.

'Lieve deugd,' zei Simpson lachend. 'Bespeur ik hier een literaire toespeling?'

'Niet zo literair,' zei Pyx met een glimlach.

'Ik vat 'm niet,' zei Finn.

'Natuurlijk niet, liefje. Daar ben je nog veel te jong voor.'

Pyx ging terug naar het toetsenbord en begon weer te typen. 'Geboorteplaats Toronto, Ontario, Canada... datum 1981 of zo, meisjesnaam moeder... vader... getoonde documenten... borg.' Hij typte verder, zachtjes neuriënd, en een paar momenten later was hij klaar met het online formulier. 'Nu de herkomst van het paspoort, zodat het niet naar mij te traceren is,' legde hij uit. 'Eerst neem ik een geschikt Canadees consulaat... Albanië, bijvoorbeeld, en voer ik hun adres in als afgiftepunt.' Hij las van het scherm. 'Rruga, Dervish Hima, Kulla 2, appartement 22, Tirana, Albanië. Telefoonnummer 355 (4) 257275, fax 355 (4) 257273, en tot slot de pakketschakelingscode.' Zwierig voltooide hij zijn typewerk.

'En wat bereiken we daarmee?' vroeg Hilts.

'Dit laat het paspoortbureau in Ottawa weten dat meneer Norman Page en mevrouw Allison Mackenzie, beiden momenteel in Parijs, waar toevallig het dichtstbijzijnde afgiftepunt voor paspoorten zit, hun paspoorten vernieuwen of zelfs al vernieuwd hebben. Ook vertelt het de computer dat de nieuwe paspoorten al voor hen klaarliggen bij de ambassade in Parijs. Tegelijkertijd is er nog een hele serie instructies en nieuwe bestanden verzonden, plus het verzoek om twee nieuwe paspoortfoto's in JPEG te digitaliseren. Alles is gedateerd op een paar dagen terug, de paspoorten worden vandaag geprint en als jullie bij de ambassade komen, zullen ze daar voor jullie klaarliggen. Laat ze je geboortecertificaat, rijbewijs en het Social Insurance-nummer zien dat ik jullie zal geven, en dan krijgen jullie twee volmaakt authentieke Canadese paspoorten, vers van de pers, besteld door ondergetekende. Als hun forensische elektronicalui de transactie proberen te traceren, lopen ze dood bij het Albanese consulaat, wat waarschijnlijk in een klein, smerig achterafkantoortje zit boven iets wat in Albanië voor een supermarkt moet doorgaan. Het is een beetje ingewikkeld, maar het is de perfecte maas in het systeem. Als je inbreekt in hun database gaan ze ervan uit dat ze de opdracht zelf gegeven hebben en dat die dus legitiem en wettig is. Is nog nooit mislukt.'

'Bedoel je niet het Social Security-nummer?' vroeg Hilts.

'Maak die fout niet op de ambassade in Parijs als iemand je toevallig iets vraagt, wat trouwens niet zal gebeuren. Social Security is

Amerikaans, Social Insurance is Canadees.'

'Maar we gaan helemaal niet naar Parijs,' wierp Finn tegen.

'O, jawel hoor,' zei Arthur Simpson.

'En Lausanne dan?'

'De man die jullie zoeken woont daar niet meer.' Hij zweeg even. 'Sterker nog, de man die jullie zoeken is op donderdag 8 september 1960 gestorven, om acht voor halftwaalf 's avonds.'

'Buitengewoon nauwkeurig,' merkte Hilts droog op.

'Toen zonk dat schip,' zei Simpson. 'Laten we afronden met Liam, dan vertel ik jullie er alles over.'

En dat deed hij.

25

Op hun paspoort na hadden ze om twee uur 's middags alle documenten die ze nodig hadden. Als bonus had Pyx er nog twee volkomen legitieme Visacards van de Bank of Nova Scotia op hun nieuwe namen bijgedaan, elk met een limiet van tienduizend dollar. Dat geld zou volgens Pyx op een of andere manier afgeroomd worden van de grote stroom onzichtbare, draadloze overboekingen van de grote Canadese bank, die dagelijks wereldwijd per satellieten werden doorgegeven.

Ze brachten bijna de hele dag door op Le Vieux Four, in de zonnige tuin achter het huis, waar ze ijskoud Sangano Blonde-bier dronken, kaas en paté aten en naar het verhaal van Arthur Simpson luisterden. In de warme stralen van de zon kon Finn bijna vergeten waarom ze eigenlijk op deze prachtige plek was, vol zoemende bijen en tsjilpende vogels die hun spottend toefloten vanaf de takken van de oude berkenbomen aan de rand van de tuin. Bijna.

Vroeg in de middag bedankten ze, met de documenten in de hand, Pyx voor zijn gastvrijheid en zijn uitstekende en snelle werk. Ze stapten weer in de oude Mercedes en reden de berg af naar het dal. Ze kwamen op de autoroute en legden de negentig kilometer naar Lyon in ruim een uur af. Simpson zette hen af voor het moderne Part Dieu-station.

'Er gaan een heleboel sneltreinen. Het is ongeveer twee uur naar Parijs. Jullie redden het wel. Weten jullie de naam van het hotel nog dat ik genoemd heb?'

'Hotel Normandie. Rue de la Huchette tussen Rue de Petit Pont en de Boulevard St. Michel op de River Gauche,' zei Finn Simpsons eerdere instructies na.

'Goed zo, meid.' De oude man glimlachte.

'We staan bij u in het krijt voor de paspoorten,' zei Hilts schoorvoetend. 'Dat zal ik niet vergeten. We betalen u terug.'

'Dat zit wel goed, Hilts.' Simpson keek vol genegenheid door het open raam van de auto naar Finn. 'Ik betaal een dienst terug aan de nagedachtenis van een oude vriend.'

'We betalen u zeker terug,' zei Finn ferm.

'En nu opschieten,' beval Simpson.

'En u dan?' vroeg Hilts.

'Ik moet nog wat mensen opzoeken in Italië. Maar ik weet zeker dat we elkaar weer ontmoeten voor dit voorbij is. Jullie zien me nog wel.' Hij glimlachte nog eens, draaide zijn raampje dicht en reed weg. Hilts en Finn draaiden zich om, liepen de brede stoep over en gingen de moderne, lage stationshal in. Ze kochten een paar eersteklas kaartjes voor de hogesnelheidstrein naar Parijs, een gloednieuwe dubbeldekker Duplex TGV met grote vliegtuigstoelen, veel beenruimte en een topsnelheid van 300 kilometer per uur. Ze stapten in, liepen naar hun zitplaats en bereidden zich voor op de relatief korte reis. Tot dusverre hadden ze nog niets verdachts gezien, maar zonder paspoort en met alleen valse documenten om zichzelf te legitimeren voelden ze zich kwetsbaar. De trein zat stampvol, voornamelijk met toeristen van allerlei nationaliteiten op de terugweg naar Parijs, maar ze zaten bij elkaar en niemand besteedde aandacht aan hen. De trein gleed soepel het station uit, precies op tijd, en een paar minuten later reden ze steeds sneller door de buitenwijken van de grote Franse stad. Ze hadden geen van beiden een woord gezegd nadat ze afscheid van Simpson hadden genomen, bij de ingang van het station.

'Wil je iets eten?' vroeg Hilts. Hij had de stoel bij het gangpad genomen en Finn zat bij het raam.

'Nee, dank je.'

'Drinken dan?'

'Nee, ik heb geen dorst,' zei Finn hoofdschuddend. 'Straks misschien.'

'Ja, straks misschien,' zei Hilts. Er ging weer een moment voorbij.

'Wat weet je eigenlijk van die man, van Simpson?' vroeg hij ten slotte.

'Niet veel,' antwoordde ze. 'Hij kwam in Cairo naar mijn kamer. Hij zei dat hij mijn vader had gekend en hij waarschuwde me voor Adamson.' Ze was even stil. 'Hij zei dat hij Vergadora nog van vroeger kende.' Ze zweeg weer. De trein begon een beetje te schudden en te trillen toen ze het open platteland bereikten en nog meer snelheid maakten. 'Hij heeft ons gered gisternacht. En vandaag heeft hij voor onze paspoorten gezorgd. Allemaal dingen die we zelf niet hadden gekund.'

'Als een soort beschermengel, bedoel je?'

'Dat weet ik niet precies.'

'Vraag je je af wat voor voordeel hij er zelf bij heeft?'

'Ja.'

'En?'

'Ik kan je geen antwoord geven, want dat weet ik niet. Ik weet alleen wat hij tot dusverre voor ons gedaan heeft.'

Hilts was even stil. Hij staarde naar de gestreepte stof en het uitklaptafeltje van de stoel voor hem.

'Heb je wel eens een tv-film gezien of een boek gelezen waarbij je op een gegeven moment denkt: waarom gaan ze niet gewoon naar de politie?'

'Natuurlijk,' zei Finn. 'Dat is net zoiets als het meisje in een horrorfilm dat een donkere kelder in gaat, terwijl iedereen behalve zij weet dat ze moet maken dat ze wegkomt.'

'Maar als ze dat zou doen, was de film afgelopen,' beaamde Hilts. 'Dat is het punt waar wij nu zijn. We zijn nu op het moment dat de film gewoon afgelopen moet zijn, want als we hersens in onze kop hadden gingen we gewoon naar de politie.'

'Maar dat kan niet. Ze zoeken ons voor de moord op Vergadora.'

'En onze beschermengel, jouw vriend Simpson die overal steeds opduikt, helpt ons uit de handen van de politie te blijven.'

'Hoe bedoel je?'

'Hij zorgt dat de film verder gaat.'

'Ja, en?'

'Maar waarom?' vroeg Hilts. 'Misschien wil hij graag dat we verder zoeken naar DeVaux.' Hij zweeg even. 'Of misschien worden we in een of andere val gelokt.'

'Die gedachte is ook bij mij opgekomen,' zei Finn moedeloos. 'Maar wat kunnen we daar nu nog aan doen?'

'Dat verhaal dat hij ons vandaag bij Liam Pyx in de tuin verteld heeft, over DeVaux...'

'Wat is daarmee?'

'Geloof jij het?'

'Dat weet ik niet. Daar probeer ik nog steeds achter te komen.'

26

Terwijl ze zaten te wachten tot Pyx hun nieuwe identiteit had samengesteld, vertelde Simpson over zijn betrekkingen met de verdwenen monnik en met de man die hem jarenlang had achtervolgd: Abramo Vergadora. Volgens Simpson had Hilts gelijk: niet alleen was Vergadora tegenwoordig een sayan van de Israëlische inlichtingendienst, de Mossad, ook was hij vroeger actief lid geweest, nog voor de eigenlijke dienst of het land Israël bestond. Simpson had de Italiaanse Jood eind jaren dertig in Cambridge leren kennen, waar Vergadora antropologie en archeologie studeerde bij Louis Clarke en T.C. Lethbridge, de curator Angelsaksische oudheden in het archeologisch museum in Cambridge. Tijdens de oorlog sloot Vergadora zich aan bij de Britse inlichtingendienst in Zwitserland, in plaats van terug te keren naar Italië om daar onder Mussolini vervolgd te worden. Uiteindelijk trad hij toe tot de zogenaamde Joodse Brigade, die tegen het eind van de oorlog Duitssprekende Joden als verzetsstrijders en spionnen in Duitsland liet infiltreren. Tijdens zijn werk ontdekte hij de geschiedenis van DeVaux met zijn eigen aartsvijand Pedrazzi. Ook hoorde hij dat DeVaux na Pedrazzi's verdwijning in de Libische woestijn kort in Venosa was opgedoken om in de oude catacomben te graven, waarna hij opnieuw gevlucht was, naar Amerika dit keer. Op een gegeven moment lukte het hem, misschien met de hulp van zijn Vaticaanse vrienden, om zijn naam te veranderen in Peter Devereaux en in Lawrence assistent-curator te worden bij het Wilcox Classical Museum van de universiteit van Kansas.

'Nogal obscuur,' had Hilts opgemerkt.

'Misschien obscuur, maar wel passend,' antwoordde Simpson, knabbelend aan een stukje baguette met verse boter en ganzenleverpaté. 'Het Wilcox is volledig gewijd aan Griekse en Romeinse oudheden, en bezit een van 's werelds beste verzamelingen Romeinse munten en medaillons. Zoals dat ding dat jullie op Pedrazzi aangetroffen hebben.'

DeVaux-Devereaux had jarenlang een onopvallend leven aan de universiteit geleid, maar volgens Vergadora had hij zijn onderzoek en banden met de onderzoeksschool in Jeruzalem voortgezet. Volgens Vergadora, en ook volgens Simpson, was die school meer dan een instituut voor Bijbelse archeologie: het was ook een Vaticaanse luisterpost in een al heel lang onrustig deel van de wereld, en was dat altijd al geweest.

Dankzij informatie die zijn vrienden in de Mossad in het geheim verzameld hadden, ontdekte Vergadora waar DeVaux zich schuilhield en wat zijn nieuwe identiteit was. Met deze informatie ontdekte Vergadora ook, volgens Simpson althans, dat de vroegere Vaticaanse archeoloog een vondst had gedaan die van groot religieus en historisch belang was: het zogenaamde Luciferevangelie, geschreven door Jezus zelf, na de kruisiging. Dat evangelie, ook wel bekend als de Belijdenis van Christus, verhaalt hoe Jezus' plaats in de Hof van Getsemane werd ingenomen door zijn broer Jacobus, die vervolgens door Judas 'verraden' werd aan de Romeinse soldaten die hem kwamen arresteren en die geen flauw idee hadden hoe Jezus eruitzag. Jezus zelf werd met de hulp van verschillende pas bekeerde Romeinen ondergebracht in de wildernis van de Libische woestijn, waar hij nog een lang leven als kluizenaar-monnik leidde. Zijn eigen mythe raakte uiteindelijk verward met de legende van het Verloren Legioen, Zerzura en zijn zogenaamde arische beschermers, de blonde ridders met de blauwe ogen van Sint-Sebastiaan. Natuurlijk was dit allemaal volkomen in tegenspraak met het fundament van de Katholieke Kerk en het christendom in het algemeen, een ramp van monumentale proporties, waarbij zelfs de basisbeginselen van de Kerk onder vuur kwamen te liggen. En wat minstens zo bizar was:

DeVaux-Devereaux leek zijn vondst in de Verenigde Staten te hebben gedaan. Hij dacht dat het evangelie door de tempeliers op een vroege ontdekkingsreis tot diep in het hart van Amerika gebracht was, misschien samen met de grootst denkbare schat: de beenderen van Jezus Christus zelf. Of dat nu mythe of realiteit was, het verhaal had hoe dan ook grote gevolgen voor iedereen.

De vondst van DeVaux-Devereaux leidde uiteindelijk tot een afspraak voor een ontmoeting, maar wel op neutraal terrein. De vroegere Vaticaanse geschiedkundige wist dat zijn informatie en zijn bewijzen ongelooflijk waardevol en tegelijkertijd levensgevaarlijk waren. De ontmoeting zou plaatsvinden in Nassau op de Bahama's, gemakkelijk te bereiken voor beide partijen, aan boord van het Franse passagiersschip *Île de France* dat inmiddels was omgedoopt tot *Acosta Star*. De man die DeVaux zou ontmoeten, was een wetenschapper genaamd bisschop Augustus Principe, van het Pauselijk Instituut voor Bijbelstudie in Rome. Maar zodra het schip met DeVaux-Devereaux aan boord de Bahama's verliet, vloog het ongelukkig genoeg direct in brand en zonk. Daarbij kwamen de ex-priester en bisschop Principe beiden om en ging het geheim van het Luciferevangelie verloren. Vergadora en vervolgens Simpson hadden de harde feiten van het verhaal kunnen controleren en beiden geconstateerd dat ze klopten; er bestond een driedubbel gecodeerde correspondentie tussen de school in Jeruzalem, het Vaticaanse secretariaat en de man die bekendstond als Peter Devereaux in Lawrence, Kansas. En de *Acosta Star* was inderdaad gezonken in het Caribisch gebied, op 8 september 1960 om 23.22 uur, met een man genaamd Peter Devereaux op de passagierslijst.

En dat was dat. Het verhaal dat begonnen was in het hete zand van de Libische woestijn liep af in de blauwgroene Caribische wateren, tweeduizend jaar later en meer dan tweemaal zo veel kilometers verder. Een reis die droop van het bloed van onschuldige en schuldige mensen, zoals zo vaak wanneer de woorden en daden van de goden erbij betrokken zijn.

De rest van de reis van Lyon naar Parijs gebeurde er helemaal niets. De trein kwam precies op tijd aan op het Gare de Lyon en een goedgemanierde Parijse taxichauffeur bracht ze door de stad naar de Petit Pont, stak het Île de la Cité over naar de Rive Gauche en zette ze af voor het vijf etages tellende Hotel Normandie in Rue de la Huchette. Het was een smal, vergeten achterafstraatje bij Place St. Michel dat niets veranderd leek sinds de napoleontische tijd, of minstens sinds er Duitse soldaten hadden rondgedwaald op zoek naar wat couleur locale tijdens hun verlof in de Lichtstad. Er zaten een slager, een bakker, een tabakszaak, twee andere hotels van dezelfde pensionklasse als het Normandie, een winkel met orthopedische hulpmiddelen en een paar kleinere bedrijfjes van het soort dat je in elke buurt kunt vinden. Café St. Michel op de hoek voorzag ze van een goed maal en een fles *vin ordinaire*, en daarna gingen ze allebei uitgeput naar bed.

De volgende ochtend raadpleegden ze eerst een telefoonboek en toen een kaart, en ze zagen dat de Canadese ambassade op Avenue Montaigne op loopafstand lag. Ze gingen op pad in het heldere ochtendlicht, staken de Seine over via de Pont des Invalides, liepen richting Champs-Élysées en naar het bovenste deel van de diplomatieke wijk bij Avenue Foch. De ambassade bleek een discrete verzameling van drie Napoleon-III gebouwen te zijn in een aangename, met bomen omzoomde straat. Er was nergens een Mountie in een rode jas te bekennen. Een tikje ongerust waagden Finn en Hilts zich naar binnen. Het interieur had duidelijk een paar anti-Osama-aanpassingen ondergaan, maar uiteindelijk was alles toch volkomen voorspelbaar, met plastic stoelen, nummertjes trekken en beleefde zigzagrijen zoals in een pretpark. Een uur nadat ze de ambassade binnen waren gestapt stonden ze weer buiten, met twee blauw met gouden Canadese paspoorten.

'Nou, dat ging makkelijk,' zei Hilts opgelucht. Ze sloegen Avenue Montaigne in, terug naar hun hotel.

De overval was professioneel opgezet, perfect uitgevoerd en verliep vlekkeloos. Er wandelde een man voor hen, nonchalant gekleed in spijkerbroek en donkerblauw sweatshirt en met een rottweiler aan de lijn, en er liepen twee gewapende mannen achter hen. Links van hen stopte er een groene Mercedes en het achterste portier zwaaide open. Een van de twee mannen stapte naar voren en porde een hard voorwerp in Finns rug om haar de auto in te duwen. De tweede man deed hetzelfde bij Hilts, terwijl de man met de rottweiler erbij stond om te voorkomen dat mensen op de stoep tussenbeide zouden komen. De hond gromde laag en diep in zijn keel. Een van de mannen achter hen stapte na Finn en Hilts in, de tweede sloeg het portier dicht en de auto reed weg. Het duurde bij elkaar nog geen twintig seconden. Finn wist een blik door het achterraam te werpen. De man met de hond liep verder alsof er niets gebeurd was, en de tweede man ging er in tegenovergestelde richting vandoor.

Finn en Hilts zaten opeengeperst op de achterbank met aan elke kant een man naast zich. Voorin zat een derde man, naast de gezette chauffeur. De man voorin draaide zich naar hen om. Zijn haar was donker en heel kort. Hij droeg een volle baard en een donkere bril, en hij hield een leren mapje in zijn hand. Het bevatte een legitimatiekaart met het beroemde logo van Interpol, een zwaard door de wereldbol en de weegschaal van justitie. Hij liet hem eerst aan Hilts en toen aan Finn zien zonder een woord te zeggen, keek ze dreigend aan, sloeg het mapje dicht en draaide zich weer om.

Finn vouwde haar handen op haar schoot. Haar hart bonsde. Naast haar sloeg Hilts zijn armen over elkaar en staarde boos in de ruimte tussen de chauffeur en de bijrijder. Finn was maar één keer eerder in Parijs geweest, en dat was maar een paar dagen geweest. De straten die voorbijflitsten zeiden haar niets; brede avenues, standbeelden, bomen, langgerekte gevels van gebouwen die allemaal uit ongeveer dezelfde Empire-architectuurperiode leken te komen. Een gevoel van grandeur en groezeligheid, van bomvolle, brede trottoirs en chaotisch verkeer. De Mercedes stond stil en trok weer op, en de chauffeur vloekte en toeterde net zo hard als alle anderen. Maar de chauffeur vloekte niet in het Frans. Hij sprak een Arabisch dialect vol raspende keelklanken. Eén geblaft bevel van de man naast de chauffeur legde hem het zwijgen op.

'*Said boesak, Hmar!*'

Ze reden snel een verkeersplein over en Finn zag dat ze een brede boulevard in sloegen. Links van hen was een openluchtmarkt met tientallen stalletjes en verkopers op een brede stoep met bomen erlangs. Ze moesten uitwijken voor een auto van links en Hilts wierp zich hard tegen de man naast hem aan. De man hapte naar adem en kromp ineen. Zijn gezicht vertrok van de pijn toen hij tegen de deur aan gedrukt werd. Hilts duwde harder en het portier zwaaide open. De druk van de schouder van de fotograaf drukte de schreeuwende man de auto uit, het verkeer in. Achter hen klonken een afschuwelijke bonk en piepende remmen, maar voor iemand kon reageren schoot Hilts' rechterhand in een flits naar voren. Ineens stak er een stuk staal van tien centimeter lang uit de nek van de chauffeur. De auto slingerde, schokte woest, raakte iets hards en kwam schommelend tot stilstand. Hilts greep Finns hand en wierp zich naar buiten, midden in een stapel kool.

'Kom mee!' riep hij. Ze krabbelden overeind en wankelden bij het wrak van de auto vandaan. De man naast de bestuurder worstelde met zijn airbag. De bestuurder had het mes uit zijn nek getrokken en deed met zijn blote handen wanhopig een poging het naar buiten gutsende bloed te stelpen.

Finn en Hilts renden de markt over. Ze botsten tegen winkelende mensen op en lieten tassen met boodschappen alle kanten uit vliegen. De marktverkopers vloekten als ze langsrenden en ze voelden uitgestoken handen naar hen grijpen. Finn hoorde een politiefluitje en in de verte een sirene.

Plotseling sneed het vlakke, krakende geluid van een automatisch pistool door de stilte. De man uit de auto schoot op hen. Om hen heen raakten de mensen op de markt in paniek. Ze lieten zich op de grond vallen of renden weg, gillend en krijsend. Een warme luchtstroom streek langs op één centimeter van Finns wang en ze hoorde het pistool opnieuw afgaan.

'De metro!' schreeuwde Hilts en hij sleepte haar aan de kant. Ze waren aan het einde van de rij marktkraampjes. De achterste hing tegen de railing van het trapgat naar de ondergrondse. Hilts sprong over de railing en Finn kwam achter hem aan. Ze landde op haar voeten, maar viel bijna van de trap en bezorgde een vrouw met een poedel die net uit de tunnel kwam lopen een doodsschrik. Ze hobbelden hinkend na de diepe sprong door de witbetegelde tunnel, rommelden met kleingeld om een *carnet* tickets uit een machine te halen en strompelden de pneumatische deuren door, juist toen er een metro ratelend het station binnenreed. Ze wachtten tot de metro stilstond en drongen zich naar voren zodra de deuren sissend opengingen. Hijgend ploften ze neer. Finn zag dat hun achtervolger zich zonder kaartje tussen de rubberen stootranden van de pneumatische deuren aan het einde van het perron wrong. Het signaal klonk en de man moest zes of zeven rijtuigen bij hen vandaan instappen.

'Hij zit erin,' fluisterde ze tegen Hilts.

'Dat zag ik,' antwoordde hij.

'Wat doen we nu?'

'Ik denk na.'

'Wel een beetje snel graag.'

De metro reed kreunend het station uit en een van de verbindingstunnels in die onder de stad waren uitgegraven. De wielen piepten in de eerste bocht, en de rijtuigen schokten en schudden. Ze bevonden zich in de eerste en oudste metrolijn in Parijs, Nummer Een, en zo voelde het ook.

'Hij zal bij elke halte naar voren komen, misschien een paar rijtuigen per keer. Dus hebben we drie stops voordat hij bij ons is.'

'Waar is dat?'

'Waar zijn we ingestapt?'

'Iets van St.-Mandé de huppeldepup.'

'Waar zijn we nu?'

Finn keek op de kaart boven de deuren.

'Reuilly-Diderot.'

'Is dat een grote halte, hoe noem je dat, een overstapstation?'

'Nee.'

'Wat is de volgende grote?'

'Nation,' antwoordde ze. 'Over twee haltes.'

'Bereid je er maar op voor om daar uit te stappen. We moeten hem kwijtraken.'

'Waar had je dat mes vandaan?'

'Je vriend Simpson heeft het me in de auto gegeven, toen jij sliep. Een gemeen dingetje, een voorladende stiletto, het nieuwste van het nieuwste. In Italië gemaakt. Hij zei dat hij er twee had.'

'Wie waren die lui?'

'Ze waren in elk geval niet van Interpol, dat is duidelijk. Die man sprak Arabisch en die andere schold hem uit.'

'Dat hoorde ik.'

Ze kwamen bij de volgende halte: Porte de Vincennes. Een paar mensen druppelden de metro in en uit. Het geluidssignaal klonk en de metro zette zich weer in beweging.

'Naar de deuren,' zei Hilts. Ze stonden op en gingen voor de deuren aan de rechterkant staan.

'*L'autre côté*,' zei een man in een regenjas en met een donkerblauwe baret op. Hij stond een zelfgerolde sigaret te roken, pal onder het bordje op het raam waarop DEFENSE DE FUMER stond.

'Wat?' vroeg Hilts.

'Andere kant,' vertaalde Finn. 'Zoveel Frans ken ik nog wel. Ik denk dat hij bedoelt dat het perron aan de andere kant is.' Ze glimlachte naar de oude man. 'Merci,' zei ze.

'*Parle à mon cul, ma tête est malade*,' antwoordde de oude man. Hij trok een zuur gezicht.

'Wat zei hij?' vroeg Hilts.

'Iets niet zo vriendelijks, geloof ik,' antwoordde Finn. De metro denderde het station binnen. Het was veel moderner dan de vorige en had minstens zes uitgangstunnels. Ze namen de dichtstbijzijnde, dwars tegen de menigte aankomende en vertrekkende reizigers in.

'Waar gaan we heen?'

Finn keek naar de lijn. 'Étoile.'

'Waar is dat?'

'Bij de Arc de Triomphe.'

'Waar we vandaan komen?'

'Min of meer.'

Hilts keek over Finns schouder, zoekend in de menigte die het perron opstroomde.

'Zie je hem?'

'Nog niet.'

Het geluidssignaal klonk toen er een metro het station in reed. Achter hen gingen de pneumatische deuren al dicht. De metro kwam piepend tot stilstand en de deuren van de rijtuigen gleden open. Honderden mensen stoven langs hen heen.

'Daar!' Finn zag de man met de baard en de donkere bril. Hij baande zich een weg het perron op. Iemand schreeuwde tegen hem, vloekend, maar hij negeerde het. Hilts greep Finn bij haar elleboog en duwde haar het dichtstbijzijnde rijtuig in. Hij stapte achter haar aan terwijl hij achteromkeek. De deuren gleden dicht en de man met de baard bleef achter op het perron. Terwijl de metro bij hem weg reed, zag Hilts hem een mobiele telefoon naar zijn oor brengen.

'Hij belt. Vraagt zeker om versterking. Shit!'

'We kunnen niet lang in de metro blijven,' zei Finn. 'Hij heeft misschien mensen verderop die ons opwachten.' Ze keek naar het schema boven de deur. Als de man met de baard snel en slim genoeg was, zou hij begrijpen dat hij nog vóór hen kon aankomen als hij één halte verder ging met de Nummer Een – Bastille – en dan terugging met de kleinere Nummer Twee-lijn die tussen Bastille en de zuidelijke stations liep. Het metrostelsel van Parijs was ongelooflijk ingewikkeld, en na ruim honderd jaar ontwikkeling lag geen gebouw in de stad nog op meer dan vijfhonderd meter bij een metrohalte vandaan.

Er zou in elk geval iemand op hen wachten bij Montparnasse-Bienvenue, het volgende grote overstapstation, waar een stuk of vijf lijnen elkaar kruisten. Ze reden station Place d'Italie in en er weer uit. In elk geval was hij niet snel genoeg geweest om daar iemand neer te zetten. Volgens de kaart hadden ze maar twee kansen tot het volgende grote station. Het was of Denfert-Rochereau of Raspail. Van geen van beide wist ze iets, maar ze lagen allebei dicht bij Montparnasse, ooit het centrum van het bohémienwereldje in Parijs, maar tegenwoordig niet meer dan een wat sjofele toeristenwijk vol cafés die zichzelf op de kaart probeerden te zetten als Lenins

Lievelingsrestaurant of Hemingways Stamkroeg.

'Volgende halte dan maar,' zei Hilts. Ze gingen weer naar de deuren. De metro minderde vaart en kwam piepend tot stilstand. Ze stapten het rijtuig uit en liepen over het drukke perron. Toen de metro wegreed, keek Finn naar het spoor tegenover hen. Ze zag de verraste blik van een man aan de andere kant, dezelfde man die Finn en Hilts voor de Canadese ambassade in de auto had geduwd. Hij staarde hen even met open mond aan, en rende toen naar de uitgang.

'Ze hebben ons gevonden!'

Finn en Hilts renden naar de dichtstbijzijnde uitgang en beklommen een lange trap. De roltrap ernaast lieten ze voor wat hij was. Ze kwamen boven uit in een hal, staken die over en renden het station uit. Hard hijgend vlogen ze door een van de gewelfde deuropeningen de straat op, ze ontweken het verkeer en bereikten een rond plein in het midden waar een enorm bronzen beeld van de zoveelste man te paard stond. Parijs moet vroeger een geweldige plek zijn geweest als je een gieterij had, dacht Finn.

'Waar gaan we heen?' vroeg ze.

'Maakt niet uit. We moeten hem kwijtraken. Rennen!'

Hij nam haar hand en schoot de straat op. Er stopte een auto met piepende banden naast een taxistandplaats. Een Mercedes, blauw deze keer. De man met de rottweiler sprong eruit, dit keer zonder hond. Achter hen dook de man van het perron snel tussen het verkeer door en stak de straat over. Ze weken uit, haalden de stoep en liepen direct een trappetje op en een paar hoge zwarte deuren door, die vanwege de zomerhitte openstonden.

Een geüniformeerde man zat op een krukje naast een draaipoortje midden in een grote, donkere ruimte met marmeren vloeren. Hij leek zich te vervelen. Op het draaipoortje hing een bordje: € 10. Hilts stak snel zijn hand in zijn zak, trok er een paar verkreukelde biljetten uit en duwde ze de bewaker in de hand. Ze renden het poortje door en Finn keek achterom om te zien of de mannen hen volgden. Tot dusverre waren ze nergens te bekennen. Ze draaide zich weer om. Voor hen was niets, behalve een rond trapgat in de vloer.

'Waar zijn we?' vroeg Hilts en hij staarde naar de donkere wenteltrap aan zijn voeten. 'Is dit een soort toer door de riolen?'
Finn wist het. Ze had erover gelezen in haar reisgids, de vorige keer dat ze in Parijs was. Het was geen riool.
Het was de ingang van de catacomben van Parijs, eeuwenlang het thuis van de doden, miljoenen doden, diep verborgen onder de straten van de oude stad.

27

Parijs bestond als stad al meer dan tweeduizend jaar. Het was ooit begonnen als een klein dorpje op het Île de Paris, waar nu de Notre Dame staat, en breidde zich vervolgens uit langs beide oevers van de Seine, naar het noorden, zuiden, oosten en westen. Net als alle snelgroeiende stedelijke centra had Parijs twee grote problemen, die allebei verschrikkelijke en soms fatale gezondheidsrisico's met zich meebrachten: het afval en de lijken. Die brachten allebei ziekten over. In de middeleeuwen veroorzaakte de afvalcrisis in Parijs de Zwarte Dood: builenpest. Niet veel later zaten de doden Napoleon dwars toen die zijn visie op de stad wilde verwezenlijken, maar steeds over stinkende lijken op overvolle begraafplaatsen struikelde, van de ene kant van Parijs tot aan de andere. Ruim een millennium lang hadden de meer dan duizend Parijse kerken elk hun eigen kerkhof gehad, maar toen Napoleon met zijn renovaties begon zaten de begraafplaatsen hem bij zijn nieuwe stadsindeling steeds in de weg. Parijs is op een moeras gebouwd, net als Washington, beide naar ontwerp van dezelfde man, Pierre l'Enfant. De lijken lagen niet zozeer begraven, maar dreven rond in een zee van viezigheid. Napoleon, als de dictator, keizer en praktische man die hij was, wilde dat alle begraafplaatsen leeggehaald werden en dat de resten werden overgebracht naar de oude Romeinse kalkstenen bouwwerken die destijds aan de rand van de stad lagen. Bij de verdere herontwikkeling van de stad werd het plan uitgevoerd. Vervolgens kwamen er drie grote kerkhoven: Père Lachaise, de bekendste, waar de stoffelijke resten van uiteenlopende beroemde mensen als Jim Morrison van The Doors en Frédéric Chopin liggen; de rest ging naar de andere twee, Montparnasse en Montmartre. De botten van zeven miljoen andere overledenen werden verzameld en naar de kalksteengroeves gebracht, waar ze zestig meter onder de grond gestopt werden. In de loop der tijd bestreken de kalksteengroeves bijna tweehonderdvijftig kilometer aan galerijen, aan weerszijden van de Seine, met geheime in- en uitgangen door riolen, mansgaten en oude gebouwen verspreid over de halve stad. De nazi's gebruikten een deel ervan als communicatiebunkers en schuilkelders tegen luchtaanvallen. Tegelijkertijd gebruikte het Parijse verzet andere delen van hetzelfde netwerk voor bijeenkomsten en wapenopslag. De geschiedenis wil dat de twee groepen elkaar nooit tegen het lijf gelopen zijn. Het enige SS-detachement dat naar beneden werd gestuurd om verzetslieden op te sporen, is spoorloos verdwenen.

Finn en Hilts liepen de trap af. De temperatuur daalde onmiddellijk en de zomerwarmte loste op in de klamme, natuurlijke airconditioning die Finn de rillingen bezorgde. Ze liepen de smalle, ondiepe treden af, steeds dieper. Kleine peertjes aan rafelige kabels rondom de stenen kern van de trap lichtten hen bij. Finn begon de treden te tellen om zichzelf af te leiden van haar steeds sterkere claustrofobische gevoelens. Bij 234 waren ze op de bodem. Ze hoorde voetstappen achter haar, maar ze had geen idee of het hun achtervolgers waren of gewoon een paar toeristen die ook tien euro betaald hadden. Een markering op de muur gaf aan dat ze zeventig meter onder de grond zaten. Een reeks vage lichtpeertjes liep weg in de verte. Er was geen andere weg terug dan de trap weer op, recht in de klauwen van hun achtervolgers. De vloer onder hun voeten knarste vochtig. Nat grind. De muren en het plafond van de stenen tunnel dropen van het vocht. Een helse plek om te sterven, dacht Finn.

Honderd meter verder werd de tunnel breder en voelde ze haar claustrofobie een beetje wegebben. Het plafond, dat koud zweette, hing nog steeds maar een meter boven hun hoofd. Het portaal was langwerpig van vorm. Aan weerszijden van een gapende doorgang waren een paar Egyptische obelisken uitgehakt uit de wand. De obelisken waren wit, met regelmatige zwarte inzetten. Boven de doorgang, uitgehakt in steen, stond een boodschap en een waarschuwing in het Latijn. Finn vertaalde de woorden hardop: 'Halt! Hier betreedt u het Rijk der Doden.'

'Geweldig,' mompelde Hilts. Ze betraden de donkere doorgang tussen de obelisken en belandden in een visioen uit de diepten van een hel die zo kil was als een grot.

Naar alle kanten uitgestrekt, alleen verlicht door de bleke peertjes aan het plafond, lagen stapels menselijke beenderen, opgetast als vademhout en tot manshoogte opgestapeld in nette rijen van zeven meter dik. Geel, vochtig, oud, laag na laag met dijbenen, bekkens, armen, sleutelbeenderen en wervelkolommen, tienduizenden schedels met blind starende oogkassen, kaken en tanden tot een eeuwige glimlach versmolten door kalksteen dat van boven kwam druipen. Elk teken van menselijkheid was uitgewist, als in de koortsachtige dromen van een massamoordenaar over een massaslachting. De enorme massa beenderen was na het wegvallen van het zachte vlees veranderd in één monumentaal en monsterlijk fossiel. De vochtige lucht was zwaar van de weezoete, muffe geur van ouderdom en het enige geluid was het gedempte fluisteren van hun hijgende adem.

'Mijn god,' zei Finn vol ontzag. Ze nam Hilts' hand en kneep er hard in.

'Waarschijnlijk zijn er verderop wel mensen. Kom op,' zei hij. Samen bewogen ze zich door de gang van botten, voor zich uit turend door de doodse schemer. Om de dertig meter zagen ze zijtunnels weglopen vanuit de gang met de losliggende vloer; ze waren met gietijzeren hekken afgesloten. Het was duidelijk dat een groot deel was afgeschut, zodat de mensen niet door de hele catacomben konden zwerven en er voor altijd verdwalen. Ze kwamen langs een kruiwagen met een schop dwars op een lading gesorteerde botten; het gigantische knekelhuis was kennelijk nog steeds in gebruik.

Hilts bleef staan. 'Wacht even,' zei hij. Hij draaide zich om en luisterde. Eerst was er alleen stilte, toen hoorden ze het allebei: een zacht schuifelen alsof er knaagdieren rondscharrelden, ratten in een schuur. Mensen die renden op grind. 'Ze komen eraan!' Hij keek wild om zich heen en greep toen de schop van de kruiwagen. Hij tilde hem op. Geen partij voor een pistool, dat was duidelijk. Finn zag tegenover haar in de tunnel een zijgang met een gietijzeren hek dat los in het eenvoudige scharnier hing.

'Daar!' zei ze. Hilts knikte. Ze staken de tunnel over en persten zich door de opening. Hun achtervolgers waren inmiddels gevaarlijk dichtbij. Hilts draaide zich om, tilde het smalle hek op en liet de roestige pinnen weer in hun gaten vallen. Het maakte een hard, schrapend geluid en ze krompen ineen.

'Nee!' riep Finn kreunend uit.

'Wat?'

'Kijk!' Ze wees door het hek. Daar, op de vloer van de tunnel, ruim drie meter bij hen vandaan, lag een gloednieuw paspoort. Het goudgestempelde Canadese wapen glansde trots in het vale licht van de peertjes boven hen.

'Van wie is die?' zei Hilts. Finn stak haar hand in haar jaszak en haalde er het paspoort uit dat ze nog geen uur eerder had opgehaald.

'Idioot!' schold Hilts zichzelf uit.

'Wat nu?' vroeg Finn.

'Misschien zien ze het over het hoofd,' zei Hilts. Hij trok Finn naar achteren, de schaduwen in. Het geluid van voetstappen was nu heel duidelijk. Finn was zich plotseling scherp bewust van het ondoordringbare duister achter hen. Haar fantasie was uitstekend in staat om haar te laten zien wat zich allemaal in dat afschuwelijke zwart verschool. Kilometers gangen, miljoenen schedels, dubbel zo veel nietsziende ogen die in de eeuwigheid staarden.

Er werd langzamer gelopen. Finn zag de schaduw van hun achtervolger, geworpen door het zwakke licht boven hen. Hij stond stil. Eén gestalte. Hij had het paspoort zien liggen en probeerde te bedenken wat dat betekende. De gestalte stapte naar voren, zijn eigen schaduw in. Het was de man met de baard uit de auto; hij was teruggekomen en had zijn makker van het andere perron op Denfert-Rochereau ingehaald. Hij had een pistool in zijn hand, een zeer geavanceerd lijkend automatisch wapen van een soort matzwart composietpolymeer. Er zat een dik, worstvormig ding op de loop. Een demper, gokte Finn. Hij wilde natuurlijk geen aandacht trekken. Toen hij zich bukte om het paspoort op te rapen viel de pin van het hek met een zacht rinkelend geluid dieper in het gat en werden de schimmelende oude botten Hilts ten slotte te veel. Hij nieste.

De man draaide zich om met zijn wapen voor zich uit. Koud groen licht sprong als een sinistere spookstraal uit het wapen, het was niet alleen een demper, maar ook een laserzoeker. Finn voelde Hilts' hand op haar schouder, die haar nog verder achteruit de duisternis in trok. Ze hield haar adem in en stapte zo geruisloos mogelijk naar achteren. Ze stak haar vrije hand uit om de weg te vinden in het donker, en haar vingers gleden over de bergen botten. De man met de baard liet het paspoort in zijn jaszak glijden, stapte naar het hek en begon het uit de scharnieren te wrikken. Hilts' hand kneep opnieuw in haar schouder en stilletjes stapte ze nog verder achteruit. Haar vrije hand gleed plotseling weg en voelde niets meer. Hilts trok haar mee naar een tweede zijgang, die een rechte hoek met de eerste maakte. In de linkermuur voelden Finns vingers een schedel. Ze liet haar vingers in de oogkassen glijden en haakte ze in de sinusholte. Langzaam trok ze de schedel van zijn plek in de muur. Hij gleed met een zacht, nat geknars in haar hand. Ze klemde haar kaken op elkaar en hief de schedel op. Ruim een kilo. Plotseling bedacht ze dat zij voor Hilts stond. Als de man met de baard zich omdraaide en schoot, zou zij geraakt worden. Ze verstijfde. Vlak voor haar kon ze het groene licht van de laserzoeker zien. Ze voelde hoe haar spieren zich spanden. Als hij nog verder de zijgang in liep, hadden ze een kans om achter zijn rug weg te glippen en te ontsnappen. Ze hield haar adem weer in om het geluid van zijn voetstappen op te vangen. Maar in plaats daarvan hoorde ze een zacht schuifelgeluidje achter zich, en gepiep. Hilts vloekte en het groene licht draaide de tweede zijgang in en scheen precies in Finns ogen.

Ze dacht er niet eens bij na. Ze stapte naar voren, totaal verblind, en stootte de schedel met uitgestrekte arm naar een plek zo'n halve meter boven het laserzoeklicht, met de bolle hersenpan als een bokshandschoen om haar hand. Er was een luid gekraak te horen toen de schedel doel trof en in stukken viel. Ze hoorde een zucht alsof er lucht uit een band ontsnapte. Het laserlicht schommelde en viel toen de man met de baard op de vloer van de tunnel viel. De straal scheen op de ravage die Finn van zijn gezicht gemaakt had. Hij was buiten bewustzijn, zijn neus was gebroken en zijn lip gescheurd. De linkerkant van zijn kin leek ook een beetje scheef te hangen.

'Zwakke kaak,' merkte Hilts op. Hij bukte zich en haalde het paspoort uit de zak van de man. Hij raapte het pistool op, trok de clip eruit en wierp het wapen in het diepere duister achter hem.

'Nee, goede linkse hoek,' zei Finn. Ze raapte de twee bebloede helften van de schedel op en bekeek ze.

'Ik vraag me af met wie je hem geraakt hebt,' zei Hilts.

'Dat zullen we nooit weten,' antwoordde ze. Ze legde de twee stukken schedel voorzichtig terug op de stapel botten.

'We moeten maken dat we hier wegkomen,' zei Hilts.

Ze gingen naar de grote tunnel en renden. Na tien minuten bereikten ze een poort, en daar begon de tunnel omhoog te lopen. De wanden bestonden hier uit kaal kalksteen in plaats van uit botten. Nog tien minuten later waren ze bij een tweede wenteltrap, waar een vrouw achter een balie ansichtkaarten en diaseries verkocht en een geüniformeerde wachtpost nors voor zich uit keek. Finn en Hilts klommen de lange stenen trap op en bereikten een klein, bepleisterd vertrek met één deur met een duwstang. Ze duwden die open en stapten naar buiten, het verblindende zonlicht in. Finn voelde zich meteen opgelucht, alsof ze gratie had gekregen.

'Hij zal nu wel zo'n beetje bijkomen, als dat nog niet gebeurd is,' waarschuwde Hilts. Finn keek met half dichtgeknepen ogen rond. Ze stonden in een naamloos achterafstraatje. De witgekalkte muur achter hen was bedekt met afbladderende oude graffiti. Er stond: BAD IDEA. Daar kon Finn het alleen maar mee eens zijn.

'Waar zullen we heen gaan?' vroeg ze.

'Nou, dankzij jou hebben we allebei de paspoorten weer, dus misschien moeten we die maar gebruiken,' zei Hilts. 'Ik geloof dat we lang genoeg in Europa geweest zijn.'

'Volgens Simpson was DeVaux' laatste halte Nassau.'

'Een mooiere plek om onder te duiken kan ik niet bedenken. Op naar de Bahama's.'

28

In elk ander land zou Nassau International Airport een busstation geweest zijn: lage plafonds, kunststof houtfineer op de wanden, gebarsten tegels en goedkope plastic stoeltjes in de wachtkamer. Als de Tourist Office ervoor in de stemming is, staat er soms een humeurige steelband te drummen in een hoek, tussen uit karton geknipte palmbomen en zelfgemaakte kerstversieringen.

De rij voor de voorcontrole voor vertrekkende reizigers van de Amerikaanse douane staat soms tot buiten het gebouw, tot op de parkeerplaats. Over het algemeen werkt noch de airconditioning, noch de bagageband. Het luchthavenpersoneel werkt helemaal nooit, tenzij het echt niet anders kan. De veiligheidscontroles zijn ongeveer zo laks als die op Ouagadougou Airport in Burkina Faso. Er is maar één stel toiletten, één cafetaria-achtig restaurant, en één winkel, Nature's Gift, waar alleen zeep te koop is. Op deze plek komen de Amerikanen die het vliegtuig naar Havana willen nemen. Ooit was dit de toegangspoort tot het paradijs.

Maar helaas was ook dit Eden, net als alle andere, gevoelig voor corruptie. De slang in de tuin was de georganiseerde misdaad, en de appel aan de boom van kennis van goed en kwaad leek verdacht veel op cocaïne en marihuana. Drugs gingen eruit en balen biljetten van honderd dollar kwamen erin, nadat ze gecirculeerd hadden in elektronische wasserettes met namen die op banken leken maar dat niet waren. Op een of andere manier vloeiden er jaarlijks zeshonderdvijftig ton cocaïne en tien keer zo veel marihuana weg via de Bahama's. De waarde in papiergeld kon honderd vrachtwagens vullen.

Op de Bahama's hebben de kakkerlakken vleugels, er zijn overal hagedissen en de wegen zitten vol gaten. Als de Disney-cruiseschepen aanleggen in Nassau spelen ze de eerste vier maten van 'When You Wish Upon A Star' zo hard op de scheepstoeter dat je het aan de andere kant van New Providence Island kunt horen.

Daar staat tegenover dat het zand verblindend wit is, dat de zee de kleur van smaragd heeft en de lucht die van saffier. Zwemmen komt neer op ronddobberen in een enorm warm bad vol tropische vissen. De mensen zijn beleefd en oprecht vriendelijk, en het regent elke dag ongeveer een uurtje, precies op het moment dat je het te heet begint te vinden. Blanke mensen worden er niet in de gevangenis gegooid, als je af mag gaan op Fox Hill Penitentiary. Het openbaar vervoer is er goedkoop, amusant en gaat vaak, en het eten is er geweldig.

Finn en Hilts wisten tickets te krijgen voor een pendeldienst van Parijs naar Londen en vandaar voor een non-stopvlucht naar New Providence. Dertien uur en tien minuten nadat ze uit de Parijse catacomben waren opgedoken, stapten ze in een taxi op het vliegveld van Nassau. De zon beukte als een voorhamer op hen neer en de taxi had geen airco. Swain & the Citations vertolkten 'Duke of Earl' op de stereo.

De chauffeur stelde zichzelf voor als Sidney Poitier. Hij leek daar ook ongeveer de juiste leeftijd voor te hebben. Zijn wenkbrauwen en stoppels staken fel af tegen zijn donkere huid. Hij droeg een ronde bril met een schildpadmontuur die oud genoeg leek om nog van echt schildpad te zijn gemaakt. De ogen achter de glazen waren troebel van ouderdom en onvoorstelbaar ellendige ervaringen, maar fonkelden ook van humor en intelligentie. Een vriendelijke oude oom in een taxi. Misschien had de komiek Richard Pryor er zo uitgezien als hij de zeventig had gehaald, dacht Finn.

'Heet u echt zo of zegt u dat voor de toeristen?' vroeg Hilts verrast.

'Ik heette eerder zo dan hij. Ik ben geloof ik één of twee jaar ouder. Poitier is een heel gewone naam op de eilanden. Sidney ook.

Hij kwam van Cat Island, als ik me goed herinner. Mijn oude overleden moeder zei dat hij een kwaaie was, dus moest hij naar Miami om braaf te worden. Echt een lachertje, generaal: de woorden "braaf" en "Miami" zijn olie en water, je kunt ze niet mengen. Ik zeg tegen de mensen dat ik Sidney Poitier heet, en dan zeggen zij: *Guess who's coming to dinner*, maar deze Sidney eet dus mooi niet in het Royal Bahamian als het 's avonds heet is. En nu we het er toch over hebben, generaal, hebben jullie een bepaalde plek in gedachten of willen jullie dat ik gewoon maar een beetje rondrijd?'

'Naar een hotel graag,' zei Finn. Ze had best goed geslapen tijdens de lange vlucht, maar ze snakte naar een douche.

'Komen jullie dan zonder reserveringen met het vliegtuig uit Engeland?' vroeg Sidney.

'We hadden nogal haast,' zei Hilts. Hun enige bagage bestond uit een paar tassen van British Airways die ze op Heathrow gekocht en in de vliegveldwinkels met het hoogstnoodzakelijke gevuld hadden.

'Ben je soms op de vlucht, generaal?' vroeg Poitier. De taxi reed langs de beboste oevers van Lake Killarney. Naaldbomen, geen palmen.

'Zoiets, ja.'

'Dus dan zoek je iets wat je min of meer afgelegen kunt noemen, hè?'

'Min of meer,' stemde Hilts in.

'Dan weet ik de volmaakte plek voor je, generaal,' zei Poitier vriendelijk.

'Dat dacht ik al.'

Ze sloegen van John F. Kennedy Drive af naar het armoedige karrenspoor van de oude Blake Road en kwamen al snel uit op West Bay Street en Sandyport, een aaneenschakeling van appartementencomplexen, omheinde woonwijken en strandbungalows van een miljoen dollar.

Ze volgden Bay Street langs de kust en bereikten Cable Beach, met zijn lange rijen hooggebouwde hotels, nachtclubs en restaurants. Uiteindelijk verdwenen de hotels achter de diepe, mooie bocht van Go Slow Bend en bereikten ze het smalle openbare strandje van Saunders Beach. Daarna was het mooie er wel vanaf. Anderhalve kilometer in zee stond een witte betonnen toren die uit *The Jetsons* leek te komen het uitzicht te verpesten. Poitier vertelde hun dat het de oude Crystal Cay Observatietoren en Aquarium was, en dat die meestal om een of andere reden gesloten was.

De huizen langs de kust werden steeds ouder en havelozer. Ertussen stonden bars, clubs en appartementencomplexen die oprezen uit zand en kalksteen en karige stukjes gras. De taxi sloeg af vlak na een geel huis dat omheind was door een stenen muur met prikkeldraad erop. Ze reden de oprit op van een door de tand des tijds aangetast victoriaans huis. Het was van hout, had een afgeschermde veranda en smalle ramen, en leek regelrecht van de set van *Psycho* te komen. Een bordje met houtsnijwerk op de voorgevel verklaarde dat dit het huis van Sir Percival Terco was, parlementslid en minister van Justitie. Recht tegenover het grote oude huis lag een rij tentjes waar je gebakken vis kon eten. De dichtstbijzijnde heette Deep Creek.

Poitier kreunde. 'Percy is al geen minister meer sinds Linden O. Pindling in '92, maar hij vindt het bordje zo mooi. En niemand noemt hem hier sir, neem dat maar van mij aan, generaal. Een paar jaar geleden ging hij op vakantie naar Engeland, en toen hij thuiskwam beweerde hij dat koningin Elizabeth hem tot ridder had geslagen. Hij had een chic stuk perkament bij zich met het wapen van Terco erop. Zei dat het honderden jaren oud was. Met zwanen erop.' Hij snoof. 'Zwarte zwanen, misschien.' De oude taxichauffeur lachte. 'Het motel is achter.'

Hij reed naar de achterkant van het huis. Een lang, L-vormig gebouw dat eruitzag als een gerenoveerd slavenverblijf of kippenhok stond aan een geasfalteerd parkeerterrein. Zo te zien telde het zeven kamers. Boven op het huis stond een vreemde koepel en er liep een trap met een leuning van oude buizen naar beneden. Midden op de parkeerplaats stond een verhoogd houten platform in de vorm van een boot. Er hing een plaat gerimpeld fiberglas boven, net als boven Pyx' carport in Aix-les-Bains, maar deze was geel in plaats van groen en er stond een grote satellietschotel bovenop. Er hing een televisie in een houten, met een hangslot afgesloten kist in wat de boeg zou zijn geweest, er stond een pingpongtafel in het middenschip en een houtskoolbarbecue op de achtersteven. Waar bij een echt schip het roer zat, stond een paal met een munttelefoon eraan. Tussen de barbecue en de satelliet-tv stonden rijen gecapitonneerde banken en een paar tuinstoelen. Achter dit houten schip, zeilend op de zee van het parkeerterrein tussen het asfalt en de drassig uitziende baai, stond een enorme crèmekleurige Daimler Princess. De banden waren weggerot en er groeide onkruid op de vleugelbumpers en de brede treeplanken. Een overblijfsel uit een andere tijd.

Een pikzwarte en heel magere man in een wijde broek en een wit hemdje stond iets op de barbecue te roosteren wat enorme hoeveelheden rook produceerde. 'Lloyd,' zei Poitier. 'Percy's broer. Het motel is van hem.'

'Waar heeft hij die auto vandaan?' vroeg Hilts.

'Van de hertog van Windsor,' zei Poitier. 'Creamie-pie heeft hem hier achtergelaten toen hij bij de koning uit dienst ging. Lloyd zou hem al sinds 1956 gaan opknappen. Dat is ongeveer net zo waar als dat Percy door de koningin tot ridder is geslagen. Maar Lloyd is een beste kerel, generaal. Hij zal je nooit belazeren.'

'Creamie-pie?' fluisterde Finn.

'De hertog, lijkt me,' zei Hilts, en hij haalde zijn schouders op.

Een bejaarde zwarte vrouw, zo mager en pezig als gedroogd rundvlees en met een bijpassend gezicht, stapte een van de hotelkamers uit. Ze had felblauwe rubberhandschoenen aan en droeg een rode emmer met een zwabber. Ze zag de taxi en zwaaide met haar vrije hand. Haar glimlach leek eerder een grimas van pijn.

'Mevrouw Amelia Terco in eigen persoon,' legde Poitier uit. 'De moeder van Lloyd en Percy. Zij maakt schoon voor haar jongens. Maar zo te zien heeft ze weer last van reuma.' Hij lachte. 'Daar had ze al last van toen Hemingway hier nog kwam vissen.'

'Ze is wel een beetje oud voor dit werk, hè?' vroeg Finn verbaasd. De vrouw was hoogbejaard.

'Zeg dat maar niet tegen haar,' zei Poitier lachend. 'Dan krijg je de wind van voren. Ze zal je vertellen dat Percy voor niets wilde deugen behalve rondhangen in het parlement, en dat Lloyd al te lui is om achter zijn eigen kont op te ruimen, laat staan achter die van anderen.' Ze stapten uit de taxi. Lloyd zwaaide met zijn spatel, en staarde toen weer in de rook die opsteeg van de barbecue.

'Goedemorgen, goedemorgen, hoe is het?' zei Poitier tegen Lloyd Terco nadat hij naar de barbecue gelopen was. 'Ik heb een paar klanten voor je.'

'Nou, dat is mooi,' zei Lloyd met dichtgeknepen ogen tegen de rook. 'Wil je soms een lekker stuk zeebaars, jongedame?' vroeg hij glimlachend aan Finn. De rook waaide naar haar toe. Het rook verrukkelijk, en dat zei ze tegen hem.

'Haal eens een bord voor de knappe jongedame, Poitier, en ook voor haar vriend,' commandeerde de chef-kok in het hemdje. Poitier liep naar een gedekte tafel voor de grote tv en pakte kartonnen bordjes en plastic bestek. 'Heeft hij jullie verteld dat hij Sidney Poitier heet?' vroeg Lloyd.

'Ja,' zei Hilts. 'Klopt dat dan niet?'

'Voor zover ik weet wel,' antwoordde Lloyd. 'Zo noem ik hem al sinds hij zes was, en dat is in zijn geval al heel erg lang geleden. Ik vroeg me af of hij erover begonnen was. Dat doet hij meestal. Hij denkt dat hij dan meer fooi krijgt.'

Poitier kwam terug met de borden en het bestek.

'Sta je weer leugens te verkopen, Lloyd Terco?'

'Zo vaak ik kan,' antwoordde Lloyd. Hij schepte met de spatel een paar lichtgepaneerde stukken vis op het bordje. 'Als ik een frituurpan had, zouden we friet of gefrituurde schelpdieren kunnen eten, maar die heb ik niet, dus dat gaat niet. Jammer, maar ik zou me er alleen maar aan branden als ik er een had, dus misschien is het maar beter zo.'

Finn ging op de dichtstbijzijnde bank zitten met het bord op haar knieën. Ze begon met het plastic mes en de vork in de vis te snijden.

'Eet toch met je vingers, meid. Poitier geeft je alleen maar mes en vork om te laten zien dat we manieren hebben. We zullen je niet koken in een pot of zo.'

'En jullie hebben ook geen botjes in je neus,' zei Hilts.

'Dat zijn Afrikaanse negers, jongen. Eilandnegers zijn heel lang geleden al beschaafd geworden,' zei Poitier met een uitgestreken gezicht. Hij knipoogde naar Finn. Zij nam een hap vis en knipoogde terug. Dat leek Poitier wel leuk te vinden. De vis smolt in haar mond. Ze proefde bier en limoen. Lloyd deelde vis uit aan iedereen en nam zelf ook wat. Hij zette zijn bord naast een van de tuinstoelen, liep naar een klein koelkastje boven de tv voor in de boot. Hij haalde er vier flesjes Kalik uit, maakte ze open en gaf ze aan zijn gasten. Finn nam een slok. Ze was niet zo'n bierdrinker, maar dit smaakte als vloeibare honing.

'Heerlijk,' zei ze.

'Grappige naam,' zei Hilts. Hij las het etiket hardop. 'Kaa-lik.'

Lloyd verbeterde hem. 'K'lik,' deed hij voor. Hij verdeelde het woord haast niet over twee lettergrepen. 'Genoemd naar het geluid van de koebel in een steelband.'

Finn nam nog een hap vis en nipte van haar bier. Een piepkleine rode hagedis rende over haar voet. Plotseling waren de tien uur in British Airways toestel 757 heel ver weg, met de kip korma en het bleke joch dat haar voortdurend aanstaarde tussen de stoelen door. Er had snot over zijn bovenlip gedropen dat hij ongeveer om de minuut aflikte.

Een zacht briesje kwam aandrijven vanuit de baai. Er hing een vage stank in de lucht, een vreemde mengeling van rottende planten, zeewier en rook die onaangenaam had moeten zijn, maar vreemd verfrissend was. Levendig, op een heel eenvoudige, basale manier. Ze verlangde alleen maar naar een dutje en helemaal nergens over nadenken, en dat was natuurlijk precies waarvoor de mensen naar de Bahama's gingen. Ze nam nog een hap vis. Haar bord was leeg.

'Meer,' zei Lloyd. Het was geen vraag. Hij spatelde nog een paar stukken gepaneerde vis op haar bord. Ze at ze op en dronk nog wat bier. Er rende nog een hagedis de telefoonpaal op. Ze zat in een hemel die vergeven was van hagedissen.

'Een gekko,' zei Lloyd die haar zag kijken. 'Een heel kleine alligator, zonder tanden. *Hemidactylus frenatus*. Ze eten insecten, houden de kamers vrij van spinnen, weet je.' *Hemidactylus frenatus*? Lloyd had verborgen dieptes, bedacht ze.

Lloyd wendde zich tot Hilts. 'Jullie willen een kamer?'

'Ja.'

'Vijftig dollar per nacht als je de airconditioning niet te veel gebruikt. Bij mooi weer kijken we hier naar wedstrijden. Dat is bij de kamer inbegrepen.'

'Wedstrijden?'

'Vooral vechtsporten. Vanavond zijn er middelgewichten uit Brazilië. Om acht uur. Goedkoop bier, gratis popcorn.' Hij knikte naar Poitier. 'Laat ze een kamer zien, Poitier.'

'Goed, generaal,' zei Poitier met een knikje. Hij nam de weekendtassen van hen over, al wogen die haast niets, en ze liepen achter elkaar naar de schaduwkant van het grote kippenhok.

'Bent u ook piccolo?' vroeg Hilts.

Poitier haalde zijn schouders op. 'Hij geeft me de kamer op het dak. Ik breng hem klanten en rij ze naar het vliegtuig of naar de stad. Eerlijke ruil.' Hij zette de tassen neer en opende de deur met een sleutel die uit het slot bungelde, met een groot nummer eraan. Kamer één. Hij lag midden in de rij.

'Eén?'

'Elf. Het andere cijfer is eraf gevallen en Lloyd heeft het nooit vervangen.'

'Maar er zijn helemaal geen elf kamers.'

'Lloyd heeft iets tegen de twee en de zeven, dus die heeft hij overgeslagen.' Hij draaide de deur van het slot, duwde hem open en pakte de tassen. Ze liepen achter hem aan naar binnen. Als de buitenkant al op een Bahama-*Psycho* leek, het interieur van de kamer paste daar nog beter bij. Alles had de sfeer van het Bates Motel. Twee ingebouwde wasbakken met roestvlekken om te wassen, een gaspitje voor op de camping om op te koken, een paar hobbelige bedden en een ingezakt dak. De badkamer was achterin en had een douchecel. De vloer was bedekt met smaragdgroen kunstgras. 'Niet gek voor vijftig piek,' zei Poitier. De oude airconditioner in het raam zat dichtgeslibd.

'Zolang het dak niet instort,' zei Hilts.

'Dat is al jaren zo, er is geen enkele reden waarom het nu zou instorten.'

Poitier boog zich over het dichtstbijzijnde bed en zette de airconditioner aan. Die kwam snerpend tot leven en klonk als de motor van een oude Volkswagen in februari.

'Veel plezier,' zei Poitier. En hij liet ze alleen.

Hilts keek naar een gekko die over het plafond schoof, op kleverige pootjes die zuignapjes aan de tenen leken te hebben.

'Bevalt mij wel,' zei Finn.

'Die gekko?'

'De kamer.' Ze ging op een van de bedden zitten. Die zakte nog verder door. Ze had erger gezien op archeologische expedities met haar moeder in Yucatan, maar niet veel erger. 'Heel huiselijk.'

'Zo zou je het ook kunnen noemen,' gaf Hilts voorzichtig toe.

'Het Hilton heeft reserveringen op de computer. Dataterminals in de kamers. Hier hebben ze niet eens telefoon. We kunnen niet bellen. Niemand kan ons bellen. Het is goedkoop en het is veilig.'

'Zal wel.'

'Dus hoe kunnen we meer aan de weet komen over de *Acosta Star*?'

'DeVaux' schip?'

'Dat schip dat in brand vloog en zonk.'

'Ja, dat.' Hilts dacht even na. 'Misschien dat Lloyd of Sidney er iets over weet. Per slot van rekening lopen die hier al rond sinds Creamie-pie.'

'Ik vraag me af hoe hij aan die naam is gekomen,' zei ze met een frons.

'Ik wil het niet weten,' antwoordde Hilts. Ze gingen naar buiten, terug naar de boot. De rook was weg. Poitier en Lloyd Terco zaten bier te drinken en naar de oude auto en de drassige baai erachter te staren. Een paar oeroud lijkende schelpenboten schommelden naar het open water buiten de baai. De vissers droegen korte broeken en net zulke hemdjes als Lloyd, en zaten op het dak van de kajuit of hurkten naast de helmstok van de buitenboordmotor. De wind blies door de lange palmbladeren. Je kon haast zien hoe het vroeger geweest moest zijn, voor Columbus, met een paar Caribische indianen op het strand die schelpen openbraken, met stenen messen het vlees eruit peuterden, over de zee uitstaarden en wachtten tot de genocide hen zou overvallen in hun slaap.

Hilts en Finn gingen op een bank tegenover de twee mannen zitten en Hilts vroeg: 'Weet een van jullie iets over een schip dat de *Acosta Star* heette?'

Er viel een korte stilte. De twee mannen wisselden een blik en haalden hun schouders op. Het was Lloyd die antwoord gaf.

'Was eerst Frans. *Île de France*, geloof ik. Gebouwd in 1938 of zo. Gloednieuw. Ze hebben het in de haven laten zinken zodat de Duitsers hier niet binnen konden varen. Na de oorlog namen de Nederlanders het over. En die verkochten het weer aan de Italianen. Toen meneer Tibbs hier en ik aan de oude St. Georges werkten heette het een paar jaar lang *Bahamian Star*, en deed het pendeldiensten naar Liberia, maar toen kocht Acosta Lines het. Moet eind jaren vijftig geweest zijn, want ze hadden het nog niet zo lang toen het afbrandde en zonk, tijdens Donna.'

'Donna?'

'Orkaan. Klein en gemeen.'

'Is dat schip dan in een orkaan vergaan?'

'Eerst ontstond er brand. In het ketelruim. Ze hebben de meeste passagiers eraf weten te krijgen en er bleef maar een klein groepje bemanning over om de brand te bestrijden. Donna kwam op uit het niets, en zo is het schip verdwenen.'

'Waarheen?' vroeg Hilts.

'Als ik dat wist zou ik niet "verdwijnen" zeggen.'

'Ongeveer, dan?'

Poitier gaf antwoord. 'Sommigen zeggen de Tong. Anderen zeggen het kanaal.'

'De Tong?' vroeg Finn.

'De Tong van de Oceaan,' legde Lloyd Terco uit. 'Veel mensen hier noemen het gewoon Toto. Een gat in het water ten oosten van Andros, van honderdvijftig kilometer lang en vierhonderd meter diep.'

'Volgens anderen heeft Donna het schip nog verder meegesleurd voor het zonk. Naar de Great Bahama's Bank, Old Bahama Channel voor de kust van Cuba.'

‘En wat denken jullie?’ vroeg Hilts.

‘Niets,’ zei Poitier. ‘Ik stop geen energie in nadenken over iets van zo lang geleden wat niets met mij te maken had.’

‘Maar Tuck denkt er wel over na. En hij praat er ook over,’ opperde Lloyd.

‘Tuck?’

‘Tucker Noe. Die zal je vertellen dat hij het schip met eigen ogen heeft zien zinken vanaf de vuurtoren op Lobos Cay, en dat ligt nog verder weg. Piraten en Cubanen en Boomers.’

‘Boomers?’ vroeg Hilts.

‘Militaire duikboten,’ zei Poitier.

‘Wie is die Tucker Noe?’ vroeg Finn.

‘Een visgids. Bijna net zo beroemd als Bonefish Foley. Die twee samen hebben alle presidenten na Lincoln mee uit vissen genomen, plus Ernest Hemingway.’

‘Leeft hij nog?’ vroeg Hilts.

‘Hemingway? Nee, die ligt allang onder de groene zoden.’

Finn glimlachte toen ze zag dat ze Hilts met opzet in de maling namen en dat hij er steeds opnieuw in trapte.

Hilts keek chagrijnig. ‘Ik bedoelde die Tucker Noe.’

‘Nog wel,’ zei Lloyd lachend.

‘Kunnen we hem spreken?’

‘Tuurlijk,’ zei Lloyd. ‘Jullie kunnen hem spreken, maar dat betekent nog niet dat Tuck zal zeggen wat je wilt horen.’

29

Tucker Noe woonde aan de zuidkust van New Providence, aan de orkaankant, waar de zuidenwind vanaf het kanaal blies en de oostenwind vanuit open zee. Coral Cay Point stak als een magere vinger uit in de bleekgroene zee, met mangroves aan de ene kant en ondiep koraal aan de andere. De eigenlijke landpunt bestond uit een keurige verzameling smalle oude dokken en steigers, die een thuis boden aan zo'n dertig kleine vissersboten, een of twee sportvissers en de *Spindrift*, een mijnenveger uit de Tweede Wereldoorlog die eerst was omgebouwd tot een oceanografisch onderzoeksschip voor de universiteit van Florida en vervolgens in een reddings- en soms duikersschip voor een inwonende bemanning van ouder wordende ex-hippies en duikverslaafden. Tucker Noe woonde in een hutje achter op de steiger van de *Spindrift*, naast twee oude Texaco-pompen en recht tegenover zijn eigen vissersboot, een tien meter lange platbodem zonder naam met een ruwe houten kajuit op het open dek. Een versleten canvas afdak strekte zich van de kajuit uit naar de achterbalk. De achtersteven was voorzien van twee ouderwetse Evinrude-buitenboordmotoren, beide zonder kap en met de motor open en bloot. Op een plastic tuinstoeltje onder het afdak zat een heel oude man met een zelfgemaakte triplex tafel voor hem. De tafel was als een schaakbord beschilderd met rode en zwarte vierkanten. Een set zelfgemaakte schaakstukken, ruw uitgesneden uit donker en licht koraal, stond op het bord. Van beide kleuren waren nog bijna alle stukken in het spel. Een brief op blauw luchtpostpapier lag ernaast.

'Idioot,' mompelde de oude man. Met zijn knoestige vinger schoof hij een pion vooruit. 'Hij denkt zeker dat ik gek ben?' Hij wierp een boze blik op de brief en schudde vol walging zijn hoofd.

'Krijg nou wat,' fluisterde Hilts, die naar het bord staarde toen ze aan boord van de oude boot gestapt waren. 'Dat is het Opera House Massacre, of iets wat er erg op lijkt.'

Sidney Poitier stelde hen voor en liet toen met een zucht zijn achterwerk op het brede dolboord van de boot zakken.

'Hebt u verstand van schaken?' vroeg Tucker Noe.

'Een beetje,' zei Hilts.

'Wat is het Opera House Massacre?' vroeg Finn.

'Een beroemde partij uit Parijs, gespeeld in de Opera,' legde de fotograaf uit. 'De Amerikaanse schaker Paul Morphy werd daar uitgedaagd door de hertog van Brunswick en nog een of andere graaf.'

'Isouard, heette die,' vulde de oude man aan. Zijn stem had een geschoold Engels accent, aangetast door de vage zangerigheid van de eilanden. Zijn huid was zwart en zat vol rimpels. Zelfs in de gladde huid van zijn handpalmen liep een netwerk van barstjes. Hij zag eruit alsof hij een eeuw in de zon had gezeten, wat waarschijnlijk ook bijna zo was.

'Klopt. Hoe dan ook, het was 1858 en ze keken naar de *Barbier van Sevilla*. Morphy had haast omdat hij de rest van de opera wilde zien, dus versloeg hij de twee mannen die tegen hem speelden tijdens de pauze. Morphy was de eerste internationale grootmeester uit Amerika. Ze hadden geen schijn van kans.' Hilts wees naar het ruwe schaakbord. 'Zo liep het spel af.'

'Je hebt er oog voor,' zei de oude man.

'Het is een beroemde partij.'

'Alleen als je verstand hebt van beroemde schaakpartijen. Het is iets heel anders dan *Grand Theft Auto Four* spelen op een PlayStation,' zei Tucker Noe.

'Ik ben gestopt na versie twee,' zei Hilts met een glimlach.

'Ik heb een heleboel kleinkinderen en achterkleinkinderen. En zelfs een paar achterachterkleinkinderen.' De oude man lachte. 'Ik weet precies hoe ik auto's moet stelen en hoeren moet vermoorden in de straten van Liberty City, of waar de laatste versie zich ook afspeelt. Dat lijkt een onmisbare vaardigheid te zijn tegenwoordig, zelfs op ons paradijselijke eiland.'

'Ze zijn op zoek naar de *Acosta Star*,' zei Sidney Poitier. Er viel een lange stilte.

'Jullie zijn duikers,' zei Tucker Noe met een zucht.

'Niet echt,' zei Finn. 'We zijn geïnteresseerd in een passagier die misschien tijdens de laatste reis aan boord was.'

'Familie?'

'Nee.'

'De *Acosta Star* vervoerde geen schatten,' waarschuwde Tucker Noe. 'Het was een vroeg cruiseschip.'

'Dat weten we,' zei Hilts. 'Het schip is een stukje van een puzzel die we op willen lossen. Eerlijk gezegd is het een kwestie van leven of dood,' voegde hij eraan toe.

'Ik begin nieuwsgierig te worden.' De oude man glimlachte. 'Dat gebeurt niet vaak bij mannen van gevorderde leeftijd, zoals ik en meneer Poitier hier.'

'Dat zijn jouw woorden, oude man,' snoof de taxichauffeur.

'Dat klopt,' antwoordde Tucker Noe. 'Ik wil niet geassocieerd worden met de stupiditeit van anderen.' Hij trok een wenkbrauw op naar zijn vriend, die ook een wenkbrauw optrok. Finn begon zich af te vragen of er eigenlijk wel iemand van onder de tachtig op het eiland woonde. Ze keek naar de andere kant van de kade en zag een gespierde, blonde man in een T-shirt de loopplank van de *Spindrift* op lopen, het schip naast dat van Tucker Noe. Hij viel duidelijk in de categorie van onder de dertig. Ze glimlachte om haar eigen gedachte.

'Waarschijnlijk heet hij Tab,' zei Hilts, die de man ook gezien had. Kennelijk was haar gedachte niet erg privé.

'Nee, hij heet Dolf van Delden. Wijlen zijn vader was eigenaar van de *Spindrift*,' zei Tucker Noe. 'Een Nederlander uit Amsterdam. Verder heb ik maar niet doorgevraagd.'

'Interessante mensen hebben jullie hier.'

'In plaatsen als New Providence zijn er altijd interessante mensen. Hoeveel landen hebben motto's als: "Piraten verdreven, handel hervat"?'

'Zo te horen hebt u daar nog twijfels over.'

'De jury heeft nog geen overeenstemming bereikt over de piratenkwestie. Vroeger heetten ze Morgan of Teach. Tegenwoordig Escobar of Rodriguez.'

'We hadden het over de *Acosta Star*,' onderbrak Finn hem.

'Dat is waar.' De oude man knikte.

'Sidney zegt dat u het hebt zien zinken,' zei Finn. 'In een orkaan.'

'In Donna,' beaamde Tucker Noe. 'Het lag in het oog te branden als een fakkel. Ik was onderweg naar Guinchos Cay, of Cay Lobos, en zonk toen zelf.'

'U was aan het varen tijdens zo'n orkaan?' vroeg Hilts.

'Met de *Malahat*. Een oude Chris Craft-boot die ik verhuurde voor vistripjes.'

'Een huurboot voor vissers, midden in een orkaan?'

'Het ging om iets anders. En jij hebt duidelijk nooit in een orkaan gezeten. Ze komen vaak op uit het niets, net als Donna.'

'Wat voor iets anders?' vroeg Finn.

'Gaat je niets aan,' antwoordde Tucker Noe scherp.

'O,' zei Finn, die plotseling begreep wat dat was.

'Maar genoeg daarover.' Hij keek Poitier even aan. 'Sindsdien doe ik heel ander werk,' voegde hij er stijfjes aan toe.

'Lariekoek.' De taxichauffeur lachte. 'Je hebt alleen andere methodes, oude man.'

'Komt op hetzelfde neer,' zei Tucker Noe, en hij wendde zich weer tot Hilts.

De fotograaf maakte een wegwuivend gebaar. 'Geen punt. Was dat allemaal 's avonds?'

'Inderdaad.'

Simpson had gezegd dat het om elf uur 's avonds was, herinnerde Finn zich. Zo te zien was zijn informatie juist.

'Hoe wist u dat het de *Acosta Star* was?' vroeg Finn.

'Dat wist ik op dat moment niet,' antwoordde Tucker Noe. 'Al had ik wel een vermoeden.'

'Geen radio?'

'Ik had er een, maar niemand zond uit,' zei de oude man.

'En u bleef vermoedelijk buiten bereik van de radar,' zei Hilts.

'Het was 1960, jongeman. Er werd in die tijd nog helemaal niet zo veel gedaan met radarbeelden. De Varkensbaai-affaire zou pas een jaar later plaatsvinden. Ik betwijfel of señor Castro een liter brandstof voor patrouilleboten over had gehad. De *Acosta Star* was een vlaggenschip, geen spionnenboot of bedreiging.'

'Ging u niet helpen?'

'Nee. Ik zorgde dat ik uit de buurt bleef. Er was geen teken van leven, je kon zien dat de davits allemaal naar buiten gezwaaid waren, lijnen in het water, reddingsboten weg. Een spookschip.'

'Lag het nog onder stoom?' vroeg Hilts.

'Moeilijk te zeggen. Zou kunnen. De golfslag was heel sterk. Misschien was het zonder de orkaan nog lang blijven drijven. Ik kwam even voor middernacht bij Cay Lobos aan. Daar staat een oude vuurtoren. Ik legde de *Malahat* aan de lijzijde vast en ging de toren op, vlak voordat het weer opnieuw omsloeg.'

'En toen?'

'De romp was duidelijk beschadigd. Er kwam een scheur in en het schip brak bij de achtersteven doormidden. Nog geen minuut later was het weg.'

'Geen overlevenden?'

'Zoals ik al zei, het schip was verlaten. Iedereen die van boord af kon was duidelijk al vertrokken. Er was niemand meer over aan boord die het kon overleven.'

'*Acosta Star* was een groot schip. Hoe komt het dat het nooit gevonden is?'

'Het was een groot schip, maar de oceaan is nog veel groter. Ik was de enige die het zag zinken. De meeste mensen hadden het niet zo ver naar het zuiden of westen verwacht. Eigenlijk had het in de Tong moeten zinken, en men denkt ook dat het daar ligt. In de diepte.' Hij zweeg even. 'Maar daar ligt het niet.' De oude man pakte de donkere, uit koraal gesneden koning van het schaakbord en draaide die tussen zijn knoestige oude duim en wijsvinger. 'Het ligt op nog geen vijftien vadem – misschien dertig meter aan de kiel – in het zand, in de schaduw van een rif dat No-Name Reef heet. Je kunt er op golfhoogte overheen komen zonder het ooit te zien, tenzij het precies de juiste tijd van de dag is. Niet dat het er nu nog iets toe doet.'

'Waarom niet?' vroeg Hilts.

'Omdat er nooit meer iemand naar No-Name Reef gaat,' antwoordde Poitier.

'Waarom niet?' vroeg Finn.

'No-Name Reef ligt in de omstreden Cubaanse kustwateren,' antwoordde Tucker Noe. 'Het is geen 1960 meer. Er zijn tegenwoordig veel patrouilleboten en radars. De enigen die daar varen zijn cocaïnesmokkelaars in snelle boten uit Barranquilla of Santa Marta aan de Colombiaanse kust, en die zijn meestal beter bewapend dan de Cubanen of de DEA. De *Acosta Star* bevindt zich in oorlogsgebied.'

'Misschien kan je vriend helpen,' stelde Poitier voor. 'Die schrijver. Als ik het goed begrepen heb, kent hij dat oude schip van binnen en van buiten.'

Tucker Noe wierp zijn vriend een waarschuwende blik toe, maar de taxichauffeur deed net of hij dat niet zag. 'Hij woont hier helemaal alleen op Hollaback Cay, verveelt zich waarschijnlijk dood. Jij en die Mills zijn een paar keer naar het wrak geweest, toch, oude man?'

'Lyman Mills? De schrijver?' vroeg Finn. 'Die ze de armeluis-James Michener noemen?' Lyman Aloysius Mills had het idee van de vakantiebestseller zo'n beetje uitgevonden. Als tiener had Finn haar moeders gekreukte en beduimelde tweedehandsexemplaren gelezen, of liever verslonden als popcorn met warme boter.

'Een man die een privé-eilandje in de Bahama's bezit, heeft wat mij betreft niets met armelui te maken,' zei Sidney Poitier lachend.

'Is het die Mills?' herhaalde Hilts.

'Die is het, ja,' beaamde Tucker.

30

Lyman Mills zou het volmaakte voorbeeld van een sprookjesachtig Amerikaans succesverhaal zijn geweest, ware het niet dat hij geen Amerikaan was; dat leek alleen maar zo. Hij was de zoon van een Engelse soldaat die oneervol ontslagen werd omdat hij na drie jaar vechten in Franse en Belgische loopgraven niet in het Noord-Russische expeditieleger wilde gaan. Mills emigreerde als kind naar Canada en bracht bijna zijn hele kindertijd door in Halifax en vervolgens in Toronto, waar zijn vader als ober werkte en zijn moeder een pension runde.

In interviews die hij in de loop der jaren gaf zei Mills dat hij al schrijver had willen worden zolang hij zich kon herinneren. Hij ging vroeg van school en werkte eerst een paar jaar als loopjongen bij de *Toronto Star*, waar hij verhalen over Hemingway en Callahan uit de vorige oorlog hoorde. Uiteindelijk nam hij ontslag bij de krant om bij de Royal Air Force Coastal Command te gaan. Daar vloog hij in en werd hij verliefd op de Grumman Widgeon, een vierpersoonswatervliegtuig voor patrouilles dat een miniatuurversie was van de enorme Pan Am Clippers die de hele wereld over gingen.

Na de oorlog ging Mills, inmiddels getrouwd en met een kind onderweg, bij een reclamebureau werken, waar hij zich specialiseerde in teksten voor drankreclames. Dat leidde tot zijn eerste roman, die eerst *Op eiken gerijpt*, maar uiteindelijk *Het label* heette. Het was een kijkje in de keuken van een grote stokerij die verschillende generaties lang gevolgd werd, ook tijdens de Drooglegging; 788 bladzijden, op regelafstand één.

Toen een stuk of zes Canadese uitgevers het hadden afgewezen met argumenten als 'te gewaagd', 'onrijp' en 'met een weinig sociaal verheffende inhoud' stapte Mills in de nachttrein naar New York met ruim één kilo manuscript onder zijn arm en verkocht het aan de eerste de beste uitgever die hij op Fifth Avenue tegenkwam. De enige wijziging die zijn redacteur voorstelde was dat hij voortaan op dubbele regelafstand zou tikken, uit clementie met ieders ogen.

Dat was de vliegende start van Lyman Mills' carrière als de verheerlijker van alledaagse dingen en mensen: van een postkantoor (*De brief*) tot auto's (*De auto*), en gebouwen (*De toren*) en de wapenindustrie (*Het wapen*). Een boek per jaar, jaar in, jaar uit, dertig jaar lang, rond de eenvoudige formule van seks, avontuur, actie en veel interessante weetjes, bij elkaar gehouden door een spannend plot. Zoals één criticus zei: 'Lyman Mills zal de literaire toets des tijds misschien niet doorstaan, maar hij grijpt je wel op een hete zomerdag aan het strand.' Recensenten beschimpten hem en niemand wilde ervoor uitkomen dat hij zijn boeken in paperback kocht, laat staan gebonden, maar toch wist hij op de een of andere manier miljoenen exemplaren te verkopen, in verschillende edities, in vijfenzeventig landen en achtendertig talen. Hij schreef meer dan dertig regelrechte bestsellers, die allemaal werden verfilmd voor de bioscoop of tv, en in één geval voor allebei. Tussen de bedrijven door ging hij op in zijn oude liefde. Hij wist zijn vroegere geliefde terug te vinden, de JS 996, en doopte die om tot *Daffy*, naar de eend uit Walter Lanz' cartoons. *Daffy* was een Widgeon die in de Tweede Wereldoorlog in Nassau gestationeerd was, en die gevonden werd op een schroothoop in Miami. Het onberispelijk restaureren van het oude watervliegtuig werd de grote passie van zijn latere jaren, en hij en zijn lankmoedige vrouw Terry vlogen met *Daffy* het hele Caribisch gebied rond.

Toen, na de dood van Terry, een dag voor de gruwelijke gebeurtenissen van 11 september, hield Lyman Mills er gewoon mee op. Hoewel hij fysiek nog volkomen gezond was, zij het in de tachtig, vertelde de schrijver een interviewer dat het verlies van zijn vrouw zijn hart gebroken had en dat hij gewoon genoeg van alles had, ook van schrijven. Hij trok zich voorgoed terug op zijn landgoed op Hollaback Cay en werd nooit meer in het openbaar gezien.

Hollaback Cay was een eiland van ruim dertig hectare, twintig mijl ten zuiden van New Providence. Het had een groot strand, een eigen rif, twee regenwaterreservoirs, een 220 volt zonnegenerator en een orkaanbestendige haven voor het afmeren van grote boten en het watervliegtuig *Daffy*.

Het huis stond op de indrukwekkende kalkstenen rand van een lage heuvel boven de haven en keek uit over zee. Het was bescheiden voor een man van Mills' middelen: een eenvoudige U-vormige bungalow met een klein zwembad in de beschutte tuin en grote, open gewelfde ramen die de buitenlucht naar binnen lieten. De muren waren lichtgekleurd, de vloer bestond uit koele natuursteen en het meubilair was modern. Overal hing kunst: Picasso, Léger, Dubuffet, Georgie O'Keeffe en nog meer, alles echt en het meeste onbetaalbaar. Waar geen kunst hing stonden stampvolle boekenkasten met alles van Simon Schama's briljante kunstgeschiedenisbiografie *De ogen van Rembrandt* tot de nieuwste John Grisham. Een hele muur van de ruime woonkamer stond vol met de verschillende buitenlandse edities van Mills' eigen werk, honderden boeken.

De auteur zat op een brede canvaskleurige bank en dronk een glas ijsthee dat hem gebracht was door Arthur, zijn zeer Britse en verrassend blanke bediende. Mills zag eruit als een heel bruine en iets minder gespierde versie van Sean Connery, compleet tot het dunner wordende sneeuwwitte haar, de grijze baard en de karakteristieke inktzwarte wenkbrauwen. Maar anders dan Connery's donkerbruine slaapkamerogen waren die van Lyman Mills zo blauw als de zee voor hem. Zijn accent was ook anders, niet Engels bekakt, Canadees nasaal of Amerikaans lijzig, maar een vlakke mid-Atlantische mengeling van die drie. Net als zijn boeken klonk zijn stem toegankelijk, onbedreigend en intelligent, een perfecte bariton. Hij zou een volmaakte omroeper voor de publieke radio geweest zijn. Hij droeg een kaki broek, een witkatoenen hemd dat open was bij de hals en blauwe bootschoenen zonder sokken. Op niets wat hij droeg zat een monogram, alles had zo uit de rekken van een groot warenhuis kunnen komen.

'Dat is een interessant verhaal,' zei hij. Hij zette zijn thee voor zich neer op de grote salontafel van glas en bamboe. Op de tafel lag een hele stapel recente tijdschriften plus de boekenbijlage van *The New York Times* van de zondag ervoor; Mills was misschien een kluizenaar, maar hij hield wel een oog op de wereld. 'Let wel,' ging hij verder, 'ik geloofde er geen woord van tot jullie de naam Devereaux lieten vallen in verband met de *Acosta Star*.'

'Ik begrijp u niet, geloof ik,' zei Finn.

'Wacht even.' Mills stond op en liep de kamer uit. Even later kwam hij terug met een paar dikke mappen. Hij ging weer zitten en legde ze op de salontafel.

'In de loop der jaren hebben veel mensen geprobeerd om mij te bedriegen – als ik research deed voor een boek logen ze soms recht in mijn gezicht – maar ze slaagden er nooit in om alle details op een rij te krijgen.' Hij glimlachte hun over de tafel toe. 'Iemand vroeg Stephen King ooit hoe hij zijn boeken schreef, en hij antwoordde: "Woord voor woord." Dat is nog eens een rake uitspraak. Het zit hem allemaal in de woorden, de details, niet zozeer in de feiten, maar in de details. Ik heb tien jaar lang met tussenpozen onderzoek naar de *Acosta Star* gedaan. Het was mijn laatste verhaal voordat ik ermee ophield. Ik wilde het *Het schip* noemen... hoe anders?' Hij glimlachte weer. Hij sloeg een van de mappen open, maar het was duidelijk dat hij de details uit zijn hoofd kende.

'Er waren 320 passagiers en 194 bemanningsleden aan boord van de *Star* toen die uitvoer van Nassau op 6 september. Het schip zou naar San Juan varen, vervolgens naar Santa Domingo en uiteindelijk naar Kingston, Jamaica, en vandaar weer terug naar Miami. Het was een heel gewone cruise en het schip had die reis al vele malen gemaakt. Na de ontploffing van een ketel brak er brand uit. Acht bemanningsleden stierven meteen, drie andere kwamen om in het vuur. Veertien overleden passagiers werden geïdentificeerd. Zes werden nooit meer teruggevonden. Peter Devereaux was daar een van. Niemand die me had willen voorliegen of misleiden had zijn naam of achtergrond geweten. Vooral omdat Devereaux altijd al een van mijn favorieten was.'

'Favorieten?' vroeg Finn.

'Als je een roman schrijft over historische gebeurtenissen, zelfs in fictieve vorm, ben je altijd op zoek naar gaten om op te vullen, naar ontbrekende stukjes,' legde Mills uit. 'Devereaux was zo'n stukje. Hij kwam in Nassau aan boord. Dat was al vreemd – de meeste mensen scheepten zich in Miami in, er was toen nog geen echt vliegveld – maar toen ik in zijn geschiedenis dook, ontdekte ik dat hij die niet had; alles liep dood toen ik probeerde iets over zijn leven voor de universiteit van Kansas te achterhalen. Het enige echte spoor dat ik vond leidde naar Zwitserland, en daarvoor misschien naar Italië. Ik hoorde van een paar overlevenden die hem aan boord hadden ontmoet dat hij Italiaans sprak als een Italiaan. Een andere vermiste persoon aan boord bleek ook zo'n "gat" te zijn: een man die Marty Kerzner heette en op een Canadees paspoort reisde. Maar dat paspoort was vals. Aangezien de Israëlische geheime dienst graag Canadese paspoorten voor haar agenten gebruikt, telde ik twee bij twee op en kwam tot vijf: in het boek maakte ik een Italiaanse oorlogsmisdadiger van Devereaux, die persoonlijk verantwoordelijk was voor de dood van honderden Ethiopische Beta Israël Joodse wezen uit Addis Abeba. Dat verhaal moet nog steeds eens verteld worden, trouwens; er is nog niet veel geschreven over Italiaanse oorlogsmisdadigers. Marty Kerzner veranderde ik in Martin Coyne. Zijn personage was eigenlijk gebaseerd op een echte Mossadsluipmoordenaar die Moses "Boogie" Yaalon heette.' Hij keek ze opnieuw vriendelijk en een tikje melancholiek aan.

'Ingewikkeld,' mompelde Hilts.

'Hebt u wel eens iemand van een juridische afdeling van een uitgeverij gesproken? Of een medewerker van Oprah? Je moet je goed indekken, neem dat maar van mij aan.' Hij lachte, maar het klonk een beetje bitter. 'Ik heb al jaren geen boek meer geschreven, maar ik spreek mijn agent nog minstens twee keer per week en mijn advocaat haast net zo vaak. Er is altijd wel iemand die me voor het gerecht wil dagen. De laatste keer was het een analfabete gek uit de Fulton Fish Market die dacht dat een van mijn minder frisse personages op zijn levensverhaal gebaseerd was.'

'Hoe liep dat af?'

'Mijn advocaat liet de zijne weten dat zijn cliënt misschien een kans maakte als hij openlijk toegaf dat hij een paar onfrisse dingen van mijn personage in het echt had gedaan. Maar dan maakte hij ook kans op twintig jaar tot levenslang.'

'Wat denkt u dat er gebeurd is met Peter Devereaux?' vroeg Finn, die het omslachtige verhaal van de schrijver een beetje in wilde dammen. 'Denkt u dat er een verband bestond tussen hem en die Kerzner?'

Mills nam nog een slok ijsthee en leunde achterover in de bruine kussens van de bank. 'Ik weet alleen zeker dat ze allebei een verdachte achtergrond hebben en dat ze geen van beiden voor de orkaan uitbrak gered en naar de marinepost in Key West gebracht zijn.' Hij gebaarde naar de documenten op de salontafel. 'De lijsten liggen hier.'

'En die bisschop Principe, staat die op de lijst?'

'Ja. Hij was een van de mensen die tijdens de brand stierven.'

'Wat denkt u dat er met hen gebeurd is?' vroeg Finn.

De oude schrijver krabde voorzichtig op zijn schedel, alsof hij bang was om de laatste paar plukjes haar los te trekken die haast onzichtbaar op zijn hoofd lagen. 'Nou, liefje, voor jij en je vriend de piloot mijn plot kwamen verpesten met jullie sterke verhaal, zou ik gezegd hebben dat ze gewoon bij de explosie of de brand zijn omgekomen en over het hoofd gezien. Maar nu weet ik dat niet meer zo zeker.'

'Iemand moet de opvarenden toch geteld hebben,' zei Hilts. 'Je zou zeggen dat dat een standaard veiligheidsmaatregel was.'

'Dat was het ook,' antwoordde Mills. 'Ik heb een lang telefoongesprek gevoerd met kapitein Francisco Crevicas, gezagvoerder van de *Acosta Star*. Hij heeft het persoonlijk gecontroleerd. Een groep bemanningsleden heeft elke hut, elk dek doorzocht. Iedereen werd teruggevonden. Hij zei dat hij nog meer dan een uur op het schip is gebleven toen iedereen van boord was. Volgens hem stonden tegen die tijd sommige dekplaten roodgloeiend van de vlammen en bladderde de verf in grote plakken van de boeg af. Hij zei dat niemand dat kon overleven.'

'Waar was dat?'

'Twintig mijl ten zuiden en iets ten oosten van Curley Cut Cays. Dat is een uitloper van het eiland Andros. Volgens de kapitein brak de brand uit vlak voordat ze de Tong van de Oceaan bereikten.'

'Wat heb ik jullie gezegd?' zei Tucker Noe, die voor het eerst iets zei sinds ze er waren.

'Als jullie hier verder niets ontdekken,' zei Mills, 'onthoud dan dat Bonefish Tucker Noe altijd gelijk heeft. Nietwaar, meneer Noe?'

'Helemaal waar, *mis-tà* Mills,' antwoordde de oude man met een glimlach en een verschrikkelijk overdreven Bahama-accent.

Mills liet de ijsblokjes in zijn lege glas ronddraaien. 'Jullie hebben me een heleboel vragen gesteld,' zei hij terwijl hij Finn aankeek. 'Nu zou ik wel wat willen vragen.'

'Ga uw gang,' zei Finn. Ze keek naar Hilts, die naast haar tegenover de grijsharige schrijver zat. 'We hebben niets te verbergen.'

'Zoals de onfortuinlijke heer Lennon ooit zei: iedereen heeft wel iets te verbergen,' zei Mills. 'Maar afgezien daarvan: kunnen jullie me zeggen waarom jullie denken dat die Adamson jullie zo energiek achtervolgt? Ik heb de man een of twee keer op een borrel of een liefdadigheidsfeest ontmoet. Hij leek mij nooit een moordlustige maniak. Als ik het goed begrijp is de man volgens jullie betrokken bij een langlopende criminele samenzwering rond gestolen religieuze kunstvoorwerpen. Een tikje vergezocht, dat moeten jullie toch toegeven.'

Hilts gaf antwoord. 'Rolf Adamson stamt uit een oud geslacht van hyperchristenen. Voor hem is alles wat uit naam van Christus gedaan wordt, automatisch goed.'

Mills glimlachte. 'Hyperchristenen. Interessante term. Jullie denken dat hij aan een soort kruistocht bezig is?'

'Bij Richard Leeuwenhart werkte dat prima. In zijn ogen moet er hoognodig een soort tegenreactie op het terrorisme komen.'

'Vuur met vuur bestrijden, bedoel je?'

'Dat, en oog om oog.'

'Imperialisme onder het mom van zelfverdediging?'

'Zoiets. Wij mogen overal binnenvallen, van Grenada tot Afghanistan, maar als een ander één druppel bloed vergiet is het terrorisme.'

'Nu hebben we het over de politiek,' zei Mills en hij glimlachte.

'Het zou mij helemaal niet verbazen als dit allemaal om politiek ging,' zei Hilts. 'De grote macht, het grote geld, de grote politiek.'

'Voor Adamson?'

'Waarom niet?' Hilts haalde zijn schouders op. 'Hij gebruikt dat zogenaamde Luciferevangelie als een politiek excuus om te hulp te schieten. Zijn theorie is dat Jezus zijn laatste dagen heeft doorgebracht in het ware beloofde land: Amerika. En dan zijn de Amerikanen dus automatisch het ware Uitverkoren Volk.'

'Gezien de tijdsperiode zouden de uitverkorenen dan eerder leden van de Algonquin-stam zijn, als mijn kennis over de oorspronkelijke inwoners klopt.'

'Dat zien de gelovigen moeiteloos over het hoofd,' zei Hilts. 'Jezus was een Amerikaan: een prachtige basis voor een fundamentalistische politieke partij. Volgens Adamson is het Luciferevangelie het enige wat er aan de Bijbel ontbreekt: de lessen van Jezus in zijn eigen woorden.'

'Denken jullie echt dat het daarom gaat?'

'Adamson heeft er de juiste achtergrond voor, en voldoende ambitie. Hij heeft ook genoeg geld. We gaan sinds Reagan die kant al op. Amerika keert terug naar zijn puriteinse, heksenverbrandende wortels.'

'Het blijft moeilijk te geloven. En volgens jullie is die Hisnawi erbij betrokken. Een Libiër, een moslim. Hoe verklaar je dat?'

'Op dezelfde manier als waarop je Iran, Irak en zelfs Venezuela en Cuba kunt verklaren. Olie. Geld. Een deal. Wie zal het zeggen? Adamson heeft veel geld en hij strooit het in het rond. Hij heeft niet voor niets een vergunning gekregen om opgravingen in de woestijn te doen, en die gingen niet om de ruïnes van een koptisch klooster. Misschien wil Hisnawi de volgende dictator van Libië worden, nadat hij Khaddafi eruit heeft gewerkt. Die raakt toch al een tikje uit de tijd, mag ik wel zeggen.'

'Je hebt het precies uitgedacht, hè?' vroeg Mills.

Hilts knikte. 'Ik heb er lang over nagedacht.'

'En jij, Finn Ryan, waar pas jij binnen dit hele verhaal?'

'Dat weet ik niet. Eerst dacht ik dat het gewoon een kwestie was van op het verkeerde moment op de verkeerde plaats zijn. Maar nu weet ik dat niet meer zo zeker.'

'Geloof je het verhaal van Hilts?'

'Ik ben nog steeds bij hem, nietwaar? En Simpson lijkt er vanwege mij bij betrokken te zijn, of vanwege mijn vader. Ik weet nog niet alles.'

'En je denkt dat je meer te weten komt op de *Acosta Star*?'

'Ja. Ik weet in elk geval zeker dat er haast bij is. We kunnen die paspoorten niet eeuwig blijven gebruiken. We hebben bewijzen nodig voor de autoriteiten. Op zijn minst iets waaruit blijkt dat we niets met de moord op Vergadora te maken hebben. Dat schip is de volgende stap, dat is wel duidelijk.'

'Ik denk net zomin als u dat het toeval is dat Martin Kerzner met zijn Canadese paspoort en Peter Devereaux niet onder de overlevenden waren, meneer Mills.' Hilts schonk hem op zijn beurt een glimlach. 'En volgens mij brandt u van nieuwsgierigheid om uit te vinden hoe het zit.'

De schrijver pakte zijn glas, nam een ijsblokje en kraakte dat tussen opvallend sterke tanden voor een man van zijn leeftijd. Hij kauwde even op de stukjes, slikte ze door en zette het glas met een harde klap op tafel.

'We hebben iets sterkers nodig dan ijsthee met citroen.' Hij grijnsde, draaide zich om en keek. Als bij toverslag verscheen Arthur.

'Ja, meneer?' zei de man terwijl hij de kamer binnen schuifelde.

'Hebben we nog Kaliks in de koelkast liggen, Arthur?'

'Zeker weten, meneer.'

'Waarom breng je ons er niet een paar?' zei Mills. 'Dan kunnen mijn nieuwe vrienden en ik aan het werk.'

31

Het watervliegtuig vloog met iets meer dan honderd knopen laag over het diepe donkerblauw van de Caribische Zee. De uitgesneden scheepsboeg van de romp hing nog geen honderdvijftig meter boven de kalme zee. Boven de hoge vleugels was de lucht haast volmaakt helder, en de horizon voor hen was een scherpe, rechte lijn, afgezien van een snel bewegend eiland van een regenbui, ver in het westen.

Daffy's twee grote Lycoming-motoren vulden de cockpit met een gestaag en krachtig gegrom, en het vliegtuig leek haast uit zichzelf te vliegen. Hilts' vingers oefenden haast geen druk uit op de ouderwetse overslagstuurknuppel, en hij hief zijn vrije hand maar heel zelden op om iets bij te stellen met de knoppen en hendels boven zijn hoofd. Ze waren op anderhalf uur van Hollaback Cay en vlogen in zuidelijke richting over de Tong van de Oceaan.

Ze hadden meer dan een week besteed aan de voorbereidingen voor hun duik naar de *Acosta Star*. Ze waren steeds heen en weer gereden tussen Hollaback Cay en Nassau om hun uitrusting te verzamelen, waaronder de felgele Inspiration closed circuit rebreathers in de laadruimte achter hen. Ze waren in de bibliotheek en het museum op Shirley Street geweest en hadden daar het archief van de *Nassau Guardian* uitgeplozen naar informatie over de *Acosta Star* en de details rond haar ondergang, bijna vijftig jaar geleden. Ook hadden ze veel tijd doorgebracht met Tucker Noe en aantekeningen gemaakt over het gebied vlak bij de duikstek, en Lyman Mills' persoonlijke kaartenverzameling geraadpleegd. Volgens de oude visgids was het schip niet moeilijk te vinden als ze wisten hoe ze moesten zoeken; hij had nauwkeurige aanwijzingen vanaf de oude vuurtoren. Hoewel de gezonken scheepswand drieëntwintig uur per dag aan de lijzijde van het rif verborgen lag, waren er vanuit de lucht verschillende herkenningspunten op het rif zelf te zien die hun op een paar honderd meter van de precieze locatie zouden brengen. Volgens Noe's inschatting zou een duik van niet meer dan dertien meter ze op het hoofddek van het schip brengen.

Lyman Mills had in de loop der jaren een indrukwekkende verzameling *Acosta Star*-souvenirs verzameld, waaronder oude brochures van de cruise, vaarschema's en passagierslijsten, ontwerptekeningen en een stuk of wat fotoalbums van passagiers uit verschillende perioden uit de loopbaan van het schip. Een van de nuttigste was een gedetailleerde serie plakboeken die aan Paulus Boegarts hadden toebehoord, of Paul Bogart, zoals hij graag genoemd werd; een half-Nederlandse, half-Amerikaanse man die beroepsmatig verbonden was gebleven met het schip in al zijn incarnaties. Met behulp van al die informatie hadden Finn, Hilts, Lyman Mills en Tucker Noe hele dagen en avonden besteed aan het uitstippelen van een strategie om het vaartuig onder water binnen te komen.

De M.V. *Acosta Star* was met afstand het allergrootste vaartuig dat ooit in het Caribisch gebied gezonken was. Met dik 230 meter lengte en 38.000 ton gewicht was het 45 meter langer en 1800 ton zwaarder dan zijn naaste concurrent, de *Bianca C*, die vlak voor de kust van Grenada was vergaan. Naar de maatstaven van het wrakduiken was de *Acosta Star* een monster, en net als alle monsters moest ook deze voorzichtig en met zorg en veel respect tegemoet getreden worden. Een dik dertig meter breed schip dat de lengte van tweeënhalf voetbalveld had, was bij daglicht met een duidelijke plattegrond al verwarrend; na vijftig jaar op dertig meter in de schemer van de diepzee zou het schip vanbinnen een heel donker, gevaarlijk labyrint geworden zijn, met scherpe randen en hoeken van koraal.

In theorie zou de duik geen onoverkomelijke problemen opleveren. De bodem lag dertig meter diep bij helder water, een makkelijk te halen diepte, zelfs met gewone scuba-apparatuur. Met de rebreathers hadden ze haast drie keer zo veel tijd als met gewone flessen – ruim drie uur – en het mengsel van zuurstof en stikstof uit de rebreathers gaf ze zelfs nog extra tijd omdat ze op weg naar boven geen decompressiepauzes hoefden te nemen. Ze zouden volledige gezichtsmaskers dragen, voorzien van Ocean Technology buddy phones zodat ze onder water konden praten. En ze hadden de beste lampen die er waren, zowel voor aan de tanks als in hun hand. Ze hadden zelfs een draagbare magnetometer van GEM-systems, die de ligging van het wrak zou peilen en de exacte locatie onmiddellijk via GPS zou doorgeven.

Volgens de passagierslijst had bisschop Principe de Gelderland Deluxe Suite op het bovenste promenadedek gehad. Pierre DeVaux, alias Peter Devereaux, had hut nummer A-305, een verdieping onder het hoofddek aan bakboord ofwel de linkerzijde van het schip, ongeveer vijftig meter vanaf de boeg en twee dekken onder bisschop Principe. Gezien de manier waarop het schip gezonken zou zijn, lag Devereaux' hut aan de 'buitenkant' van het rif: naar de oceaan toe. Martin Kerzner, de vermeende Israëlische geheim agent die op een vals Canadees paspoort reisde, zat een dek lager dan Devereaux in hut B-616 aan de binnenzijde of rifkant van het schip. Om bij de hutten te komen, moesten ze het schip betreden via een van de grote luikgaten aan weerszijden van de romp, die naar de centrale hal van de *Acosta Star* leidden. Van daaruit zouden ze de brede haltrap naar bisschop Principes suite op het bovenste promenadedek nemen, en vervolgens afdalen naar Devereaux' hut op dek A. Als het nodig was konden ze daarna opnieuw via de trap in de hal op dek B komen.

Als de trappen versperd werden door puin hadden ze twee alternatieve routes: via de kajuitstrap van de purser of via een van de twee liftschachten aan stuur- en bakboord in de hal. In theorie was het een fluitje van een cent.

'Je beseft toch wel dat dit een krankzinnige onderneming is, hè?' zei Hilts. 'Jij hebt nog nooit een wrakduik gemaakt.'

'Ik dook vroeger zonder flessen in de cenotes in het oerwoud van Quintana Roo. Zestig meter diep,' wierp Finn tegen. 'Hoelang kun jij je adem inhouden, Hilts?'

'Daar gaat het niet om,' zei de piloot.

'Daar gaat het juist wel om. Ik heb gedoken met scuba en rebreathers, mijn diepste duik is ongeveer zeventig meter en bovendien heb ik grotduiken gemaakt, en die zijn bijna net zo ingewikkeld als wrakduiken, zoals je heel goed weet.'

'Het is te gevaarlijk.'

'Voor een vrouw? Bedoel je dat soms?' stoof Finn op.

'Nee, natuurlijk niet, maar...'

'Niets te maren.'

'Ik heb iemand aan de oppervlakte nodig.'

'Je zult iemand beneden nodig hebben. Het is regel nummer één, en die ken jij ook: duik nooit alleen.'

'Maar dit is geen veilig wrak in een duikcentrum, Finn. De gevaarlijke plekken zijn niet netjes bijgewerkt. En vergeet niet dat er volgens Tucker ook haaien zitten. Tijgerhaaien. Mannetjes, gemene.'

'Daarvoor hebben we toch haaienverdrijvers en een stel Mares-luchtbuksen bij ons. Ontspan je toch, Hilts. Ik kan wel voor mezelf zorgen. In de Roo had ik te maken met slangen zo dik als jouw arm en met spinnen zo groot als ontbijtborden. Om nog maar te zwijgen van de rode mieren en de gruwelijke schorpioenen. Relax, dan leef je langer,' antwoordde ze.

'Nou, goed dan,' mompelde hij, maar hij leek zich helemaal niet te ontspannen. Finn staarde uit het zijraampje van het vliegtuig. Niet voor de eerste keer vroeg ze zich onwillekeurig af waarom ze de duik eigenlijk maakten; de kans dat ze na bijna vijftig jaar nog iets aan boord zouden vinden was minimaal. Wat viel er goed beschouwd nog te vinden? DeVaux, of Devereaux, had kennelijk iets ontdekt wat volgens hem bewees dat Luciferus Africanus op een of andere manier vanuit de Libische woestijn naar het midden van de Verenigde Staten was gereisd, en misschien had hij het Luciferevangelie bij zich gehad.

Als de geheimzinnige monnik geen tastbaar bewijs voor die bewering had, en geen expliciete aanwijzingen voor waar dat bewijs te vinden was, waren ze nog geen stap verder. Rolf Adamson en zijn mensen lieten hen opdraaien voor de gewelddadige moord op Vergadora om hun ontdekking van Pedrazzi's moord in de woestijn geheim te houden en alles in diskrediet te brengen wat ze verder nog mochten ontdekken over Devereaux' vondst. Zonder het Evangelie, zelfs zonder een duidelijke aanwijzing voor de locatie ervan, hadden ze geen enkel bewijs voor Adamsons motief om Vergadora te vermoorden en hen op te jagen.

Als de duik niets opleverde, konden ze alleen nog naar Lawrence in Kansas gaan, om daar naar sporen van Devereaux' vondst te zoeken. Misschien had hij een aanwijzing achtergelaten in het Wilcox Classical Museum van de universiteit, maar ook daar was er al veel tijd verstreken. De kans was heel klein.

'Kijk eens op de GPS,' zei Hilts terwijl hij door de voorruit keek. 'We zouden er bijna moeten zijn.'

Finn las de gegevens af van het doosje aan haar kant van de cockpit: 22°25'N, 77°40'W. Ze gaf de cijfers door aan Hilts.

'We zijn er,' zei Hilts. 'Zie je de vuurtoren al?'

En ineens stond die daar, nog geen anderhalve kilometer verder, als een heldere witte streep die tegen de lucht omhoogstak uit een ruw stuk koraalrif van nog geen honderd meter lang. De lijzijde liep uit in een reeks brekende golven en schuim op het laagste deel van een rif. Het rif zelf boog een beetje af. Het breken van de golven over een kilometer lengte gaf aan waar het lag, bijna pal naar het westen wijzend, naar de Cubaanse kust. Hilts wist dat hij die kust vanaf honderdvijftig meter hoger kon zien liggen, nog geen vijftien of twintig kilometer verderop. Het was niet zo'n aangename gedachte, zelfs niet met de herkenningstekenen van de Bahama's en de idiote stripeend in heldere kleuren op de neus. *Daffy* zou weinig indruk maken op een Cubaanse Flogger-B MiG, bewapend met Kedge-klasse lasergestuurde raketten. Hij herinnerde zich vaag hoeveel lading die hadden. Een dikke driehonderd kilo zware explosieven. Per stuk.

'Ik ga landen,' zei hij nerveus.

Finn hield haar ogen op het glinsterende, zonovergoten oppervlak van de glanzende oceaan voor hen gericht. Met een gestage honderd kilometer per uur liet Hilts de neus geleidelijk zakken en bracht ze op nul meter. Hij hield het vliegtuig op snelheid en zette het neer. De kiel van de bootromp nam een hap uit de hoogste golf van de verwaarloosbare golfslag.

Het aanvankelijke geluid van bonken en hakkelen maakte plaats voor het ratelen van machinegeweren en vervolgens voor bonzende vuisten en hamers toen de romp over het oppervlakte scheerde, tot de stijgingskracht van de vleugels zich overgaf aan het drijven van de romp. Hilts nam gas terug van de Lycomings aan de vleugels boven hem en *Daffy* nestelde zich in het water, weer een lelijk eendje na zijn korte vlucht als zwaan. Hilts duwde het roer naar voren, liet de stuurstang naar links glijden, draaide het vliegtuig en bracht hun dichter naar het piepkleine eilandje toe.

'Let op of je brekend water of tekenen van een rif ziet,' waarschuwde de piloot. Ze keerden tot de vuurtoren recht voor hen lag, een hoge, witte pilaar die brandde in de zon met een iets kleinere, rode kop erop als de eigenlijke lamp. Twintig meter rechts van de lichtgewelfde voet van het gebouw stond een kleine hut zonder ramen. De muren van het gebouwtje waren witgekalkt, het dak was terracottakleurig. Nog eens twintig meter verder zagen ze de grijsbruine massa van een grote betonnen aanlegsteiger. Er liep een duidelijke lijn tussen de diepe oceaan en het lichtere blauwgroen van het ondiepe water boven het rif. Als de *Acosta Star* bijna tegen de koraalmuur aan lag, zoals Tucker Noe beweerde, zou het schip haast niet te zien zijn, tenzij ze er recht boven dreven.

'Hoe dicht gaan we erbij?' vroeg Finn.

'Tot net boven de ondiepte, zodat het anker iets heeft om in te grijpen. De Widgeon heeft maar weinig diepgang, maar ik wil geen risico's nemen. We kunnen de opblaasboot naar de kust nemen.' Ze hadden een drie meter lange Aquastar-rubberboot bij zich in een pakket zo groot als een koffer, en een losse, op batterijen werkende 10 pk-buitenboordmotor.

Uiteindelijk schakelde Hilts *Daffy*'s motoren uit en dreven ze vanzelf in de richting van de kust, nauwelijks gehinderd door het zachte briesje. Finn kroop achter in vliegtuig, deed het luik open en pakte het anker. Op Hilts' teken liet ze de dubbele schroef vallen en vierde ze de lijn. Het anker bleef op vijf meter diep stevig steken en Finn zette de lijn vast. *Daffy* draaide in de wind, licht op het kalme water drijvend. Twintig minuten later hadden ze de opblaasboot opgeblazen met de elektrische pomp, de kleine buitenboordmotor op batterijen aan de plastic hekbalk bevestigd en voeren ze snel naar de kust.

'Aangespoeld op een onbewoond eiland,' zei Hilts toen ze het koraaleiland bereikten en op het smalle strand van kwartszand sprongen.

'Dat valt wel mee,' zei Finn en ze lachte. Het zand was haast onaangenaam heet aan haar voeten, en zelfs met haar zonnebril op moest ze haar ogen dichtknijpen. 'Volgens de kaarten bevinden we ons tien kilometer ten oosten van Cuba en vlak langs een van de belangrijkste scheepvaartroutes uit Zuid-Amerika.'

'Je verpest mijn fantasie,' kreunde Hilts melodramatisch. 'Zondoorstoofd eiland, mooie vrouw... wat wil een man nog meer?'

'Om te beginnen: iets zinnigs doen met zijn leven. Ga het water en de rest van onze duikspullen maar halen, en de magnetometer, want dat ligt allemaal nog in het vliegtuig. Je zult nog een keer op en neer moeten,' zei ze met een grijns.

'En jij dan?'

'Ik ben de mooie vrouw, weet je nog? Ik denk dat ik maar eens op onderzoek uitga en rustig afwacht tot de sterke man terugkomt en lunch voor ons vangt.'

Ze besteedden een uur aan de inrichting van hun kamp. De hut was een miniatuurkrot, vol rotzooi van allerlei voorbijgangers, onder meer Cubaanse bootvluchtelingen die hun persoonlijke variant op *Viva Fidel* op de muur hadden gekrast. De bemanning van een gestrand Haïtiaans vluchtelingenschip had boodschappen in het Frans op de muur achtergelaten, plus de uitgedroogde overblijfselen van een dode kat. De vloer lag bezaaid met van alles en nog wat, van de as van een allang uitgebrand vuur tot een oeroud exemplaar van het tijdschrift *Fortune*, met een hoofdartikel dat de lof van de managementstijl van Enron voor het schandaal zong. Finn vond een lege gezinsverpakking Nigeriaanse Fele-Fele condooms en een kleurenfolder van de Buff Divers naaktduikvereniging uit Katy in Texas.

'Ik geloof dat wij hier niet als eersten zijn,' zei Finn, terwijl ze de folder doorbladerde.

'Een knooppunt op de wereld,' zei Hilts, die hun duikuitrusting binnenbracht en zijn neus optrok voor de flauwe, muskusachtige geur van de dode lapjeskat in de hoek. 'Als we de tijd hadden zou ik hier opruimen.' Bij haar onderzoek had Finn ontdekt dat de vuurtoren zelf stevig op slot zat; er was geen vuurtorenwachter, dus het licht ging of automatisch aan of helemaal niet. Het hangslot op de deur zag er redelijk nieuw uit en het houtwerk leek goed onderhouden, dus ze dacht automatisch.

'Het kan 's nachts een beetje koud worden,' merkte Hilts op. 'Misschien moeten we toch in het vliegtuig slapen.'

'Ik slaap liever op het strand,' zei Finn. 'We hebben toch slaapzakken?'

'Wat jij wilt.' De piloot haalde zijn schouders op. Het was duidelijk dat hij dat geen prettig idee vond.

'Wat is er, ben je bang voor wilde zwijnen of zo?' vroeg Finn.

'*Daffy* is onze enige manier om van deze koraalklomp af te komen. Ik wil er graag een beetje in de buurt blijven, dat is alles.'

'Libië is heel ver weg,' zei Finn.

'Denk je dat Adamson ons zomaar vergeten is?' zei Hilts. 'Ze hebben Vergadora afgeslacht in zijn villa en geprobeerd om ons te doden in Parijs. Die lui menen het.'

'Maar wat willen ze dan? We hebben toch geen verborgen schat gevonden of zo.'

'Als ik mijn geld erop moest inzetten, zou ik zeggen dat het ze gaat om dat ding om je nek,' antwoordde Hilts. Hij wees naar het Lucifer-medaillon. Ze had er een ketting voor gekocht bij een juwelier in Nassau.

'Moord, voor dit?' spotte ze terwijl ze het medaillon ter grootte van een zilveren dollar aanraakte.

'Moord voor wat het betekent. Je hebt die oude rabbijn in Italië gehoord. Er is door de jaren heen veel gespeculeerd over Luciferus Africanus en zijn legioen, maar dat ding is de eerste echte aanwijzing dat hij bestaan heeft. Het is een bewijs voor zijn theorie, of dat denkt Adamson in elk geval. Op zijn allerminst zou het de aandacht kunnen trekken, misschien zelfs een wetenschappelijk debat uitlokken, en ik denk dat hij dat graag zou tegenhouden als hij kon.'

'Denk je dat hij echt zo gek is?'

'Het lijkt in de familie te zitten. Volgens Schuyler Grand was Franklin Delano Roosevelt een Jood, een communist en de antichrist ineen. Een ideaal begin van een politieke dynastie.'

'Ik heb honger. Wat heb je voor de lunch gevangen, grote jager?'

'Hier,' antwoordde hij. Hij stak zijn hand in een koelbox aan zijn voeten en wierp Finn een in folie verpakt pakketje toe. Ze plukte het uit de lucht, ging op het strand zitten en maakte het pakje open.

'Pindakaas?'

Hilts ging naast haar zitten en gaf haar een blikje Kalik met condens erop. Ze klikte het open en nam een slok van het ijskoude, naar honing smakende bier.

'Arthur wilde iets exotisch voor ons maken, met koriander en kiwi erin. Pindakaas leek me efficiënter.'

'Dat fabrieksbrood is ook een aardig detail. Het verbaast me dat hij dat had.'

'Mij ook. Arthur noemt het een van de "afwijkingen" van zijn werkgever. Kennelijk staat Mills erop dat hij sandwiches eiersalade met Miracle Whip krijgt, en wel op dit brood. Arthur wordt er gek van.'

'Dat kan ik me voorstellen,' zei Finn en ze nam nog een slok Kalik.

'Hij is al zesentachtig of zo. Kennelijk kan het niet veel kwaad.'

'Of hij heeft goede genen.'

'Ik heb een theorie,' zei Hilts. Hij scheurde een stuk van zijn eigen boterham af en kauwde nadenkend terwijl hij over het rif uitstaarde. 'Gezond eten is net zoiets als naar de chiropractor gaan. Als je er eenmaal aan begint, raak je verslaafd en kom je in een soort vreemde symbiose terecht. Dan word je zo iemand die gelooft in magneten en kristallen en darmspoelingen en zo. Het is maar het beste om die lui op afstand te houden, voor je besmet raakt.'

'En dan vind jij Rolf Adamson gek,' zei ze lachend.

'Ik geloof echt dat vastberaden, obsessieve en heel rijke mensen gevaarlijk kunnen zijn. Ze gaan denken dat dingen goed en waar zijn, alleen omdat zij dat vinden. Wat senator William Fulbright ooit de arrogantie van de macht heeft genoemd.'

'En hoe kunnen we ons daartegen verzetten?' vroeg Finn vermoeid. 'Hij heeft alles en wij niets.'

'In dezelfde toespraak haalde Fulbright een oud Chinees spreekwoord aan: "In ondiep water valt de draak ten prooi aan de garnaal."' Hij haalde zijn schouders op. 'Hij had het over Vietnam en over de Amerikaanse kwetsbaarheid in een oorlog waarvan we niet wisten hoe we die moesten voeren, maar misschien gaat hetzelfde hier op; wij kunnen dingen die Adamson niet kan. We kunnen onder de radar vliegen, terwijl hij altijd in de schijnwerpers staat.'

'Je probeert me alleen maar op te vrolijken en je verandert steeds van onderwerp.'

'Ik weet niet eens meer wat het onderwerp was.'

'Jouw waardering voor dit fabrieksbrood. Dat trouwens afgrijselijk is.'

'We kunnen niet allemaal opgegroeid zijn in de volkorenhemel van... wat was het, Columbus?'

'Klopt,' antwoordde ze. Ze staarde uit over de zee en draaide zich toen met een ernstig gezicht naar Hilts toe. 'Houden we onszelf niet voor de gek? Een schip dat al een halve eeuw vermist wordt, bewijzen voor iets wat de rest van de wereld als een mythe beschouwt? Waarom zou het ons lukken, als niemand anders het de afgelopen tweeduizend jaar heeft weten te vinden?'

'Ik kende vroeger een vent die steeds loterijkaartjes kocht. Ik zei tegen hem dat hij gek was, dat hij heel weinig kans maakte om te winnen, dat hij het wel kon vergeten. Maar dat bracht hem geen seconde van de wijs. Hij zei: "Iemand moet toch winnen, en je kunt nooit winnen als je niet meespeelt." Hij had gelijk.'

'Heeft hij ooit gewonnen?'

'Niet dat ik weet.' Hilts glimlachte. 'Maar waar het om gaat is dat het had gekund. Hij speelde mee, stond niet aan de zijlijn. Hij was een speler. En dat zijn wij ook.'

'Je bent een romanticus, Virgil, een onverbeterlijke romanticus.' Ze boog zich naar hem toe en kuste hem op zijn wang. Hij knipperde met zijn ogen en kleurde dieprood.

'Hilts,' zei hij. 'Gewoon Hilts.'

Ze aten hun lunch op en laadden toen de magnetometer in de opblaasboot.

'Zo te zien weet je wat je doet,' zei Hilts, die toekeek terwijl zij de apparatuur achter in de kleine boot laadde.

Finn wuifde het compliment weg. 'Ik heb eerder met zo'n ding gewerkt, bij mijn moeders opgravingen in Mexico en Belize, meestal aan land. Eigenlijk is het gewoon een geavanceerde metaaldetector.'

Ze voeren naar de riflijn, maakten een bocht en voeren parallel aan het eilandje, vlak langs de onderbroken lijn van wit water die aangaf waar de koraalbank lag waar de *Acosta Star* gezonken was, volgens Tucker Noe althans. Ze legden het stuk een keer af om de boei te ijken van de magnetometer die ze achter zich aansleepten, rekening houdend met de ligging van de Widgeon. Vervolgens keerden ze en voeren ze hetzelfde stuk weer terug. Ze vonden opvallend makkelijk wat ze zochten. De *ping* in Finns koptelefoon was haast oorverdovend.

'Weet je het zeker?' vroeg Hilts.

'Het is iets heel groots. Of Tucker Noe had gelijk en het is de *Acosta Star*, of het zijn overblijfselen van de Cubaanse raketcrisis.'

'Het is niet organisch?'

'Nee, tenzij dit rif van ijzer is in plaats van koraal,' antwoordde ze hoofdschuddend.

Hilts nam de draagbare Garmin-GPS die Mills hem geleend had, las hun exacte locatie af en gooide toen een loodlijn uit om een idee te krijgen van de diepte. De lijn boog door na iets minder dan vijftien meter.

'Hoe kan het zo ondiep zijn?' vroeg Finn. 'We weten dat er hier meer duikers zijn geweest, naakte duikers zelfs, uit Katy in Texas. Die zouden zoiets groots toch gezien moeten hebben.'

'Misschien niet,' zei Hilts. Hij wees naar de loodlijn die naar het noorden afdreef en uit zijn handen getrokken werd. 'We zijn hier bij de punt van het rif en er staat een behoorlijke stroming; we zitten bijna in het kanaal. Sportduikers komen niet zo ver, tenzij ze speciaal naar iets op zoek zijn.'

De kleine golfjes die tegen de zijkant van de rubberboot sloegen waren koud. Finn keek op. De zon zakte weg in het westen, ergens achter Cuba; de middag liep ten einde. Het was nu nog licht genoeg om te duiken, maar niet lang meer. Het zou bijna een uur kosten om hun pakken aan te trekken en zich voor te bereiden, en ze hadden al een drukke dag achter de rug. Ze liet haar hand door het tropische water glijden. Onder haar vingers lag het wrak van het gigantische schip, al een halve eeuw, met zijn geheimen veilig opgesloten in de door stroming geteisterde en met koraal bedekte romp. Ze keek naar het zuiden; er hing een steeds donker wordende streep zilvergrijs. In de verte verzamelden zich stormwolken boven de horizon.

'Morgen?' vroeg Finn.

'Morgen,' antwoordde Hilts. 'Als het weer goed blijft.'

32

Ze bereikten het wrak op tien meter diepte nadat ze waren afgedaald langs de ankerlijn van de rubberboot die, stevig verankerd tegen de stroming, van de oppervlakte naar beneden liep. De aluminium paddenstoel van het anker zat verknoopt in de oude, verwrongen kabels van een reddingsbootdavit, halverwege het schip aan stuurboord. Het wrak was gigantisch en lag als een enorme torpedo in het groenblauwe water, de donkere romp duidelijk zichtbaar tegen het heldere zand op de oceaanbodem. Er leek geen einde aan te komen: de achtersteven lag stevig tegen het rif en de met zeewier en schelpen bedekte boeg stak een eindje uit over de lange zandhelling die afliep naar het kanaal. Het wrak lag gedraaid, met de boeg naar beneden. Het midscheepse deel en de achtersteven waren nog intact, maar lagen iets opzij gedraaid. Vanaf de ankerlijn onder de rubberboot was duidelijk te zien waarom de enorme romp zo lang niet ontdekt was. Hoog boven hen zagen ze het woelige wateroppervlak, vlak bij het rif. Het weer was die nacht onheilspellend omgeslagen, maar ze hadden besloten de duik toch te willen wagen.

Hilts wees omhoog en zijn stem klonk elektronisch in Finns oormicrofoon. 'Het schip moet tegen de rifwand gerold zijn toen het zonk tijdens de orkaan,' zei hij. 'In de loop van de jaren is die mes-en-groefformatie uitgesleten door het getij en de stroming.'

Finn zag wat hij bedoelde; het leek of het water een bedding had uitgeslepen waarin het gezonken schip kon wegzakken, en de lange, brede schaduw van het overhellende koraal hield het uit het zicht.

Ze kon de stroming voelen duwen en trekken tegen het rebreather-apparaat op haar rug. Nu het nog eb was kon ze het gemakkelijk weerstaan, maar ze wist dat het tijdens de duik langzaam sterker zou worden.

'Kom, we gaan,' zei ze. Ze waren al sinds zonsopgang op en hadden hun duik gepland met de plattegronden van de dekken erbij. Ze hadden aangenomen, en zo te zien terecht, dat het hele bovendeel met de brug, het zonnedek, het bootdek en de promenadedekken tijdens het zinken plat in elkaar gedrukt zouden zijn, als een instortend gebouw, vermorzeld onder het gewicht van de twee grote, omvallende pijpen. Volgens de nieuwsberichten was er een ontploffing in het ketelruim geweest, maar aan de verwrongen platen en de romp te zien was het boeggedeelte losgescheurd.

'Kun je zien waar we zijn?' vroeg Finn. Ze draaide zich langzaam om in het warme water en keek de verwarrende lengte van het enorme vaartuig langs. Dankzij haar neutrale drijfvermogen hield haar loodgordel haar op haar plek in de blauwgroene oceaan. Ze bewoog haar armen heen en weer met een langzame, golvende beweging, net genoeg om overeind te blijven. Ze dachten dat ze zich iets vóór de plek bevonden waar de boegpijp had gestaan, halverwege de voorste mast.

'Ergens vlak achter waar de brug was,' antwoordde Hilts.

'Dat betekent dat we terug moeten naar de achtersteven,' zei ze. 'Volgens de plattegrond waren de grote ingangen en de hal een kleine vijftig meter achter de boeg.'

'Vijftien meter terug,' zei Hilts met een hoofdknik. Hij maakte een Sea Marshall-duikbaken los van zijn vest, bevestigde het aan de ankerlijn en liet het pulserende licht flitsen. Als een van hen terug moest of als het weer ineens omsloeg, zouden het licht en het signaal van 121,5 megahertz dat het apparaat uitzond hen terugleiden naar de ankerlijn.

Ze zwommen langzaam naar het einde van het ingestorte dek. Ineens hield Finn op met zwemmen, plotseling versteend toen ze op de oceaanbodem neerkeek op een plek waar de romp wegviel. De afmetingen waren duizeligmakend; zelfs onder water kreeg ze bijna hoogtevrees, al kon ze niet echt van het schip af vallen.

'Heftig,' zei Hilts, die naast haar watertrapte.

Ze knikte en liet zich over de rand glijden. Haar benen en heupen bewogen soepel en golvend om het slib niet omhoog te laten dwarrelen. Ze scheerde langs de romp, gelijkmatig ademend, genietend van het masker dat haar hele gezicht bedekte zodat ze geen mondstuk tussen haar kaken hoefde te klemmen. Het was vreemd dat er geen luchtbellen uit haar ademapparaat ontsnapten. Het eenvoudige, gelijkmatige sissen van de duikset en het borrelende gevoel van de luchtbellen om haar heen waren bijna claustrofobisch; het was haast te stil. Aan de andere kant kon ze dankzij die stilte haast onopgemerkt door een school blauwbaarzen heen glijden. In de verte zag ze een kleiner groepje zilverkleurige barracuda's op hun karakteristieke, nerveus zigzaggende manier zwemmen, maar ze lette er verder niet op. Ze wist dat de reputatie van de dieren met de naaldscherpe tanden meer op hun uiterlijk gebaseerd was dan op werkelijk gevaar. De zeldzame keren dat de roofvissen mensen hadden aangevallen, waren ze aangetrokken geweest door glinsterende sieraden of een fel oplichtend horloge.

Ze gleed naar beneden en voelde Hilts naast en vlak achter haar. Ze bleef naar links kijken, naar de dekplaten die bedekt waren met zeewier en eendenmossels. Het wier op het wrak bewoog als zwaaiende vingers heen en weer in de steeds sterkere golfslag. Ze zag een regelmatige rij patrijspoorten, de meeste nog heel. Het dikke glas was bedekt met een korst van slib en groen. De hutten erachter zagen er donker en ongastvrij uit. Het schip was dood, het was niet eens een spook; dit was geen *Titanic* waarbij de schimmen van duizenden passagiers nog vlak in de buurt rondzweefden; dit was een uitgebrande huls.

'Daar,' zei ze uiteindelijk, en ze hield plotseling stil en wees voor zich naar beneden. Er gaapte een donker gat in de rand van de romp. Het was een bijna perfect vierkant, maar de randen waren bedekt door een dichte mat zeewier. 'Het grote luikgat. Het staat wijd open.'

'Daar hebben ze de passagiers door naar buiten gebracht toen ze nog tijd hadden. Het was makkelijker ze daarvandaan in de reddingsboten in te laten stappen.'

Finn en Hilts droegen allebei twee sterke lampen, één aan hun rugplaat gegespt en de ander aan hun gordel. Ze werden van stroom voorzien door accu's met een levensduur van bijna twee uur. Ze knipten ze aan en meteen was de ingang helder verlicht. Ze hadden de avond ervoor afspraken gemaakt over positie en protocol, dus dat hoefde niet meer besproken te worden. Omdat Finn kleiner was ging Hilts voorop om de beste route te zoeken; als hij ergens doorheen kon, was het logisch dat Finn dat ook kon. Finn zou intussen de tijd in de gaten houden en regelmatig op de duikcomputer kijken die aan haar vest bungelde. Ze konden gemakkelijk zo diep in het schip doordringen dat ze niet genoeg tijd overhielden om terug te keren; het was haar taak om aan te geven wanneer ze terug moesten, hoe dicht ze op dat moment ook bij hun doel waren.

'Van boven naar onder,' zei Hilts. 'We beginnen met die vent uit het Vaticaan.'

'Auguste Principe, de bisschop. Bovenste promenadedek, Gelderland Suite. Hut 71.' Finn trok de computer die aan haar vest hing omhoog en stelde de functie voor de verstreken tijd in. De computer zou halverwege een luid signaal laten horen, het teken om terug te keren, wat er ook gebeurde. Het digitale display begon af te tellen. 'Ga maar.' Ze liet de computer los. Hilts gleed naar voren. Hij hield zijn zwembewegingen zo klein mogelijk om het slib dat zich aan boord verzameld had niet te laten opdwarrelen. Eén hand hield hij voor zich uitgestoken en hij zwaaide zijn handlamp heen en weer. Finn zwom iets achter en boven hem, en paste haar tempo aan hem aan.

Drie meter na de ingang lag er een berg puin, rottend hout, metaal en een stapel dingen die ooit misschien reddingsvesten geweest waren, maar veranderd waren in een hoop zwarte smurrie die een thuis bood aan zes verschillende soorten zeewier en onderwaterplanten. In het licht van Hilts' lamp zag Finn dat hier ooit een stel tussendeuren had gezeten, met een scharnierpunt in het midden.

Hilts zwom verder. Finn kwam achter hem aan de hal in het middenschip in. Een school kleine, oplichtende visjes keerde om en gleed snel bij het zoekende licht vandaan. Er zweefde een vage waas van algen in het water. Aan de muren zag Finn een serie aluminium versieringen hangen, bedekt met slib maar nog goed herkenbaar. Ze stelden de tekens van de dierenriem voor. Ze had in Mills' fotoalbums gezien hoe ze er vroeger uitzagen. De wanden waren gelambriseerd geweest en het dek bedekt met een soort antiplaktegel, maar dat was allemaal lang geleden al weggevreten. Er bleef alleen een donker, ongezond uitziend plantaardig vel over. Links viel het licht op de open balie van de hofmeester en het kantoor van de purser. De vorige avond hadden ze besproken of ze het kantoor van de purser moesten doorzoeken, maar uiteindelijk hadden ze besloten om dat niet te doen. De purser had zonder twijfel een kluis, maar het was onwaarschijnlijk dat Devereaux, of zelfs zijn collegabisschop Principe, daar iets waardevols in zou laten bewaren. Ze zouden kijken als ze tijd over hadden, maar alleen als er niets anders te vinden was.

Het verlaagde plafond was doorgezakt en toonde een wirwar van pijpen en elektrische bedrading. Een aantal plafondplaten was losgekomen; andere leken half gesmolten. De hitte van het vuur, of misschien de brand zelf, was tot hier gekomen. Ze zwommen nog wat verder, langs iets wat op een boogschutter leek. Een deur hing scheef open. Hilts scheen met zijn lamp naar binnen. Een rij lege tandartsstoelen weerspiegelde in lege, met slik bedekte spiegels.

'Een kapper?' gokte Finn.

'Of een schoonheidssalon,' zei Hilts. Zijn stem kraakte in Finns oormicrofoon. Een paar meter verderop kregen ze antwoord. In een andere ruimte stond nog zo'n rij begroeide stoelen. Er lagen nog meer armstoelen op een hoop gegooid. Overal gebarsten spiegels, slib en centimeters troep op de vloer, met eronder hier en daar stukken zwart-wittegels zichtbaar. Een schaakbord. Een van de souvenirboeken had er een ansichtkaart van gehad. Dit was de herenkapper geweest, wat betekende dat de vorige ruimte de salon voor dames was.

'Hierna komt de trap,' murmelde Hilts' stem in haar oor. 'Ik ga een lijn afrollen, als ik een plek kan vinden om die vast te maken.'

'Hé!' riep Finn geschrokken uit toen ze vanuit haar ooghoek een flits heldergroen zag.

Een enorme murene, gestoord door de bewegingen van de duikers of misschien door het licht, schoot ineens op uit de drab en het slik onder een van de kappersstoelen. Het beest ontblootte zijn enorme tanden in zijn snavelachtige bek. De heldergroene griezel was ruim een meter lang en had de vorm van een dik, vlezig zwaard. Hij kronkelde tussen hen door, hapte met zijn sterke kaken en zwom toen snel weg, naar het schemerduister aan de rand van de lichtbundel uit Hilts' lamp. Als de murene echt had aangevallen, had hij hun gemakkelijk een hand af kunnen bijten. Zelfs een schaafwond had tot een bacterie-infectie kunnen leiden die binnen een paar uur al gangreen kon veroorzaken.

Finn ademde zo diep uit dat haar masker een paar seconden beslagen was. Haar bonkende hartslag vertraagde langzaam tot een normaal tempo. Ze klemde haar kaken op elkaar en zwom verder, naar de brede trap die zich voor haar opende, gevangen in Hilts' licht. Hoeveel andere griezels lagen er nog op haar te wachten tijdens hun ontdekkingstocht?

'*Tuesdays with Murene*,' mompelde ze. Ze schaamde zich een beetje voor haar geschrokken reactie op de aal.

'Sorry?'

'Niets,' antwoordde Finn. 'Je moet dat boek eens lezen.' Ze haalde diep adem en blies langzaam uit. 'Kom, we gaan verder.'

Hilts knikte. Hij haalde de Dive Rite-spoelklos van zijn vest, maakte het uiteinde vast aan de aluminium trapleuning en haakte het apparaat weer aan zijn vest. De klos bevatte vijfenzeventig meter gevlochten nylondraad, die hen terug zou leiden naar de grote hal als het zicht te slecht werd door het opdwarrelende slik.

Door het zinken van het schip was de trap haast verticaal gekanteld. Van bovenaf was er puin naar beneden komen regenen, voornamelijk plafondplaten en kleine meubelstukken. Stukken kroonluchter lagen over de trap verspreid, nauwelijks herkenbaar in het zeewier en de rotzooi. Er waren hier nog meer algen, zwevend in het water als zacht dansende stofdraden, gevangen in het licht van hun lampen.

Ze kwamen zonder incidenten boven aan de trap en gleden de smalle gang links in. In de loop van de tijd waren er plafondtegels losgekomen door het instorten van de bovenste dekken. De afvoerpijpen en kabels in de kleine ruimte lagen vrij. Ze zwommen verder, met een schoolslagbeweging in plaats van met op en neer slaande zwemvliezen, maar desondanks konden ze al snel bijna niets meer zien vanwege het slib dat hun bewegingen lieten opdwarrelen. Hilts hield zijn ogen op de rij deuren aan stuurboord gericht. De meeste stonden wagenwijd open. Na tien minuten waren ze bij suite 71.

'Hier is het.' Hilts wreef over de donkere algen op de ingezakte deur en maakte een gegraveerde, rechthoekige plaquette vrij die op het metalen oppervlak geschroefd zat. De diep ingeëtste letters waren nog vaag leesbaar: GELDERLAND. De fotograaf zwaaide met zijn lamp naar de ingang. 'Zo te zien een behoorlijke puinhoop. Wees voorzichtig.' Hij greep naar zijn vest, maakte de spoel los, haakte de nylondraad achter de rechte klink van de deur en liet de klos vallen. Hij ging de kamer binnen met Finn achter zich aan.

Een brand, een orkaan en bijna een halve eeuw onder water hadden hun tol geëist. Op oude foto's had Finn gezien wat voor luxe doorging aan het begin van de jaren zestig: modern uitziende zachte vinylstoelen aan een ronde plastic tafel met een glazen blad, een dun, felgekleurd tapijt met Mondriaanpatroon, een groot bed met een gecapitonneerd hoofdeinde van vinyl, lange, lage Swedish Modern-bureaus met bijpassende spiegels, muren bedekt met houtfineer van gebrand walnoot dat eigenlijk geprint kunststof was en vier patrijspoorten, vierkant in plaats van rond, alleen maar om apart te zijn.

De reclamefoto's hadden vrouwen in gele cocktailjurkjes getoond, die martini's dronken en sigaretten uit pijpjes rookten terwijl hun mannen ernaast stonden met een glimlach op de vierkante kaken, meestal met een moderne pijp met rechte steel in de ene hand en een uitgeslepen glas met ambergele vloeistof in de andere.

Het was nu allemaal heel anders.

Er waren geen mannen in avondkostuum of vrouwen in cocktailjurk; die waren het brandende schip lang geleden ontvlucht. Kleerhangers, de doorweekte resten van een oude koffer en een soort gordijnstof hingen aan een rij plastic haken in het kleine halletje naast de ingang. Op de vloer lag een dikke laag troep en sediment. Verderop was de kamer haast niet door te komen en was het zicht praktisch nul. Hun lichten gleden over ronddrijvende brokstukken van wat misschien het hoofdeinde geweest was; de kantoorachtige luie stoelen om de tafel waren uiteengevallen in een dikke laag donker slib op de plek waar het Mondriaantapijt had gelegen, en de kunststof lambrisering was afgebladderd van de wanden die volgens de overlevenden roodgloeiend geweest waren. Afgezien van de restanten van de vinyl koffer was er geen enkel teken dat er ooit iemand in deze hut gelogeerd had.

Finn duwde tegen de binnenste deurstijl van het halletje en gleed naar een lage ladekast toe. Ze probeerde een la open te trekken, maar het hele meubelstuk viel geruisloos in haar handen uit elkaar. Alle oppervlakken leken bedekt te zijn met een laag algen of slijm. In de la lag niets, behalve nog meer slib.

'Daar is niets,' zei Hilts, die met de lamp rondscheen. 'Als daar iets gelegen had, was het allang verdwenen.'

Finn keek op haar duikcomputer. Ze waren al meer dan een uur beneden. Het was tijd om te gaan. 'We moeten gaan,' zei ze. 'We moeten Devereaux' hut nog zien te bereiken.'

'Oké,' zei Hilts. Hij draaide zich om en zijn zwemvliezen lieten een wolk slib opdwarrelen van de vloer. De straal uit zijn lamp weerkaatste op iets wat eronder lag.

'Wacht even,' zei Finn. Ze graaide blindelings in de wolk opdwarrelende troep, vurig hopend dat er niet nog een murene in de dichte drab in de hinderlaag lag. Haar vingers raakten iets hards. Ze greep het vast en trok het omhoog. Hilts liet het licht op het voorwerp vallen.

'Wel verdomme,' zei Hilts' stem in haar oor. 'Een grote gouden crucifix.'

'Beter nog,' zei Finn. 'Het borstkruis van een bisschop. De vraag is alleen: waar is de bisschop?'

'Misschien heeft hij dit hier achtergelaten.'

'Als ik me goed herinner, mogen ze het niet afdoen.'

'We gaan naar Devereaux' hut.'

'Oké.'

Finn propte het vijftien centimeter lange gouden kruis achter haar duikgordel en zwom achter Hilts aan, weg uit de ondergelopen hut. Hilts raapte de Dive Rite-klos op en begon hun weg terug te zoeken, in stilte door de schemerige gang bewegend. Hij wond de lijn in het voorbijgaan op, een ritueel dat zo oud was als het antieke Kreta, waar een zijden draad in het labyrint Theseus behoed had voor verdwalen. Hoewel hun zwemvliezen op de heenweg zo veel drab op hadden laten dwarrelen dat er haast geen zicht was, vonden ze zonder problemen de centrale trap en de hal op het hoofddek terug.

Hilts wachtte boven aan de trap, zwevend met trage bewegingen, tot Finn bij hem was. Ze gingen de gekantelde trap af en raakten de met slib en algen bedekte muren net niet aan. Hoe dieper ze kwamen, hoe slechter het zicht werd. Na de brand was een heel deel van dek A onder het hoofddek ingestort. Tonnen puin waren in de schuine gang geperst, als afval in een stortkoker. Ze bereikten de hal van dek A en konden niet verder; de trap werd volledig versperd door stukken lambrisering, kluwens leidingen en een enorme hoeveelheid ongeïdentificeerde rotzooi, allemaal nog gevaarlijker gemaakt door het verstikkende zeewier en het slib. Zelfs als ze door de versperring van rotzooi hadden kunnen komen, viel onmogelijk te zeggen wat er in de loop van de jaren in die dodelijke barricade was gaan wonen.

'En nu?' vroeg Finn. Voor hen lagen de ingeslagen dubbele deuren naar de grote eetzaal. Tegenover hen in de hal leek ooit een groot mozaïek van gekleurde tegels te hebben gehangen, maar de meeste tegels waren eraf gevallen. Aan weerszijden van het mozaïek hingen de koperen deuren van de twee liften naar de midscheepse secties van het schip. Hilts scheen met zijn lamp in de eetzaal. Op de oude plaatjes was de Princess Oriana Eetzaal, genoemd naar de opera, een luxueus monster van twee etages en een koepel geweest, compleet met achtkoppig orkest en een met geel leer bekleed plafond. De zaal bood ruimte aan vijfhonderd mensen tegelijk, en er zaten ergens roltrappen verstopt waarmee het personeel de bestellingen uit de kombuizen beneden kon ophalen. Nu was het een duistere, ondergelopen spelonk. De tapijten waren vergaan tot een drassige, van krabben vergeven troep, de lederen plafonds waren allang weggerot. De restanten hingen als lange organische slierten neer, als smerige darmen uit het inwendige van een of ander reusachtig zeemonster. De tafels, allemaal vastgeklonken aan de vloer, stonden er nog. Maar het tafellinnen was verdwenen en de bekleding van de stoelen was niet meer dan slijk. Het orkestbalkon hing als een lege oogkas boven dit alles. Geen dames in gele jurken, geen officieren in witte gala-uniformen die gretig politiek-incorrecte sigaretten opstaken; een mausoleum van een verdwenen tijdperk van elegantie.

'Ik krijg echt de rillingen van deze plek,' zei Hilts.

Finn tilde haar duikcomputer op en staarde door haar masker. 'Onze tijd raakt op. We kunnen Devereaux' hut nog wel bekijken, maar dan moeten we snel zijn.' Ze voelden de kracht van de getijstroom duidelijk door het gigantische schip trekken. Die was veel sterker dan toen ze net in het schip waren.

'Hoelang nog?' vroeg Hilts.

'Een kwartier heen, tien minuten daar, een kwartier terug, meer niet,' antwoordde Finn.

'Oké.'

'Hoe komen we daar?'

'Via de liftkoker, zoals afgesproken.'

'Kun je de deuren openkrijgen?'

'Ik kan het proberen.' Hilts haalde zijn lichtgewicht titanium Dutch Guard-duikerskoevoet van zijn gordel en stak de hal over. Hij gleed soepel naar de bewerkte koperen deuren, die ernstig aangetast waren door corrosie en donker van oxidatie en planktonslijm. Finn volgde hem op de voet.

Ze hielden stil voor de deuren. Deze keer gebruikte Finn haar handlamp; ze wierp een lichtvlek op de doffe hindernis voor hen.

Hilts veegde een klein plekje midden tussen de deuren schoon en wrong de koevoet in de spleet. Hij trok, maar door de inspanning draaide hijzelf alleen maar rond in het water en hij wierp een wolk van slib op.

'We moeten een tegenwicht hebben,' mompelde hij en hij probeerde het nog eens. Deze keer hief hij één been op, liet de grote Dacor-zwemvlies van zijn voet glijden en zette zijn blote voet tegen de deursponning. Hij trok opnieuw. De deuren gleden uit elkaar en er verscheen een donkere spleet. Finn zwom erheen, hing de lamp weer aan haar trimvest en hielp hem de deuren helemaal open te trekken. Ze maakte haar lamp weer los en Hilts deed de zijne ook aan. Ze bogen zich over de lichtschacht en richtten hun lichtstralen naar beneden. In het licht zagen ze een lege schacht, dik van het zwevende plankton dat haast een adembeweging leek te maken in de onzichtbare golfslag en stroming in het water.

'Lijkt leeg,' zei Hilts.

'Vergeet die murene niet, dat spul daarbinnen lijkt wel zo dik als soep.'

Hilts knikte, deed zijn zwemvlies weer aan en bond de veiligheidslijn aan een uitstekende balk naast de liftschacht. Hij zwom de lift in en greep naar de ontluchtingsknop aan zijn trimvest.

'Naar beneden,' zei hij, grijnzend door zijn masker. Hij zonk langzaam weg in de schacht dankzij het negatieve drijfvermogen van zijn lege trimvest. Finn wachtte tot hij bij de deuropening vandaan was en ging toen ook de schacht in. Ze drukte de gele drukknop van haar vest in, hoorde het gorgelende, borrelende sissen van ontsnappende lucht en daalde nog dieper af in de gezonken romp van het oude wrak.

Op dek A gleden de liftdeuren probleemloos open en Hilts en Finn zwommen moeiteloos de hal in. Dit was het eerste volledige slaapdek, zonder winkels of restaurants. Er liepen twee gangen in de richting van de boeg, aan bakboord en stuurboord, met binnenhutten ertussen. Devereaux had volgens de passagierslijst hut 305 aan de linkergang, die nu recht voor hen lag.

Ze schenen met hun lampen in de donkere tunnel en zagen niets dan zeewier en een dunne laag bezinksel en slik over alles heen. Geen spoor van brandschade, wat ook wel leek te kloppen: de ramp was ver op het achterdek in het ketelruim begonnen. Met de nog steeds van de spoel aflopende veiligheidslijn aan zijn gordel gleed Hilts door de hal de donkere gang in. Hij probeerde zo min mogelijk slib van het dek te laten opdwarrelen. Een smallere zijgang links leidde naar de hutten 319, 323, 320 en 324. De deuren waren allemaal open, de hutten donker en afschrikwekkend, bezaaid met stukken rottend interieur. Vervolgens kwamen er drie eenpersoonshutten na elkaar, 315, 313 en 309, met bijbehorende binnenhutten aan de andere kant van de gang. Ook hier stonden alle deuren open.

'We zijn er bijna,' zei Hilts zachtjes. Ze zwommen nog iets verder. De deur naar Devereaux' hut – 305 – zat stevig dicht.

'Vreemd,' zei Finn. 'Volgens de verslagen ging de bemanning van hut naar hut om te zorgen dat er niemand achterbleef.'

'Daarom staan al die deuren open,' merkte Hilts op.

Finn zwom naar voren en greep de deurklink. Ze trok, maar de deur bleef dicht.

'Klemt hij?' vroeg Hilts.

'Lijkt op slot te zitten,' antwoordde Finn. Ze trok nog eens. Weer niets.

'Laat mij eens,' zei Hilts. Hij kwam naast haar staan en trok ook. 'Je hebt gelijk.'

'Gebruik die koevoet,' stelde Finn voor.

Hilts knikte. Hij haalde de titanium koevoet van zijn gordel en stootte hem in de verzegeling van de deur, ter hoogte van de klink. Hij trok er hard aan en er klonk een zompig gekraak. Met zijn vrije hand pakte hij de deurklink. Die bewoog naar beneden. Hij duwde en de deur draaide naar binnen open.

'Wie doet er nu zijn deur op slot als het schip in brand staat?' vroeg Finn, die achter hem dreef.

'Dat gaan we nu ontdekken,' zei Hilts. 'Zeg eerst eens hoe het met de tijd staat.'

Finn keek op haar duikcomputer. 'Tien minuten vanaf...' ze drukte de knop voor de verstreken tijd in, '... nu.'

Hilts hing de koevoet weer aan zijn gordel, deed zijn handlamp aan en trok zichzelf aan de deursponning de hut binnen. In de oude brochure over het schip die Finn in Mills' huis op Hollaback Cay had gezien, zagen de hutten op dek A er anders uit dan de grote hut van bisschop Principe. Behalve het verschil in formaat lag Devereaux' hut ook gespiegeld aan die van Principe, met het halletje aan de linkerkant in plaats van rechts. Na de kapstok en de ruimte om de koffers op te bergen kwam er nog een deur, die naar de eigenlijke hut leidde. Het was een aangename zit-slaapkamer met een grote garderobekast van houtfineer tegen de achterwand en een kaptafel met een spiegel voor de voorste muur. Boven het bed zaten twee kleine vierkante patrijspoorten met uitzicht op zee, of tegenwoordig liever op de rand van het rif en de afgrond van de oceaanbodem in de diepte. Aan een lijn boven hun hoofd hing een nylon afschermgordijn dat veel leek op de gordijnen om ziekenhuisbedden heen.

Recht tegenover het bed was de ingang naar de badkamer en stond een tweede bed. Tussen de twee bedden was een zithoek: een paar armstoelen met vinylbekleding en een klein, rond, plastic salontafeltje met een kompas in het blad gelamineerd, het logo van Acosta Lines, dat overal op stond, van bierviltjes en menu-omslagen tot de vloerbedekking in de eetzaal.

'Grote hemel,' fluisterde Hilts terwijl zijn licht door de kamer gleed. De kamer was nog haast precies zoals een halve eeuw geleden. De afgesloten deur had het grootste deel van het zeeleven uit de rest van het schip buitengehouden, en anders dan op oudere schepen zoals de *Titanic* waren de meeste stoffen en materialen in de *Acosta Star* synthetisch en vergingen ze niet snel. Daardoor was het enige teken van het verstrijken van de tijd een dunne laag slib en bezinksel over alles heen, als meubelhoezen in een leeg huis. De enige duidelijke symbolen van vergankelijkheid waren de menselijke overblijfselen op het bed.

Het kraakbeen en de pezen die de botten bijeenhielden waren allang weggevreten en het skelet was uit elkaar gevallen, maar er bleef genoeg vorm over om te kunnen zien dat het lijk in foetushouding had gelegen. De lange botten van de benen waren gebogen, de ribben waren in een vergelend hoopje gevallen en de armen lagen zo dat het leek alsof de man op het moment van zijn dood had liggen bidden.

'Wie is dat?' zei Finn. Ze gleed dichter naar de stapel botten op het doorzakkende bed toe. Boven haar zwaaiden de resten van het oude afschermgordijn als een oude lijkwade in de stroming.

'Devereaux, waarschijnlijk,' zei Hilts. 'Zo te zien heeft iemand hem in zijn hut opgesloten. Of hij heeft zelfmoord gepleegd. Hij lijkt aan verstikking gestorven te zijn, want hij is niet verbrand of verdronken.' De fotograaf bewoog zich soepel over het bed heen en controleerde de patrijspoorten. 'Die zitten dicht, met klemmen. Zonder een tang had hij ze nooit open kunnen krijgen.'

'Hij was katholiek. Ik denk niet dat het zelfmoord was,' zei Finn. Ze zwaaide met haar lamp en scheen ermee door de kamer naar de muur tegenover hen.

'Volgens mij komen we vijftig jaar te laat om zijn geheim te ontdekken,' zei Hilts.

'Misschien niet,' zei Finn zachtjes. Haar licht viel op het ronde tafeltje. 'Wat is dat?'

Op de tafel lag een laag drab en bezinksel, maar er lag duidelijk nog iets onder. Finn zwaaide haar hand heen en weer, vlak boven de tafel, en de dunne laag woei op en verspreidde zich.

'Speelkaarten?' vroeg Hilts.

'Ik durf te wedden dat ze van het merk Kem zijn,' zei Finn. 'Daar speelde mijn vader altijd bridge mee tijdens zijn expedities in het oerwoud. Ze zijn van celluloseacetaat of zoiets. Daardoor zijn ze niet uit elkaar gevallen.'

De kaarten waren onder de aluminium rand van de tafel gestoken, in twee groepjes, zoals bij poker, twee handen uitgedeelde kaarten. Het ene groepje lag aan de bovenrand, het andere links. De bovenste bestond uit zes kaarten, de linker uit vijf. 'Hij speelde geen poker, dat is duidelijk,' zei Hilts, die naar de kaarten keek.

'Hij speelde geen enkel kaartspel,' antwoordde Finn.

'Is het een boodschap?'

'Hij zat hier opgesloten en wist dat hij ging sterven. Hij heeft de tijd genomen om dit te doen. Daar moet hij een reden voor gehad hebben.'

'Een drie, een acht, nog een drie, twee tweeën en een vijf in één hand; twee achten, ruitenboer, nog twee tweeën, klaveren en schoppen.' Hij zweeg even. 'Wat is dat nou voor boodschap?'

'De enige die hij kon achterlaten. Maar we kunnen hem niet ontcijferen.' Ze keek weer op haar computer. 'En we hebben geen tijd meer. Maak een paar foto's, dan gaan we naar boven.' Het rukken en trekken van de stroming begon zijn tol te eisen: het stuwde bezinksel op en verduisterde het zicht.

Hilts knikte, ritste de grote ninjazak van zijn vest open en haalde er de compacte DC500 uit die Mills voor hem in Nassau gekocht had. Hij nam een hele serie overzichtsfoto's van de hut met de ingebouwde flitser en concentreerde zich toen op de tafel en de twee sets kaarten. 'Hier ligt nog iets,' zei Hilts. Hij wees naar het midden van de tafel. Finn zwaaide met haar hand om nog meer bruin, zanderig gruis te verwijderen. Er kwam een glanzende, gouden draad tevoorschijn.

'Het is een ketting,' zei ze en ze raapte hem op. Hij was iets meer dan zestig centimeter lang, met kleine schakeltjes. De sluiting was nog heel, maar er waren twee schakels kapotgetrokken. 'Zo te zien heeft iemand dit van andermans nek getrokken,' zei Finn.

'Neem maar mee, dan kunnen we gaan,' zei Hilts. Hij nam een foto van de bungelende ketting en daarna stopte Finn hem in haar vest. Hilts borg de camera weer op, draaide zich om en ging de hut uit. Finn lichtte hem op de terugweg over zijn schouder bij terwijl hij de veiligheidslijn oprolde. Zelfs in de gang beneden was duidelijk te voelen dat de getijstroom sterker was geworden, en ze voelden de zware golfslag die regelmatig op het rif beukte. Toen ze weer in de hal op het hoofddek waren, was de stroming daar echt sterk. Ze werden van links naar rechts getrokken en sloegen tegen de scheidingswanden aan terwijl de oceaan door de open luikgaten in- en uitademde. Ze kregen duidelijk last van het weer aan de oppervlakte. Finn dacht aan het rubberbootje en de zevenhonderd meter die hen scheidden van de landtong bij de vuurtoren.

De twee zochten zwijgend hun weg door de hal, vechtend tegen de sterke stroming die hen terug probeerde te duwen. Finn wist dat ze langzaam hun veiligheidsmarge kwijtraakten. Nog ongeveer tien minuten, dan zaten ze echt in de problemen. Ze had honderden verhalen gehoord over duikers die de oppervlakte al konden zien, maar gedoemd waren om die nooit te bereiken omdat ze hun duik te lang hadden laten duren. Geen lucht was geen lucht. Het menselijk lichaam kon het maar een bepaalde tijd uithouden voordat de longen een fatale dosis dodelijk zeewater inademden. Gelukkig hoefden ze met de rebreathers geen decompressiepauzes te nemen na al die tijd op fleslucht.

'Het wordt heel erg,' merkte Hilts op. Hij probeerde zichzelf naar de ingang te trekken. Uiteindelijk kwam hij er. Finn zwom iets achter en boven hem. Ze hield zich vast aan de bovenrand van het luikgat in de romp. Buiten was de zee merkbaar donkerder geworden. De zon was minstens voor de helft verduisterd. De kracht van de getijstroom trok aan hun trimvesten. De sterke stroom ging eerst de ene kant uit, en daarna de andere. Daartussenin was er ongeveer tien seconden relatieve rust. 'We moeten het precies goed uitmikken als we heelhuids bij de ankerlijn willen komen,' zei Hilts. De lijn zat vast aan een davit voor de reddingsboten, vier dekken hoger. Als ze het stille moment tussen de uitgaande en ingaande stroming van het getij misten, zouden ze genadeloos tegen de romp geslagen of de oceaan ingesleurd worden. Finn had altijd graag eens naar Cuba gewild, maar ook weer niet zo graag dat ze bereid was om als doorweekt lijk op een van de witte zandstranden aan te spoelen.

'En als we een reddingslijn gebruiken?' stelde Finn voor.

Hilts schudde zijn hoofd. 'Te veel stroming. Geeft alleen maar vertraging. Wacht gewoon tot het kalm is en zwem dan als een gek naar boven. Als je voelt dat de stroming komt, zoek je iets om je aan vast te houden, en snel, begrepen?'

'Begrepen.'

Ze wachtten in het luikgat terwijl de stroming door de opening ging en hen naar achteren trok. Toen die wegviel, drukte Hilts op de groene knop waarmee hij zijn trimvest helemaal vol lucht liet lopen. Hij schoot door het gat omhoog en verdween snel uit het zicht. Hilts telde in zichzelf. Bij tien greep hij zich vast en wachtte af. De stroming kwam, ging door het schip en naar de wand van het rif, en toen viel de beweging weer stil. Finn drukte de knop op haar eigen trimvest in, schopte hard met haar benen en schoot door het water omhoog, zoekend naar Hilts' wachtende gestalte aan de ankerlijn. Op weg naar boven langs de enorme gekromde scheepsromp besloot ze dat ze gewoon naar boven zou gaan als hij er niet was, naar de oppervlakte, in de hoop dat ze op redelijke afstand van de opblaasboot uitkwam. Ze probeerde niet aan de honderd andere mogelijkheden te denken, die geen van alle positief waren.

Ze hield een hand op haar masker terwijl ze vlak langs de met eendenmossel en koraal bedekte zijkant van het schip gleed, en probeerde de kracht van de zuigende stroom in haar rug in te schatten. Ze vroeg zich af of ze voldoende tijd had voor die haar tegen de romp zou slaan. Met haar vest helemaal vol lucht zouden de schelpen en het vuurkoraal met de giftige, stekende kwallen erin en hun puntige exoskelet haar aan repen scheuren. Plotseling zag ze het open dek en daar was Hilts, zijn hand naar haar uitgestoken, precies op het moment dat de stroming toesloeg en hard aan hen beiden trok. Finn wist de zuiging te weerstaan door zich met een hand aan de ankerlijn vast te klemmen, en toen werd het weer even rustig.

'Ik dacht dat ik het niet zou halen,' zei ze. Haar adem ging moeilijk.

'Ik twijfelde ook even,' zei Hilts. Zijn stem kraakte in haar oor en viel toen stil. 'En we zijn er nog niet.' Hij liet de lijn met één hand los en wees omhoog. Finn keek. Vijftien meter boven hen werd de zee tot razernij opgezweept, met kolkende golven in alle richtingen die het water vulden met borrelende troebelheid. Finn wist dat er aan de oppervlakte snel een ware nachtmerrie uit zou breken. De naderende storm was er bijna. Ze moesten snel een schuilplaats bereiken, anders zaten ze diep in de problemen.

'We moeten naar boven en snel,' zei ze.

'Dat zal ik niet tegenspreken,' stemde Hilts in. 'Kom op.'

Ze wachtten tot de volgende golf voorbij was en volgden toen de lijn naar boven. Ze hielden zich steeds met één hand vast en gebruikten de andere om vooruit te komen. Tot hun verrassing had het opblaasbootje het uitgehouden in het slechte weer. Het was niet eens volgelopen met water. Finns hoofd kwam boven en ze zag dat het nog erger was dan ze had gedacht. Door de waterdruppels op haar masker heen kon ze in de verte de horizon zien. Die was een zwarte gruwel van jagende wolken, oprijzend als een verschrikkelijke muur. Ze waren midden in een woedende, kreunende storm bovengekomen, en aan de horizon te zien was dit nog maar een voorproefje van iets veel ergers. Ze trok het masker omhoog en van haar gezicht af terwijl Hilts naast haar bovenkwam. Ze hielden zich vast aan de bungelende zijlijnen van het opblaasbootje terwijl de koude regen hen met klauwen ijskoud water geselde. Plotseling, volkomen onmogelijk, hoorden ze het getoeter van een megafoon vlakbij. Ze draaiden zich om naar het geluid en keken ongelovig toe.

Rolf Adamson bevond zich vijftig meter verderop. Hij stond wijdbeens op het schommelende achterdek van een Viking 56 Supercruiser-jacht met de naam *Romans XII* op de achterspiegel. Hij hield de megafoon in zijn ene hand en in de andere bungelde een schietklaar pistool. 'Meneer Hilts! Mevrouw Ryan! Kom onmiddellijk hierheen, ik sta erop! Als u niet oppast vat u nog kou!'

33

Adamson droeg een witte broek van zeildoek, een blauw spijkershirt en zwarte Topsiders zonder sokken. Hij zat tegenover hen in de grote en overdadig ingerichte salon van het jacht, in een van de grote, bruine leren clubfauteuils die overal verspreid stonden. In zijn ene hand had hij een glas single-malt whisky van geslepen kristal en in de andere het Lucifer-medaillon. Naast hem, in spijkerbroek en Harvard-sweatshirt, zat Jean-Baptiste Laval, de zogenaamde expert in koptische inscripties. Finn en Hilts droegen lange, donzige badjassen met *Romans XII* op de rechterborst geborduurd. Ze zaten naast elkaar op een van de lange, lage lederen banken die langs de wanden stonden. Adamson wees met de hand waarin hij het medaillon vasthield naar de badjassen. 'Jullie begrijpen toch wat die naam betekent, hè?' vroeg hij.

Finn sprak al voordat Hilts de kans kreeg om zijn mond open te doen. 'Natuurlijk,' zei ze mild. 'Het komt uit de Bijbel. Romeinen 12, vers 19. Mij komt de wraak toe, zegt de Heer.'

Adamson was onder de indruk. 'Heel goed, mevrouw Ryan. Ik wist niet dat u uit zo'n religieuze familie kwam.'

'Kom ik ook niet. Alleen maar uit een redelijk geletterde,' zei Finn.

'Eigenlijk is dit *Romans XII* de tweede,' zei Adamson met een glimlach. 'Mijn grootvader had de eerste. Een Boeing Bridgedeck van vijftien meter lang. Hij ging altijd naar Cay Sal Bank met Joe Kennedy en kardinaal Spellman om te vissen voor ze naar Havana gingen.'

'Uw grootvader. Bedoelt u toevallig Schuyler Grand, de gestoorde radio-evangelist?' vroeg Hilts. Finn vroeg zich af hoe verstandig het was om openlijk iemand uit te dagen die een geweer naast zijn stoel had staan.

'Dat klopt, meneer Hilts.'

'Lijkt niet op de Schuyler Grand die ik ken,' zei de fotograaf.

'Daar gaat het juist om, meneer Hilts. U kende hem niet. Dat deden maar weinig mensen. Hij was een heel gecompliceerd mens.'

'Hij was gek,' zei Hilts vlak.

'Dat was hij zeker.' Adamson glimlachte. 'Hij was zo gek als een deur, maar zijn vaderlandslievendheid was allesbehalve krankzinnig. Hij geloofde dat Amerika het beste land op aarde was, geschapen om de rest van de wereld van het goddeloze communisme weg te leiden naar het licht van de ware democratie.'

'Een tamelijk achterhaald verhaal,' zei Hilts. 'De mensen die dat liedje zongen zijn allemaal dood en begraven, van Stalin tot en met Richard Nixon.'

'De namen zijn misschien veranderd, maar de vijand niet,' antwoordde Adamson. 'Amerika wankelt opnieuw. Er is een sterke, vaderlandslievende leider nodig om het land te redden. Een man van God. Een man vóór God.'

'Waarom krijg ik nu het idee dat u die man wilt zijn?' zei Hilts bitter.

'Weet u wat een roofstaat is, meneer Hilts, mevrouw Ryan?'

'Dzjenghis Khan, Attila de Hun. Een cultuur van barbarisme,' probeerde Finn.

'Osama Bin Laden,' zei Hilts.

'De meeste mensen vinden dat idee afstotelijk. Ze denken dat een barbaar iemand is die het licht nog niet heeft gezien. Maar zo zit het niet. Overal om ons heen zijn roofstaten, maar wij zijn te ijdel, te zeer op onszelf gericht in ons denken, om dat te zien. Het christendom en de islam kunnen op geen enkele manier naast elkaar bestaan. Het zijn allebei roofstaten. Culturen die hun vijand vernietigen als manier van leven. Hitler wist dat, maar zijn visie was te beperkt. Als hij de echte vijand – het communisme – bevochten had, zou hij de halve wereld veroverd hebben, en nog heel lang geleefd. De profeet zegt dat de ongelovigen "ter slachting" gebracht moeten worden, en de christelijke dogma's dragen ons op om "de antichrist te vellen". Er is geen middenweg. Dit is een kruistocht. Uiteindelijk zal één manier van denken moeten overwinnen. En wij verliezen, maar we willen dat feit niet accepteren. We hebben al niet meer de hoogste levensstandaard ter wereld. Arbeiders in Canada en op plekken zoals Brunei krijgen hogere lonen. Korea kent een hogere levensverwachting. De populatie van Cuba heeft minder analfabeten. Vooruitgang is een lelijk woord en onze president ziet ons liever als aseksuele puriteinen. We hebben onszelf veranderd in een land van schuldafschuivers, die voor hun plezier naar reality-programma's kijken die helemaal geen realiteit laten zien. Ik ben van plan om daar een einde aan te maken en het Luciferevangelie zal me daarbij helpen.'

'U bent net zo gek als uw grootvader,' gromde Hilts.

'Jullie zijn allebei even gek,' zei Finn boos. 'Er komt een orkaan aan en jullie zitten hier over politiek te praten.'

Het kamerbrede tapijt onder haar voeten deinde op en neer in lange, trage golven en de wind buiten leek elke minuut harder te loeien. Het was donker genoeg in de lange, lage ruimte om de lampen aan te steken en de regen kletterde hard tegen de lange, druppelvormige ramen. Het hele jacht zwalkte heen en weer en draaide aan de ankerketting om de boeg in de wind te houden.

'Maak u maar geen zorgen over de orkaan. Voorlopig zien de weermensen die nog als een gewone tropische storm. Ze hebben hem niet eens een naam gegeven. Ik vrees dat u het trouwens toch niet overleeft. Wat mezelf en mijn gezelschap betreft: deze boot haalt met meewind ruim tachtig kilometer per uur, en met die snelheid zullen we dan ook vertrekken zodra we ons van u hebben ontdaan.'

'En hoe past hij eigenlijk in dit hele verhaal?' vroeg Hilts met een hoofdknik naar Laval.

'Ik geloof niet dat dat uw zaken zijn,' zei de Fransman.

'Broeder Laval is een jezuïet,' zei Adamson. 'Wat betekent dat hij vóór alles een logisch denker is. Maar broeder Laval werkt niet meer voor de Kerk. Hij werkt voor mij.'

'Dus als het grote geld aanklopt kan God wel ophoepelen, nietwaar, Laval?'

'Heel geestig, meneer Hilts,' antwoordde de monnik. 'Misschien moet u maar een baan als actieheld zoeken.'

'Hoe hebt u ons eigenlijk gevonden?' onderbrak Finn. 'U kunt ons nooit gevolgd hebben.'

'Dat hebben we ook niet gedaan. We volgden uw vriend, meneer Simpson.'

'Ik had hem voor Cairo nog nooit ontmoet,' protesteerde Finn.

'Vanwege Simpson hebben we u aangenomen, mevrouw Ryan,' zei Adamson. 'Hij is hier al vanaf het begin bij betrokken.' Hij lachte. 'Nog van voor het begin, zelfs.'

'Wat betekent dat nou weer?'

'Haast voor de kruisiging gingen er al geruchten dat Jezus een evangelie geschreven zou hebben,' zei Adamson. 'En zulke geruchten hebben altijd een politieke waarde. Mijn grootvader wist dat heel goed. Toen het Vaticaan eind jaren twintig ernstige financiële moeilijkheden had, schoot mijn grootvader met een aantal anderen te hulp. Daarbij werd informatie uitgewisseld over het Luciferevangelie. Het is een lang verhaal en ik heb tijd noch zin om dat nu te vertellen, maar uiteindelijk raakte onze regeringen erbij betrokken. Die van Mussolini, de onze en de Britse, die in die tijd feitelijk de macht in het Midden-Oosten in handen had.'

'Simpson.'

'Simpson,' beaamde Adamson. 'Als het Luciferevangelie in die tijd was opgedoken, had dat het hele machtsevenwicht van voor de Tweede Wereldoorlog in één klap sterk veranderd. Het had de gloednieuwe financiële basis van het Vaticaan lamgelegd en had Amerika minstens één, misschien zelfs twee jaar eerder bij de oorlog kunnen betrekken.'

'Maar dat is allemaal niet gebeurd,' merkte Hilts op.

'Toen nog niet. Toen DeVaux in 1959 weer opdook met nieuws over het evangelie, was de Koude Oorlog op zijn hoogtepunt. Als bekend zou worden dat het evangelie bestond en in de Verenigde Staten was, zou dat van grote invloed geweest zijn. Jack Kennedy was katholiek, voor het geval ik jullie daaraan moet herinneren.'

'De paus heeft Kennedy vermoord?' Hilts lachte. 'Die kende ik nog niet!'

'Zijn katholicisme kan heel goed hebben bijgedragen tot zijn dood.'

'En volgens u is het evangelie nog steeds zo belangrijk?'

'Dat dacht onze eigen overheid wel, mevrouw Ryan. DeVaux is ervoor gedood op de *Acosta Star*.'

'Door Kerzner, die Canadees?' vroeg Finn, die zich de theorie van Lyman Mills herinnerde.

'Dat was een ondergeschikte van uw vader, mevrouw Ryan. Kerzner werkte voor de CIA. Zijn echte naam was Joseph Turner. Hij was natuurlijk geen Canadees, maar in die tijd was DeVaux een Amerikaanse professor en het mandaat van de CIA omvatte het doden van onze eigen mensen niet, zoals u heel goed weet, meneer Hilts. Destijds in elk geval niet. Turner had de taak om te achterhalen wat DeVaux precies aan de bisschop verkocht en hen allebei te vermoorden, wat hij ook deed. Nu is het uw beurt.'

'Wij hebben niets gevonden,' zei Finn.

'Dat staat nog te bezien,' zei Adamson. Hij nam een slokje uit zijn glas. 'Niet dat het verschil maakt voor u.' Twee zwaargebouwde mannen in donkere kleding kwamen in de deuropening van de grote kajuit staan.

'Wat gaat u met ons doen?' vroeg Finn.

'Ik ga helemaal niets doen. Maar God wel.'

Toen ze naar het achterdek van het jacht gebracht waren sloeg de regen in harde stralen op hen neer. Ze konden haast geen hand voor ogen zien. De oceaan was een gebroken massa vol vlokken schuim en torenhoge golven, die achter een drijfnat gordijn van regen verdwenen en in de onzichtbare verte met donderend geraas braken. De lucht was een zwarte, rollende massa wolken die tot krankzinnigheid werden opgezweept.

'De badjassen, graag,' zei Adamson. Ze trokken ze uit en stonden in hun badkleding. Hun trimvesten en andere uitrusting waren nergens te bekennen. De opblaasboot was weg en het watervliegtuig ook. 'Ga maar op het geluid van de brekende golven af. Daar ligt Cay Lobos,' zei Adamson. Hij moest schreeuwen om boven het geraas van de storm uit te komen. 'Micha 3, vers 3: "Jullie stropen mijn volk de huid af en rukken het vlees van hun botten. Zij eten hun vlees, ze stropen hun huid af en breken hun botten. Als vlees om te koken, als vlees voor de pot hakken ze mijn volk in stukken." Dat is precies wat het koraal met jullie zal doen. En als dat niet genoeg is, ligt het hoogste punt van het eiland nog geen vier meter boven zeeniveau. Bij de laatste paar orkanen in dit gebied kwamen de golven twee keer zo hoog. Jullie gaan een akelig ongeluk tegemoet.'

'Waarom doet u dit?' vroeg Finn huiverend. 'U hebt het medaillon. Zonder dat zou u geen enkel bewijs hebben. U hebt alles wat u wilt.'

'Ik heb jullie stilzwijgen nodig, net zoals uw vader het stilzwijgen van DeVaux nodig had en DeVaux dat van Pedrazzi. Het geheim van het Luciferevangelie mag niet bekend worden.' Hij zwaaide met het geweer in zijn hand. 'Naar het zwemplatform, graag.' Finn keek over de rand. Vier treden onder haar stak het brede teakhouten platform uit aan de achterkant van het jacht. De rollende zee veegde er met lange, gestage golven overheen. Als ze eenmaal overboord lagen, hadden ze geen schijn van kans.

'En als we het niet doen? Wat dan?' vroeg Hilts.

'Dan zal ik Gods werk voor hem doen en u door het hoofd schieten,' antwoordde Adamson. Hij hief het geweer. 'De barracuda's zullen daar geen bezwaar tegen hebben, en de haaien evenmin. Zeg het maar. Hup.' Hij gebaarde weer met het schietwapen. 'Naar beneden.'

Hilts greep Finn bij haar pols en trok haar naar zich toe. 'Als we erin liggen, blijf dan niet bij me en ga me ook niet helpen als je ziet dat ik in de problemen kom. Red eerst jezelf, dat is het belangrijkst.' Hij draaide zich om, stak zijn middelvinger op tegen Adamson en ging naar het platform. Binnen een paar seconden sloeg een rollende golf hem van zijn voeten en hij verdween. Finn ging achter hem aan het platform op, terwijl ze diep inademde. Onmiddellijk werd ze opgeslokt door de duisternis van de zee.

Een reusachtige golf trok haar diep naar beneden in één enkel, ijskoud moment van absolute doodsangst. Als kind was ze een keer kort gegrepen door een warme onderstroom in Cancun, maar toen was ze onmiddellijk in veiligheid gebracht door de sterke hand van haar altijd oplettende vader. Nu was er niemand om haar te redden. De dodelijke zuigkracht greep haar in zijn waterige klauwen en trok haar meedogenloos mee naar de bodem.

Na lange tijd brak ze los uit de gruwelijke greep van de golf en hapte ze grote, hijgende longen vol lucht naar binnen. Ze kokhalsde door het zeewater en voelde de volgende golf al trekken voor ze voorover en naar beneden gesleurd werd, met nauwelijks genoeg tijd om adem te halen voor de zondvloed haar opnieuw verzwolg. Weer werd ze naar beneden geduwd en ze werd tegen het rif gegooid, waar het ruwe zand en het koraal aan haar huid krabden, en weer klauwde ze zich uitgeput een weg naar de oppervlakte voor nog een kokhalzende teug adem.

De volgende golf greep haar, maar deze keer voelde ze alleen zand op de aflopende bodem, geen koraal. Ze hoefde haast niet te zwemmen voordat ze de oppervlakte bereikte. Ze struikelde en wierp zich met haar laatste beetje kracht naar voren, wankelend toen de zee zich van de kust van het piepkleine eilandje terugtrok in een snelle getijstroom die sterk genoeg was om haar omver te werpen. Ze kroop, kwam overeind en strompelde met knikkende knieën verder, wanhopig omdat ze wist dat een volgende, even sterke golf als de eerste haar nog steeds het leven kon kosten, terwijl de redding en de veiligheid zo verleidelijk dichtbij waren.

Ze strompelde verder door het verraderlijke zand dat aan haar hielen trok en haar bijna omverwierp. Ze zette een stap en toen nog een, met haar ogen knipperend tegen de neergutsende en verblindende regen. Voor haar, verder op het glanzende strand, zag ze de donkere streep van een paar bomen, palmen en kokosnoten, hun stammen gebogen onder de huilende wind en de striemende regen, het onrijpe fruit afgerukt en als kanonskogels weggeschoten door de muil van de storm. Finn ademde rauw en haar benen voelden aan als dode gewichten, maar ze was tenminste weg uit die krankzinnige klauwende branding die nu als onweer achter haar brak.

Ze worstelde zich nog hoger de zandhelling op tot ze eindelijk boven het geweld uit was. Daar draaide ze zich om naar de zee en zakte uitgeput door haar knieën. De bandjes van haar badpak waren gescheurd. Ze was nog steeds in de greep van de angst, maar huilde van opluchting terwijl ze in de krijsende nachtmerrie van de opstekende storm staarde. Ze leefde nog.

Dwars door de regen zag ze de deinende, onderbroken lijn van schuimend wit die aangaf waar het rif lag, maar verder zag ze niets. Adamson had woord gehouden en was vertrokken met de wind in de rug. Hij was weg. Plotseling voelde ze iets op haar schouder en met een gil keek ze op. Ze draaide zich om, haar hart kloppend in haar keel. Het was Hilts. Er gutste bloed uit een snee op zijn voorhoofd, zijn haar plakte aan zijn gezicht en hij stond als een gek te grijnzen. Hij had het ook overleefd.

'Hoge nood maakt vijanden tot vrienden!' toeterde hij opgewekt in haar oren.

'Waar heb je het over?'

'Adamson is niet de enige die kan citeren!' gilde Hilts. 'Wat dacht je hiervan:

Vijf volle vadems ligt uw vader diep
Zijn botten zijn verworden tot koraal;
Die paarlen waren ooit zijn ogen:
Niets aan hem is hier verdwenen
Maar alles verandert in de zee
In iets rijks en vreemds.'

'Uit de Bijbel?' vroeg Finn.

'Shakespeare,' zei Hilts. 'Uit mijn Engelse les bij juffrouw Slynn. *De storm*. Ik moest dat hele verdomde toneelstuk uit mijn hoofd leren. Dit is de eerste keer dat ik er iets aan heb.' Hij haalde diep adem en liet die langzaam weer ontsnappen. 'Kom mee,' zei hij. 'Zelfs Caliban wist dat je bij storm onderdak moet zoeken.'

34

Toen Finn wakker werd, hoorde ze het akelige gekrijs van zeemeeuwen in de wind en de woest brekende golven op het rif. Ze herinnerde zich vaag de vorige avond, in flarden van beelden en gevoelens: de druk van de aanwakkerende wind, de monsterlijke geluiden van de uitbarstende natuur, de felle, aanhoudend striemende regen die haar soms bijna de adem benam. Het geluid van water dat aan haar voeten kolkte. De wetenschap dat er geen hoop meer was.

In plaats van hoop was er de wispelturige willekeur van de storm geweest. In de late nacht en vroege ochtend was de wind twee graden gedraaid en de orkaan had de slachting boven hun hoofd verplaatst en was weggegleden, en ten slotte had ook het water zich teruggetrokken. De koude lenzen van NOAA-camera's zo'n 37.000 kilometer boven hen hadden vastgelegd hoe de draaikolk van de orkaan verwaaide en uiteen scheurde.

Toen ze haar ogen opendeed, duurde het even voor ze besefte dat ze vlak achter de deuropening van de verlaten hut naast de vuurtoren lag. De dode kat was weg, en dat gold ook voor het grootste deel van het afval. De geest van de kat hing nog wel in de hut, in de vorm van een zware lucht van dood dier. De bandjes van haar badpak waren gerepareerd met een keurige platte knoop. Hilts was nergens te bekennen. Finn besefte ineens dat ze barstende hoofdpijn had. Ze had het ook koud.

Huiverend ging ze rechtop zitten en keek om zich heen. Op een of andere manier was het golfplaten dak van de hut niet van de dakspanten gerukt, en Adamsons voorspelling dat het eiland overspoeld zou worden door vloedgolven was gelukkig niet uitgekomen, want zij zat hoog en droog.

Finn stond op. Nog wat suf dook ze onder de deuropening door. De lucht was strakblauw en de zon kwam als een verblindende schijf op in het oosten. De zee had de kleur van vloeibaar metaal, doorschoten met donkere strepen van zware golven die met veel herrie braken op het onzichtbare rif.

Er hing een vreemde, onaangename geur in de lucht, als heet bloed op blik, of zoals ze zich voorstelde dat een elektrocutiedood zou ruiken. Ze liep naar de plek waar het helmgras overging in zand en plofte neer met haar armen om haar knieën geslagen, terwijl ze uitkeek over zee. Ze besefte dat ze honger had en ook verschrikkelijke dorst. Achter zich hoorde ze iets en ze draaide zich om; Hilts kwam vanaf het strand aanlopen. Hij sleepte iets achter zich aan; het leken hun trimvesten wel.

In zijn andere hand had hij het slappe lijf van een grote, bruingrijze vogel met een lange, scherpe snavel en stakerige poten. De voorkant van zijn eens witte T-shirt zat onder de roze vlekken van zijn eigen bloed, en de snee in zijn voorhoofd zat dichtgekoekt met een afschuwelijk uitziende massa geronnen bloed en wondvocht. Zijn lippen waren kapot en gingen schuil onder een gebarsten, witte laag zout. Zijn ogen waren bloeddoorlopen en leken koortsachtig, maar hij glimlachte.

'Klaar met je schoonheidsslaapje?'

'Ik heb zo'n dorst,' zei ze schor.

'Ga maar naar de vuurtoren. Daar liggen een paar plassen aan de voet. Drink meteen op, want ze zullen snel genoeg verdampen en ik heb niets kunnen vinden om water in te bewaren.' Hij hief de dode vogel bij de nek op. 'Ik ga terug naar de hut, een vuurtje stoken met een van de vuurpijlen van onze trimvesten en de oude Ichabod hier roosteren. Ik heb hem met een gebroken nek op het strand gevonden, een eindje verderop. We zullen misschien doodgaan van de dorst, maar in de tussentijd hoeven we niet van de honger te sterven.' Hij grijnsde naar haar en sjokte toen het strand op, naar de hut. Finn kwam overeind en ging naar de vuurtoren aan het uiteinde van de smalle landtong.

Tegen de tijd dat ze genoeg gedronken had en terug was bij de hut, had Hilts al drijf- en wrakhout verzameld en een laaiend vuur gemaakt, aangestoken met een van de vuursignalen voor noodgevallen die aan hun trimvesten zaten. Hij zat op zijn knieën in het zand voor de hut en was druk bezig om de grote, reigerachtige vogel met zijn duikmes van ingewanden te ontdoen. Hij hield het bloederige, vlijmscherpe werktuig omhoog en glimlachte.

'Adamson heeft waarschijnlijk de trimvesten in het water gegooid om het allemaal echter te laten lijken.'

'Misschien komt hij terug om te zien of we echt dood zijn,' zei Finn. 'Heb je daar al aan gedacht?'

'Waarom zou hij die moeite nemen?' vroeg Hilts. Hij pakte de ingewanden van de vogel vast, trok er hard aan en gooide de darmen benedenwinds in het zand. De krijsende meeuwen doken direct uit de lucht en begonnen als aasgieren aan de ingewanden te trekken.

'Het is een wonder dat we het gisteravond overleefd hebben. Maar zonder water houden we het niet lang uit. Als Fidels marine of de vriendelijke cocaïnesmokkelaar van om de hoek ons niet vindt, kunnen we het wel vergeten.' Hij vond een lang stuk drijfhout, prikte die in de buikholte van de vogel en legde hem boven de vlammen. De veren begonnen te roken en te branden. Het rook afschuwelijk.

'Dat is walgelijk,' zei Finn.

'Dat is onze lunch,' antwoordde Hilts.

Nadat de vogel bijna een uur op het vuur had gelegen, proefde Finn van het verkoolde, zurige vlees. Toen ze klaar was met overgeven ging ze weer naar de sneldrogende plassen die als glanzende meertjes op de betonnen voet van de vuurtoren lagen en als luchtspiegelingen verdampten in de rijzende Caribische zon. Ze sleepte zich weer terug naar het vuur voor de hut. De resten van het reigerkarkas waren discreet opgeruimd. Hilts had nu de trimvesten voor zich in het zand liggen en doorzocht ze zorgvuldig.

'Zes vuurpijlen, twee messen, een spoel veiligheidslijn waarmee we misschien konden vissen als hij niet zo groot was, een aluminium spiegel, twee eerstehulpkits, twee duikcomputers, een Garmin onderwater-GPS type IPX7-Z, wat antihaaienspul. Bij die reality-programma's op tv lijken ze altijd veel meer nuttige dingen te hebben.' Hij sloeg een hand voor zijn mond, met gespeelde schrik, en sperde zijn ogen open. 'Zou reality-tv soms niet echt zijn?'

'Ik snap niet helemaal waarom jij zo vrolijk bent.'

'Alles is relatief. We hadden dood kunnen zijn, maar dat zijn we niet.'

'Maar binnenkort wel, zo te horen.'

'Misschien komen de Texaanse naaktduikers uit Katy wel opdagen. Je kunt nooit weten.' Hij haalde zijn schouders op. 'Hoop gloeit eeuwig in des mensen borst,' voegde hij er filosofisch aan toe.

'Degene die dat zei, heeft ook gezegd: "Ga heen in bescheidenheid, vooraleer een vrolijker tijdperk losbarst dat u van het toneel zal vagen",' zei Finn.

'Opschepper,' antwoordde Hilts. Hij hurkte voor zijn buit als een handelaar in de Stad der Doden in Cairo.

'Ik heb eigenlijk nooit goed begrepen hoe GPS precies werkt,' zei Finn. Ze staarde naar de exotische Garmin op de stapel. Het apparaat leek op een te groot, felgeel mobieltje.

'Het is eigenlijk heel simpel,' legde Hilts uit. 'Oorspronkelijk zijn ze voor het leger ontworpen. Ze hebben vierentwintig satellieten in een baan om de aarde gebracht, zodat er overal ter wereld altijd twee boven de horizon zijn. Op de grond hebben ze ontvangers die de signalen van de satellieten opvangen, in driehoekformatie opgesteld zodat je de exacte locatie doorkrijgt. Het systeem werkte net op tijd om onze jongens niet te laten verdwalen in de woestijn van Irak.' Hij pakte het apparaat en zette het aan.

'De huidige modellen zijn iets geavanceerder. Het zijn net kleine computers. Met de juiste kaartchip heb je als het ware een complete atlas in je hand. In deze zitten Noord-Amerika en het Caribisch gebied ingeprogrammeerd.' Hij keek op het display. 'Hier zijn we nu: achttien graden, vijfenvijftig minuten, zestien seconden noord en zesenzestig graden, vierenvijftig minuten en drieëntwintig seconden west.'

'Wat zei je?' vroeg Finn.

Hilts zuchtte en zei het nog eens. 'Achttien graden, vijfenvijftig minuten, zestien seconden noord en zesenzestig graden, vierenvijftig minuten en drieëntwintig seconden west.'

'Dat is het,' zei ze knikkend.

'Wat?'

'De kaarten. Die in Devereaux' hut op tafel lagen. Op de tafel stond het logo van Acosta Lines, weet je nog?'

'Een kompas, dat klopt, ja,' antwoordde hij met een knikje.

Finn sloot haar ogen en concentreerde zich.

'Een drie, een acht, nog een drie, twee tweeën, en een vijf in het noorden. Achtendertig graden, tweeëndertig minuten en vijfentwintig seconden noord.' Ze zweeg even en probeerde zich de rest te herinneren. 'Twee achten, een boer, die voor tien staat, en twee tweeën aan de westkant van de tafel.'

'Achtentachtig graden, tien minuten en tweeëntwintig seconden west,' vulde Hilts aan, die de getallen in het toestel intoetste. Hij keek Finn met grote ogen aan. 'Je bent een genie!'

Ver weg op het water hoorden ze Phil Stubbs zingen over een groepje kikkervisjes die hun reis naar het kikkerschap vierden, met een schril achtergrondkoor van zesjarige meisjes die vertelden wat *da kikka's* zeiden. Met haar ogen dichtgeknepen tegen de zon zag Finn Tucker Noe's oude platbodem voor het rif verschijnen en langs de vuurtoren naar hen toe varen. Hij zag er een beetje gehavend uit door de storm, maar hij dreef nog. Phil zong steeds luider en zijn krachtige stem zweefde moeiteloos over het water naar hen toe.

'Kalik,' zei Hilts. Hij sprak het uit als een eilandbewoner en likte zijn lippen alvast af.

'Waar liggen die coördinaten?' vroeg Finn. Ze kon haar ogen niet van de gammele oude boot afhouden, alsof ze niet zeker wist of die wel echt was.

Hilts keek op het Garmin-apparaat.

'*They was hoppin' and skippin' an jumpin' an leapin', come back to the pond, come see,*' zong Phil.

'Rutgers Bluff in Linies.'

35

Rutgers Bluff lag aan de rivier de Winter, een kleine twintig kilometer stroomafwaarts van Fairfield, de hoofdplaats van het district. Het was het Illinois van de heikneuters en de boerenpummels, niet van Oprah en de Miracle Mile, en als je een film moest opgeven die een goed beeld van de plek gaf, zou je *Deliverance* zeggen, of misschien *In Cold Blood*. De meeste inwoners stamden af van Duitsers en er waren niet veel buitenlanders. Je kon er natuurlijk geboren worden en er misschien buiten je eigen schuld blijven hangen, maar Wayne County en Rutgers Bluff zouden waarschijnlijk niet je eerste keus zijn om een supermarkt te openen.

De meest voorkomende misdaden in die streek waren verkrachting, kruimeldiefstal, geweldpleging en autodiefstal, in die volgorde. Er werkten meer politieagenten dan gemeenteambtenaren. Namen als Bruner, Ostrander en Koch waren heel gewoon, en het symbool van de streek was de witte eekhoorn, die op politiebadges en het briefpapier van de gemeentediensten stond. Niemand wist nog wie Rutger was, maar de *bluff*, een steile oever, was er nog: een afgesleten, beboste helling met uitzicht op de rivier bij wat de plaatselijke bevolking de Derde Stroomversnelling noemde.

Lang geleden draaide de economie van Wayne County voornamelijk om hout. De blokken werden drijvend in de rivier naar de grote zaagmolens in Parkman vervoerd. Bij de grote stroomversnellingen in de rivier de Winter waren houten goten gebouwd, die de houtblokken om het turbulente schuimende water heen leidden. De

Vierde Stroomversnelling lag drie kilometer stroomafwaarts, op achtendertig graden, tweeëndertig minuten, vijfentwintig seconden noord en achtentachtig graden, tien minuten en tweeëntwintig seconden west: getallen die ruim vijftig jaar geleden in plastic speelkaarten neergelegd waren door een overleden man op een gezonken cruiseschip, duizenden kilometers naar het zuiden.

'Dit kan niet kloppen,' zei Hilts. Hij keek eerst op het Garmin-apparaat en toen naar de troosteloze, uitgestorven omgeving. Het regende pijpenstelen en hij en Finn waren drijfnat, ondanks de goedkope rubberponcho's en de regenpetten die ze in een sportwinkel in Fairfield gekocht hadden. Ze stonden naast hun gehuurde Ford op een oude stalen brug over de Winter, vlak boven de stroomversnellingen. De brug was niet meer dan vijftien meter lang en nauwelijks breed genoeg om twee auto's te laten passeren. Aan de ene kant lag een woest bos, met oude sparren en dennen en kilometers grijs moeras en kreupelhout. Vlak voor hen aan de rivier lag een open weide. Aan de ene kant van de weg stond een bouwvallige schuur en aan de andere een boerderij met een paar bijgebouwen. Een rustiek bordje als van een camping hing boven een smal spoor dat langs de boerderij naar de bijgebouwen leidde. Ruwe, kaal gekapte dennentakken vormden letters op het gebogen bord: GROT VAN HET WONDER.

Links naast de ingang, leunend tegen een oud hek van ruwhouten planken, stond een triplex Jezus. Hij had een geschilderde, gele halo die er eerder uitzag als een strohoed en bruine sandalen die in de verte op soldatenkistjes leken. Een blauw-witte Maria leunde tegen de andere kant van de poort. Kennelijk was de Moeder Gods blond. De verf leek heel oud en verschoten. Onder aan het bord met GROT VAN HET WONDER zat een vierkant stukje triplex geplakt waarop stond $10,–. Wit op zwart.

'Dit kan gewoon niet kloppen,' zei Hilts. 'Grot van het Wonder? Dat moet wel een attractie zijn om toeristen geld uit de zak te kloppen. Of zijn geweest. Het ziet er verlaten uit.'

'Kloppen de coördinaten?' vroeg Finn.

'Helemaal.'

'Dan is het hier.' Ze knikte naar de triplex Heiland. 'Jezus van Illinois. Wel erg toevallig, vind je niet?'

'Je maakt een grapje.'

'Er zijn te veel doden gevallen om grappig te zijn. En als dit een grapje is, wordt onze vriend Adamson pas echt woest.'

'Zou hij er al achter zijn?'

'Hij heeft jouw digitale camera. Als hij er nu nog niet achter is, zal het niet lang meer duren.'

Ze stapten de auto weer in en reden onder het gebogen bord door. Ze parkeerden op een oud grindterrein naast iets wat vroeger een snackbar of een cadeauwinkel geweest kon zijn. Er lag een geïmproviseerde rij bijgebouwen achter. Alles was overwoekerd met gras. De scharnieren van de houten luifel van de snackbar waren doorgeroest en de luifel zelf hing als een oud vel naar beneden. Iets verder naar links stond de boerderij op een kleine heuvel. Het dak zakte door en de schoorsteen was ingestort. Het was een blinde en dode plek. De voortuin was een zee van braamstruiken en bij de voordeur stond het wrak van een oude vrachtwagen, een International Harvester Scout in de kleuren blauw, wit en roest. De banden waren weggerot en de gebarsten voorruit zat onder de vogelpoep. Alles zag grijs in de regen.

'*Twilight Zone*,' mompelde Hilts terwijl hij over het parkeerterrein uitkeek. Aan de overkant stond het uitgebrande karkas van wat vroeger misschien een schoolbus was geweest.

'Ik dacht meer aan *Nightmare on Elm Street*.'

'Deel 26: *Jason takes Rutgers Bluff*.'

'En nu?' vroeg Finn.

'Rondkijken. Zien of dit echt was wat Devereaux vond.'

'Staat er iets over deze plek in die gids die jij gekocht hebt?'

Ze hadden een streekgids gekocht in dezelfde winkel waar ze de poncho's en de rest van hun spullen vandaan hadden. Hilts pakte het boekje van het dashboard en bladerde het door.

'Vierde Stroomversnelling in de rivier de Winter. Oorspronkelijk ontdekt in 1829 door Tom Woodward, een Engelse schrijnwerker en beruchte dronkenlap. Woodward viel in een gat, zat zes dagen opgesloten in de aardedonkere grotten en kreeg daar een visioen van de Verlossing. De rest van zijn leven besteedde Woodward aan het optuigen van de grotten tot een schitterend eerbetoon aan zijn bekering en nuchterheid. Er hebben zich verschillende wonderlijke en onverklaarbare natuurlijke en bovennatuurlijke gebeurtenissen voorgedaan bij zijn altaar voor de Heilige Moeder in de Negende Grot. Toegang tien dollar, inclusief gebedsfolder en lichtgevende sleutelhanger van de Grot van het Wonder.' Hilts deed het boek dicht. 'Natuurlijke en bovennatuurlijke gebeurtenissen.'

'Een lichtgevende sleutelhanger.'

'Dit is niet wat Devereaux ontdekt heeft.'

'Ja, dat is het wel,' zei Finn. 'Op zijn minst voor een deel. Hij heeft toen hij stierf een verwijzing naar deze plek achtergelaten. Daar moet een reden voor zijn.'

Hilts zuchtte. Hij reikte langs haar heen en pakte een zaklamp uit het handschoenenkastje. 'Kom mee.'

Ze gingen de auto uit, de stromende regen in. Het was het soort regen dat Noach gekend moest hebben; op zichzelf niet heftig, maar wel onophoudelijk, zoals de regen in Noord-Ierland die al duizend jaar achter elkaar valt met hooguit zo nu en dan een onderbreking. Ze liepen knarsend over het parkeerterrein naar de beschutting van de bomen en de uitgebrande bus. Nu ze de bus van dichtbij zag, bedacht Finn dat hier waarschijnlijk de snacks vandaan kwamen die de gids ook vermeldde. Op stukken verkoold metalen bord werden hotdogs aangeboden, stalactietenburgers, stalagmietenchili en vers gesneden vleermuispatat. Aan een kant van de bus leidde een pad tussen de bomen door naar een rotsachtig spoor richting de rivier.

'Luister,' zei Finn. Ze legde een hand op Hilts' arm.

Ze zwegen even.

'Ik hoor niets,' zei hij. 'Stroomversnellingen. Regen.'

'Luister nog eens.' Diep onder de andere geluiden klonk een gestaag gekabbel, gedempt en ver weg. Elke paar seconden was er een ratelende bonk.

'Wat is dat?' vroeg Hilts, die het eindelijk hoorde. 'Een generator?'

'Een pomp,' zei Finn na een tijdje nadenken. 'Een waterpomp, zoals ze voor ondergelopen kelders gebruiken.'

'In de Wondergrotten?'

'De Grot van het Wonder,' corrigeerde Finn.

'Ook goed.' De fotograaf zuchtte.

'Misschien is het een installatie die automatisch aanslaat als het regent.'

'Daar zou ik het garantiebewijs wel eens van willen zien,' spotte Hilts. 'Niemand heeft in jaren naar deze plek omgekeken. Misschien in geen tientallen jaren.'

Ze liepen naar beneden en het pad ging over in een serie treden die in de rotsen waren uitgehakt. Hilts zag een verfrommeld en platgestampt limonadeblikje op de grond liggen en raapte het op. Onmiskenbaar Coca-Cola. Zelfs in die toestand was duidelijk te zien dat het blikje was geopend met een ouderwetse steekblikopener. 'Hoelang geleden is de treksluiting uitgevonden?' Hij gooide het blikje in de bosjes.

'In 1962,' zei Finn. 'Door ene Ermal Fraze uit Dayton. Mijn moeder heeft bij hem op de lagere school gezeten. Ik heb er voor archeologie een werkstuk over geschreven: "Interpretatie van de treksluiting als ornament of werktuig: handreikingen voor historici van de toekomst". Ik had er een tien voor.'

'Ze hadden je moeten opnemen. Ermal Fraze?'

'Ermal Fraze,' zei ze en ze knikte. 'Van de lagere school. Volgens mijn moeder hing daar een gedenkbordje met zijn naam. Op haar erewoord.' De treden kwamen uit op een breed plateau dat uitkeek over de stroomversnellingen en het rustiger water erachter. De ingang van de Grot van het Wonder lag half verscholen achter jonge suikerahorns, natgroen van de regen. Aan de kale kalksteen erboven kleefden golvende, aangekoekte lagen zand en mos, glibberig en modderig. De ingang zelf was afgescheiden met zulke oude planken dat ze haast niet te onderscheiden waren van de rots eromheen. Er hingen nog resten van een zware houten deur, maar die was lang geleden uit de scharnieren getrokken. Er hing net zo'n bordje als boven de toegangspoort, maar dan kleiner, met takken die op triplex gespijkerd waren. De streep van de d in Wonder ontbrak, zodat er stond: GROT VAN HET WONCER. Regenwater stroomde de vierkante bielzen treden af de diepte in. Er was een leuning van grijs, dood en verrot sparrenhout.

'Ziet er nat uit,' zei Hilts.

'Dat komt doordat het regent,' antwoordde Finn. 'Binnen zal het wel droger zijn.'

'Ik help het je hopen.'

'Ga je mee of niet?'

'Na u.'

Finn daalde voorzichtig de treden af, zich vasthoudend aan de leuning. Hilts kwam vlak achter haar aan. Toen ze door de ingang stapte, knipte hij de zaklamp aan. Voor hen lagen nog meer treden en een doolhof van steun- en plafondbalken. De treden leidden de duisternis in. Het leek meer op een verlaten mijnschacht dan een heilige grot. Tot dusverre had ze niets gezien wat in de verste verte religieus leek. In gedachten deed ze wilde pogingen om een verband te zien tussen een oude kalksteengrot aan de oevers van een bulderende rivier in Zuid-Illinois en een gouden medaillon op een gemummificeerd lijk in de Libische woestijn.

Gezien de activiteiten van Adamson en zijn collega's was dat verband niet denkbeeldig, sterker nog, het was zo concreet als wat. Concreet genoeg om voor te moorden, zelfs meer dan eens.

De trap leidde naar een kronkelend looppad door een reeks kamertjes, holtes die nauwelijks de naam 'spelonk' verdienden, laat staan 'grot'. Zo te zien had de rivier de Winter of een zijstroom daarvan ooit door de rotsen heen gelopen en er langzaam een smalle geul in uitgesleten, die bijna nergens breder dan een armlengte was. Overal langs het looppad waren stalactieten, stalagmieten en lava-achtige tafels van aangegroeide steen, maar voor Finn, die was opgegroeid in een wereld van Maya-tombes en ondergrondse archeologische vindplaatsen, stelde de Grot van het Wonder in Rutgers Bluff niet veel voor. Zomaar een grot, een bezienswaardigheid langs de kant van de weg, net zoals het reusachtige betonnen ei dat ze ooit in Indiana in het plaatsje Mentone had gezien, of de zeven verdiepingen hoge betonnen standbeelden van Jezus in Arkansas. Wat bevond zich hier dat de uitkomst van de Tweede Wereldoorlog had kunnen beïnvloeden, of interessant zou zijn voor wie ook in het Vaticaan? Het was absurd.

'Daar,' zei Hilts.

'Wat?' vroeg ze, stilstaand toen zijn stem haar uit haar gedachten haalde. Hij knipte de zaklamp uit. Plotseling werd de nauwe, gewelfde grot waarin ze stonden opgesierd door groene, glanzende plaatjes.

'Lichtgevende sleutelhangers,' zei Hilts. Een Jezus met bolle ogen keek vanaf een stalactiet op hen neer. Maria zat te bidden bij een stenen vijver. Vissen met haaientanden en guppiestaarten zwommen over het plafond. Een afbeelding van de bergrede was afgebeeld op de bobbels en knobbels van de rotswand, en op de muren stonden onhandig geschilderde Bijbelspreuken.

'Het lijkt het spookhuis in Disneyworld wel,' zei Finn. 'Maar dan met God als spook.'

'Het is afgrijselijk,' zei Hilts met grote ogen. Ze liepen verder over het looppad naar de volgende grot. Die was ongeveer zo groot als een voorportaal en even opwindend. Hij was ook grotesk. Op het gewelfde, ongelijke plafond was een reusachtig Laatste Avondmaal afgebeeld, als een grote picknicktafel in de lucht, met apostelen, engeltjes, wolken en Judas met een Dracula-kapsel: een ingewikkeld verhaal als een nachtmerrie van William Blake, smakeloos, talentloos en zonder veel achtergrondkennis geschilderd. Jezus keek naar links in plaats van naar rechts, Simon had lang haar in plaats van een kaal hoofd, er stond een kelk voor Jezus waar die niet hoorde. En er waren dertien discipelen, geen twaalf.

Dat is interessant, dacht Finn. Iedere ongeletterde pummel die een klein beetje christelijk was in dit land wist dat er twaalf apostelen waren, al kon bijna niemand die geen priester of dominee was ze opnoemen. Zelf was ze gespecialiseerd in religieuze kunst uit de renaissance en ze wist niet eens zeker of zij dat kon. Ze keek omhoog naar het gigantische, foeilelijke maal dat boven haar over het druipende stenen plafond golfde en telde ze af in haar hoofd, van links naar rechts: Bartolomeüs, Jacobus de Mindere en Andreas, Judas, Petrus en Johannes of Maria Magdalena, als je van Dan Brown hield. Vervolgens Thomas, Jacobus de Meerdere en Filippus, dan Matteüs, Judas en ten slotte Simon. Dus wie was die dertiende figuur, die naast Simon opdoemde in deze afschuwelijke weergave van het beroemdste schilderij ter wereld en de op een na beroemdste maaltijd uit de literatuur? Ze staarde. Er waren weinig details te zien aan de tweeënhalve meter hoge figuur op de met slijm bedekte rotswand, die nog glibberiger werd van de regen die naar binnen sijpelde. Het was een man in een lang gewaad, met een baard, één arm langs zijn zij. De andere arm was opgeheven en wees naar... wat?

'Die laatste figuur rechts?'

'Die wijst?'

'Ja, die.'

'Wat is daarmee?'

'Waar wijst hij precies naar? Kun jij dat zien?'

'Volgens mij naar een soort gordijn, daar in de hoek,' antwoordde Hilts, die met zijn zaklamp wees. Aan een kant van de ruimte was ooit een flinke hoeveelheid kalksteenhoudend water neergedruppeld, in een soort poel. Toen het water zich uit de grot had teruggetrokken of weggepompt was, bleef er een vloeiende stenen waterval over, een vorm van druipsteen die ook wel een gordijn van Baldacchino genoemd wordt.

'Ik wil daar even kijken,' zei Finn. Ze gleed onder de reling van het looppad door en stapte voorzichtig op de natte grotbodem. Het koude water kwam tot haar enkels. Uitglijden was nu geen optie.

'Waarom?'

Dat wist ze nog steeds niet precies, maar ineens riep er iets naar haar vanuit haar verre kindertijd. De opwinding om de geheime kastdeur naar Narnia te openen, Merlijns kristallen grot te betreden, in Dr. Who's telefooncel te stappen of Ray Bradbury's Green Town te betreden. Dat laatste lag trouwens ook in Illinois, als ze het zich goed herinnerde.

'Wist je dat dit deel van Illinois Klein Egypte genoemd wordt, maar dat niemand weet waarom?' riep ze. Haar stem had een echo in het halfduister. Ze bleef zorgvuldig in de lichtkegel van Hilts' zaklamp en concentreerde zich op de glibberige bodem.

'Dat wist ik niet, nee,' zei Hilts. Hij liep achter haar aan het houten looppad af.

'Volgens sommigen is dat omdat Zuid-Illinois in de slechte winter van 1830-1831 veel graan aan het noorden geleverd heeft, maar volgens anderen omdat de samenloop van de rivieren de Mississippi en de Missouri aan de Nijldelta doet denken. Om een of andere reden hebben ze de steden hier veel Egyptische namen gegeven: Cairo, Karnak, Dongola en Thebes. Zelfs Memphis, als je zover wilt gaan. En ze hebben zelfs een grote glazen piramide als basketbalstadion.'

'Ik geloof dat ik niet helemaal begrijp waar je heen wilt.'

'Waar zou je in een Katholieke Kerk een kaars verstoppen?'

'Tussen de andere kaarsen.'

'Precies,' zei ze. Ze was bij het druipsteengordijn, hield zich vast en gleed naar de zijkant.

'Wat is er?' vroeg Hilts die voorzichtig achter haar aan kwam.

'Ik denk dat ik hem gevonden heb,' fluisterde ze.

'Wat dan?'

'De kaars.' Ze schoof een halve meter naar rechts en verdween voor zijn ogen. Hilts staarde ongelovig en liet het licht over de watervalachtige, oeroude steenformatie spelen. Ze was nergens te bekennen.

'Waar ben je?'

'Recht voor je,' zei haar lichaamsloze stem. Plotseling was ze er weer. Haar vrolijke gezicht en natte, geverfde piekhaar glansden in het licht van de zaklamp.

'Hoe deed je dat?'

'Dit is toch de Grot van het Wonder? Dat was een wonder.'

'Laat eens zien.'

'Geef mij de lamp maar en houd mijn hand vast.'

Hij legde zijn hand in de hare en kneep erin. Ze kneep terug en hij gaf haar de zaklamp. Plotseling werd de grot in totale, blinde duisternis gehuld. Ze trok aan zijn hand en hij schoof samen met haar achter het gordijn.

Hilts ontdekte dat hij in een verstikkend kleine doorgang direct achter het gordijn van druipsteen stond. De ruimte was zo nauw dat hij aan zijn voor- en achterkant tegelijk natte rots voelde. Hij zat in een gruwelijke kruipruimte: een barst in de wereld.

'Godsamme.'

'Niet bang zijn.' Een klik weerklonk in de verstikkende ruimte. Het licht gleed naar rechts en hij zag dat de nauwe doorgang rechtsaf ging. Hij had niet eens genoeg ruimte om zich om te draaien.

'Dat meen je niet.'

'Kom op.'

Ze schuifelde door de nauwe doorgang naar rechts en hij moest haar wel volgen of alleen achterblijven in het donker. Hoe verder hij kwam, hoe harder zijn hart in zijn keel klopte. Hij dacht aan honderd mogelijke problemen: een instorting, nog meer regen, modder, helemaal klem komen te zitten, muurvast. Je reinste freudiaans/jungiaans/Stephen King-gedoe: de verschrikkelijke, angstaanjagende nachtmerrie om levend begraven te worden, het korte moment van spanning als de trein een tunnel induikt onder een berg van verstikkende rots.

Hij schuifelde verder en concentreerde zich op het gevoel van de zachte kussentjes op haar handpalm en haar vingers om de zijne. Ze was zo klein en tenger als een kind, maar er zat een felheid in haar die hij eerder associeerde met een drilsergeant. Momenten als deze leken al haar kracht in haar boven te halen, een ijzeren kern die bestand was tegen het ergste wat mens of natuur in petto had. Overlevingsinstinct. Iets in haar DNA van miljoenen jaar oud.

'Kijk,' fluisterde ze. Hilts besefte ineens dat hij met stijf dichtgeknepen ogen voortschuifelde. Hij deed ze open. Recht voor hem leek de tunnel breder te worden. Finn raakte met haar vrije hand de rotsen boven haar hoofd aan.

'Dit is bewerkt,' zei ze.

'Bewerkt?'

'Dit is niet natuurlijk. Door mensen gemaakt.' Ze schoof nog een halve meter verder en Hilts kreeg het gevoel dat hij uit de gevangenis bevrijd werd. Hij had weer ruimte om te bewegen. De tunnel gaf hem aan weerszijden minstens dertig centimeter speling.

Hij zag dat ze gelijk had. In het bleke licht van de zaklantaarn waren de sporen in de rotswand duidelijk te zien. Iemand had een tunnel uitgehakt in dit van god verlaten gat in de grond. Ze kwamen nu vlotter vooruit en ontdekten dat de tunnel langzaam afboog naar beneden. Soms was er een stuk natuurlijke, onbewerkte steen te zien: degene die dit had gemaakt, had de loop van een natuurlijke spleet gevolgd. Hilts dacht aan het gordijn van druipsteen in de grot ver achter hem. Hij bedacht dat hier vroeger misschien een stroom of bron had gelopen. Finn was het met hem eens.

Ze liepen een uur. Hilts begon met verlangen terug te denken aan de enorme Heartland Big Slamble, of hoe het wegrestaurant die ochtend ook geheten had. Een kop van de smerigste koffie ter wereld, dat zou op dit moment pas echt een wonder geweest zijn. De regen en de constante kilte van zeven graden in de grotten sloegen op zijn botten. De claustrofobie was wat minder, maar nog niet helemaal verdwenen. Een uur heen betekende straks ook een uur terug, als ze dezelfde weg terug moesten nemen, en zijn verbeelding verzon wanhopige, duistere horrorverhalen. Tot dusverre waren er in elk geval geen vleermuizen of andere vormen van ondergronds wild, de hemel zij dank. Hilts was geen liefhebber van dingen die je de rillingen bezorgden: woestijnen waren zijn specialiteit, niet regengoten. En toen hield het nauwe pad in één keer op. Licht.

'Mijn god!' fluisterde Finn toen ze uit de tunnel stapte.

'Jezus!' zei Hilts.

Ze hadden allebei gelijk.

De koepel rees op in een grote, elegante welving van steen, minstens dertig meter boven hen vanaf waar zij stonden en nog anderhalf keer zo hoog vanaf de bodem van de gigantische grot. Uit duizend nissen viel het licht helder en geheimzinnig neer op tienduizend figuren, die allemaal waren uitgehakt door de beste Egyptische steenhouwers tijdens een heel leven in de wildernis, meer dan duizend jaar geleden. Het was groter dan de Sixtijnse Kapel, hoger dan de Sint-Pieter: geen mens had zich ooit zoiets in één leven kunnen voorstellen, laat staan bouwen. Elke engel, aartsvader en heilige was afgebeeld, alle geheimen en grootsheden vanaf de advent tot de wederopstanding, van het paradijs tot de ark. Alles wervelde in een verbijsterende draaikolk van levende kunst omhoog, naar de hemel. Het was meer dan adembenemend. Meer dan ontzagwekkend. Een geschenk van uiterste schoonheid, zonder het minste spoor van wraakzucht of vergelding, goddelijk of anderszins. In de rotswand onder in de enorme ruimte waren kleine grotten uitgehold. Sommige hadden nog zware houten deuren, andere waren hol en open, als lege oogkassen. Cellen. Ooit, heel lang geleden, was deze plek bewoond geweest. Nu was het een enorme grafkelder, gebouwd voor de eeuwigheid, ongezien.

Finn en Hilts stonden er als versteend bij, perplex van de onvoorstelbare afmetingen van wat ze zagen. Ze voelden zich klein naast dit monument, waar het Vrijheidsbeeld in New York honderd keer in zou passen en waarbij zelfs Mount Rushmore in het niet viel.

'Wat is dit?' fluisterde Finn. Ze ontdekte een trap die was uitgehakt in de steen voor haar en liep langzaam naar de bodem van de immense grot, hoofd achterover, haar nek onder het lopen uitrekkend. Als de Grote Piramide in Giza hol was geweest, had die er misschien zo uitgezien. Een wereld binnen in een wereld.

'Vroeger, in de dagen van Thomas Woodward, noemde men dit Jeremia's Grot,' galmde een stem door de enorme ruimte. Uit de schaduwen achter de koepel kwam een oude man tevoorschijn, die naar hen toe liep. 'Dat is natuurlijk een van de namen voor het Graf van Jezus. Dat is hier niet, maar het is interessant dat het idee hier nog steeds mee verbonden is.' Hij zocht zich tikkend met een stok een weg over de vloer, tussen hopen spullen en rekken met de ronde vazen met smalle halzen die leken op de aardewerken potten waarin in Qumran de Dode Zeerollen bewaard werden.

'Woodward ontdekte deze plek bij toeval, maar hij was een dronkenlap en een berucht zondaar en dus geloofde niemand hem. De Wachters hebben toen gewoon voor drank zijn stilzwijgen en medewerking gekocht.'

Finn staarde in het flakkerende halfduister terwijl de man dichterbij kwam. Hij was lang en maar een beetje gebogen, en hij leunde licht op een stevige stok. In zijn vrije hand droeg hij een leren, opgerolde bundel die met een gouden ketting zat dichtgebonden. Zijn haar was staalgrijs en kortgeknipt, haast militair. Hij droeg een oude corduroy broek en een donkerblauwe gebreide trui die van een schipper had kunnen zijn. Hij had oude laarzen met knopen aan zijn voeten en een stalen bril op zijn neus. Zijn stem was vlak en klonk alsof hij uit het Midwesten kwam, maar diep daaronder lag een spoor van iets anders. Een spoor van verre landen, lang geleden gezien. Met een verschrikkelijke steek in haar hart besefte Finn dat deze oude man haar aan haar vader deed denken.

'Wie bent u?'

'De laatste van de Wachters.'

'Wachters?'

'De Wachters van deze plek. De bewakers, zeg maar.' Hij glimlachte droevig. 'Ik ben min of meer de conciërge die het Ware Woord van Christus beschermt.'

'Ik begrijp het niet,' zei Hilts. 'Een plek als deze, midden in de wildernis. Het lijkt gewoon onmogelijk.'

'En de Libische woestijn dan? Dat is toch ook wildernis? En Jeruzalem was vanuit Rome gezien in de hoogtijdagen van het Romeinse Rijk net zo goed een gat van niks, het einde van de wereld zelfs. Voor Mozes was de Sinaï de wildernis. Voor een New Yorker is dit deel van Illinois nog steeds de wildernis. Einstein had gelijk, meneer Hilts: alles is relatief. Ik kan u exotische verhalen vertellen over de verloren vloot van de tempeliers, of over koning Salomo met zijn oceaanbevarende armada en zijn tempel, die precies is nagebouwd in de Sixtijnse Kapel. Over Nostradamos of over het nieuwe Jeruzalem dat uw krankzinnige vriend Adamson hoopt te stichten.'

'Dat is geen vriend van ons,' zei Finn.

'We zijn hier in elk geval eerder dan hij,' gromde Hilts.

'Niet echt,' zei de oude man. 'Hij is nu in Olney, een paar kilometer verderop, om uitrusting en informatie te verzamelen. Ik verwacht hem elk moment terug.'

'Hoe weet u dat?'

'Ik weet een heleboel, meneer Hilts. Over u en mijn oude vriend Arthur Simpson, de arme ziel. Over u en uw vader, mevrouw Ryan.' Hij glimlachte weer. 'Hoort bij mijn werk, zou u kunnen zeggen.'

Opnieuw hoorde Finn de vage sporen van een accent uit een ver verleden. Met een flits die haar de adem benam had ze het ineens. 'U bent die monnik. DeVaux.'

Hij knikte en glimlachte vermoeid.

'Pierre DeVaux, Peter Devereaux, tegenwoordig Paul Devers. Maar monnik ben ik nooit geweest, dat was maar een dekmantel. Wel altijd priester. Eeuwig priester.'

'En moordenaar,' zei Hilts. 'U hebt Pedrazzi vermoord. En als u dat niet bent in de *Acosta Star*, wie zat er dan in uw hut opgesloten?'

'De dood gaat vaak samen met geheimen, meneer Hilts. Pedrazzi probeerde mij te doden op die vreselijke plek in de woestijn. Hij had ontdekt wie ik was en wist dat ik nooit zou toestaan dat hij een dergelijk geheim doorspeelde aan een man als Mussolini, die het zou gebruiken als ruilmiddel in een of ander politiek spel. Hij wilde mij vermoorden; het was zelfverdediging.'

'En op het schip?' vroeg Finn.

'In die hut? Dat is Kerzner, de man die uw vader op me af stuurde om me te doden, mevrouw Ryan. De man die Adamsons grootvader gekocht en betaald heeft. De bisschop is nooit op komen dagen. We kunnen alleen maar aannemen dat hij bij de brand is omgekomen.'

'Hoe wist hij de locatie van deze plek?' vroeg Hilts.

'Van mij,' zei de oude man. 'Vlak voordat ik hem achterliet om te sterven. Het was zijn laatste wens.'

'U bent echt een klootzak,' zei Hilts met vertrekkende mond.

'Dat ook,' zei de oude man schouderophalend. 'De meesten van ons waren dat. Vondelingen, wezen. Het uitschot van het bestaan. Het leek een goede kweekbodem te zijn.'

'Van ons?' vroeg Finn.

'Van de Wachters.'

'Van deze plek?'

'Van wat die bevat.'

'Wat is dat dan?'

'Het Ware Woord.'
'Het Luciferevangelie.'
'Niet zozeer van Lucifer. Hij beschermde het alleen maar. Hij was de eerste Wachter ter wereld. Dit is zijn thuis.' Hij spreidde zijn armen uit en staarde naar boven, naar de oneindigheid van oprijzende steen.
'Ik kan het niet meer volgen,' zei Finn.
'Ik krijg hoofdpijn,' zei Hilts. 'Ik sta op een plek die niet zou moeten bestaan, verlicht door lampen die niet zouden moeten branden, te praten met een man die dood zou moeten zijn. Er klopt echt helemaal niets van.'
'Die lampen zijn duizend jaar geleden met spiegels gemaakt. De rots is door vrome mannen bewerkt, met veel zweet en eerlijk handwerk. En ik leef alleen nog maar om het geheim van deze plek te bewaren, tot die niet langer bewaard kan blijven.'
'En dan?' vroeg Finn zachtjes. 'Wat gebeurt er dan?'
'Dan zal ik het vernietigen,' zei de oude man eenvoudig.
'U bent gek,' zei Hilts.
'Misschien wel,' zei de oude man. 'Maar de tijd voor het woord van mannen als Christus is voorbij. Er zijn helaas nieuwe goden.' Hij hield het in leer gewikkelde bundeltje omhoog. 'Als de tijd rijp is, moet de Plaats der Geheimen vernietigd worden, samen met het Evangelie van het Licht. De instructies zijn heel duidelijk,' voegde hij er droevig aan toe.
'Maar waarom?' drong Finn aan. 'Waarom moet dit alles vernietigd worden?'
'Omdat niet één enkel persoon het geheim mag bezitten als het niet van iedereen kan zijn. Het licht is per slot van rekening bedoeld om te verhelderen. Het mag niet als machtsmiddel gebruikt worden.'
'Onthul het dan aan iedereen.'
'Alleen al de onthulling van het bestaan ervan zou ertegen gebruikt kunnen worden. Adamson en zijn mensen zullen het gebruiken om oproer te kraaien. Deze plek, Zijn Woord, is daar niet voor bedoeld. Kruistochten worden uitgevochten met bloed en wapens, niet met geloof en opoffering.'

Het plotselinge schot weerklonk in de ruimte als iets heel vreemds. De oude man was al geraakt voor ze de knal hoorden. Hij tolde op zijn benen en viel op de vloer van de reusachtige grot. Er volgde een reeks kleine ontploffingen, scherp en hard in hun oren, en toen, bijna alsof het een teken was, ging het licht in de enorme koepel uit en viel totale duisternis in. Niet veel later werd de duisternis doorboord door een stuk of zes heldergroene lichtstralen.

'Nachtkijkers,' fluisterde Hilts. Hij tastte rond over de vloer en vond de kreunende, opgerolde gedaante van de oude man.

'Bent u geraakt?' vroeg Finn.

'In mijn schouder. Ik overleef het wel,' zei Devereaux. 'Nog wel, in elk geval. Lang genoeg.'

'We moeten u hier weg zien te krijgen,' zei Hilts.

'U moet hier zelf weg, voor het te laat is.'

'U moet naar het ziekenhuis.'

'We zitten hier ruim zeventig meter onder de grond. Aan de andere kant van de grot ligt een doorgang naar de rivier de Winter, alleen afgescheiden door een dunne rotswand die ik kan vernietigen wanneer ik maar wil. Adamson denkt dat hij gewonnen heeft. Hij denkt dat hij getriomfeerd heeft. Hij denkt dat hij ten slotte de ultieme prijs in de wacht gesleept heeft en dat hij een heel land zal krijgen. Maar hij heeft niets. Alleen duisternis.'

'Pak zijn benen,' instrueerde Hilts. De groene lichtstralen draaiden nu overal om hen heen.

'Zinkgaten,' bracht de oude man hijgend uit terwijl ze hem over de vloer van de grot sleepten. 'Hij komt naar binnen door de oude ingangen.'

Plotseling bulderde Adamsons stem door de lucht, uit een megafoon.

'Ik weet niet hoe het jullie gelukt is, maar deze keer overleven jullie het niet!'

'Hij is krankzinnig!'

'Vertel mij wat,' zei Finn.

Ze slaagden er eindelijk in de wand van de grot te bereiken en gingen met hun rug tegen de gebogen stenen muur staan. Finn voelde dat de oude man haar bij de revers van haar jas greep.

'Jullie moeten hier weg.'

'Hoe dan?' vroeg Hilts.

'Door de Medusa-poort.'

'Wat is dat nou weer?'

'Boven alle cellen zijn maskers uitgehakt. Medusa was de schutsgodin van Lucifers Legioen. Zoek haar en dan weet je de weg.'

Er klonk een ruw geluid als van scheurende stof en boven hen ontplofte er een lichtkogel die de contouren van de koepel duidelijk zichtbaar maakte. Minstens tien mannen kwamen van boven uit de grot aan touwen naar beneden abseilen. Ze waren allemaal bewapend.

'Dáár!' brulde Adamson. Er klonk geweervuur. Kogels sloegen in de wanden naast hen.

Het felle, hete licht van de vuurkogel begon te doven. Finn zag iets.

'De Medusa!' Ze wees.

'Kom op, neem hem mee!' zei Hilts. Hij tilde de man weer onder zijn armen op. In het wegstervende licht van de vuurkogel keek Finn naar zijn wond. Die borrelde en zat lager op zijn romp dan de schouder. Een long, of erger.

'Laat me achter,' zei Devereaux zwakjes. 'Als jullie mij mee proberen te nemen, komen jullie niet weg. Ga!' droeg hij hun op.

'Dan halen we hulp,' zei Hilts.

'Schiet nu maar op!' zei de oude man.

Ze renden weg. De vuurkogel doofde helemaal en liet hen achter in het aardedonker, op de doordringende groene stralen na. Ze strompelden over de rotsachtige, ongelijke vloer van de grot.

'Als zo'n kerel ons in zijn lichtstraal vangt, zijn we er geweest,' zei Hilts.

Plotseling klonk er een scheurend geluid en knalde er licht in de lucht om hen heen. Daar, nog geen meter verder, lag de kleine, celachtige holte met de afbeelding van Medusa erboven, dezelfde als die op het medaillon.

'Rennen!' schreeuwde Hilts, en hij duwde Finn voor zich uit naar de donkere ingang. Ze keek achterom en zag de oude man onderuitgezakt tegen de muur van de gigantische, wonderbaarlijke plek zitten die hij jarenlang had bewaakt. Hij glimlachte.

Kogels vlogen als een zwerm boze horzels in het rond. Ze haastte zich de duisternis in, schoot met gebogen hoofd onder de afzichtelijke godin met het slangenkapsel door en struikelde de kleine grot binnen. Bij het licht van de volgende vuurkogel zag ze dat het helemaal geen cel was, maar de voet van een stenen trap die omhoog leidde.

'Klimmen!' brulde Hilts.

Ze ging snel naar de trap en begon zich omhoog te werken, met de fotograaf vlak achter zich. Zijn adem werd ruw en raspend terwijl ze voortploeterden.

Minuten verstreken en nog steeds klommen ze. Diep onder hen hoorden ze het verschrikkelijke geluid van nog meer voetstappen op de stenen. Toen, met een afschuwelijk geluid alsof het middelpunt van de aarde onder hun voeten brak, klonk er een geraas en duwde een luchtstroom hen voort als de wind in een tunnel.

'Wat was dat?'

'Doorlopen!'

Ze klommen hoger maar het stormachtige gebrul werd gestaag luider. Het haalde hen in, een gruwel van rots en puin die hen opslokte in zijn verstikkende buik en hen in een kolkende stroom omhoogduwde en met hamerende kracht tegen de stenen muren langs de trap sloeg. De ijskoude vloed duwde hen voort als een stormram en spoog hen uiteindelijk in een fontein van water uit op een koude, stenen vloer. Hijgend en naar adem snakkend gingen ze op hun knieën zitten. Steeds meer water kwam van beneden stromen, en de ruimte waarin ze zaten begon onder te lopen.

'Waar zijn we?' vroeg Finn hijgend. Ze hees zich overeind, zich optrekkend aan Hilts.

'Een soort kelder,' zei hij hoestend terwijl hij rondkeek. Hij wees naar de kolkende watervloed die steeds hoger kwam langs de muren. 'Een trap!' Hij pakte haar hand, ze waadden naar de trap en beklommen die. Bovenaan was een eenvoudige houten deur. Hilts duwde hem open en ze stapten een bedompt ruikende boerenkeuken in. In de hoek stond een houtfornuis en in het midden van de ruimte een ruwhouten tafel met een paar oude stoelen. Door een smerig raam keek Finn uit op de regenachtige parkeerplaats van de Grot van het Wonder. Ze waren in de keuken van de oude, bouwvallige boerderij.

'Ik denk dat de oude man hierlangs naar binnen en buiten ging,' zei Hilts. Hij liet zich op een van de stoelen vallen. 'Godzijdank is het voorbij.'

'Ik zou er nog maar niet te veel van genieten,' zei Finn ineens. Er klonk een gevaarlijk gekraak om hen heen, en de vloer zakte met een ruk scheef en begon te golven alsof ze midden in een aardbeving zaten. Hilts stond weer op. Het plafond boven hen scheurde. Pleisterwerk viel neer. De vloer zakte verder scheef en het raam versplinterde toen het kozijn uit het sponningen gedrukt werd.

Ze renden naar de deur van de doorzakkende veranda en waren nog niet buiten of het dak stortte met een donderend geraas achter hen in. Het oude huis ging tegen de grond. Ze renden naar buiten, de regen in, en zagen de grond onder hun voeten scheuren. Er verschenen enorme kloven in de aarde. In de lucht donderden de geluiden van de grot die zichzelf vernietigde.

'De loop van de rivier verandert helemaal,' fluisterde Finn. 'We moeten hier weg!'

Ze renden naar hun auto aan de rand van het parkeerterrein. Ze waren er nog maar net toen de grond zich voor hun ogen opende en de oude schoolbus opslokte. Hilts sprong achter het stuur, rommelde onhandig met het sleuteltje en kreeg toen de auto eindelijk gestart. Hij zette de automaat in 'drive', gaf gas en ze scheurden ervandoor. Ze bereikten de poort ongeveer een seconde voordat die instortte, reden toen de landweg op en waren weg. Terwijl de Grot van het Wonder achter hen overstroomde, liet Finn haar hoofd uitgeput tegen de hoofdsteun vallen. Toen ging ze plotseling met een frons rechtop zitten.

'Wat is er?' vroeg Hilts.

Ze stak een hand in haar jaszak en haalde er de lederen bundel uit die Devereaux bij zich had gehad. Ze maakte de ketting los en zag dat er een medaillon aan hing, precies zo een als ze op Pedrazzi's lijk gevonden hadden. Ze maakte een stukje van het leer los en zag wat erin zat. Een boekrol op metaal. Het koper was oeroud, groen en geoxideerd, maar het spijkerschrift was nog duidelijk leesbaar. 'Het laatste Luciferevangelie.'

'Dat moet hij in mijn jaszak gestopt hebben toen hij me vastgreep,' fluisterde ze hees. 'Ik heb het helemaal niet gemerkt.'

'En nu?' vroeg Hilts onder het rijden.

Finn liet vermoeid haar hoofd terugvallen en deed haar ogen dicht. Wie wist wat er in de rol stond? Welke belofte, welke woorden, welke macht?

'Ik heb een idee.' Ze glimlachte.

Epiloog

Finn stond op het promenadedek van de *Freedom of the Seas* tegen de railing geleund en keek toe hoe het gladde, groene Caribische water uiteenweek voor de enorme massa van het 158.000 ton zware schip. Ze vond het enorme gevaarte eigenlijk nauwelijks nog een schip, al zat er dan één relatief puntige en een min of meer afgeronde kant aan.

Ze wist dat het ouderwets van haar was, maar zij vond dat er een gevoel van reizen en avontuur moest uitgaan van een schip, in plaats van een reusachtig en topzwaar excuus te zijn voor klimwanden, golfslagbaden en enorme drijvende winkelcentra. Dit schip had zelfs een eigen televisiestation, dat regelmatig leerzame programma's uitzond over hoeveel fooi je de verschillende bemanningsleden moest geven.

Finn, die zich nog kon herinneren dat ze met haar ouders de Atlantische Oceaan overgestoken was op de statige en elegante *Queen Elizabeth II*, was niet erg onder de indruk van een schip met de scheepsarchitectuur van een doos cornflakes en de marketingstijl van Wal-Mart. Als een schip als dit ooit op een ijsberg zou varen, zou het niet zinken, maar als stukjes lego uit elkaar vallen.

Maar dit was de enige manier om te doen wat ze wilde, en het had hun een excuus gegeven om Lloyd Terco, Tucker Noe en Lyman Mills op Hollaback Cay op te zoeken voor ze vanuit Nassau met de *Freedom* vertrokken, op diens eerste tocht langs de eilanden na zijn recente doop. Ze dreven nu hoog boven de Tong van de Oceaan.

Finn vroeg zich af hoeveel van de mensen die hier aan boord hun creditcards uitputten een flauw benul hadden van de diepte van het water onder de dunne metalen wand van het grote witte schip. Nog geen twee meter Fins aluminium en plaatijzer scheidden hen van drie kilometer diep wegzinken in de vergetelheid.

Ze staarde uit over het heldere wateroppervlak en dacht aan de met zeewier en koraal beklede geest van de *Acosta Star*, die niet veel verderop met al haar geheimen en doden verborgen lag onder de rollende oceaan. Zou de *Freedom of the Seas* net zo'n einde kennen, een waardig zeemansgraf? Waarschijnlijk niet. Over een paar jaar, als de domme nieuwigheden van dit schip uit de tijd raakten en niet langer kosteneffectief waren, werd het waarschijnlijk als oud metaal in stukjes gehakt op het Indiase strand in Alang, het grote en verschrikkelijke kerkhof voor afgedankte schepen.

Ze voelde de zachte Caribische wind op haar wangen en dacht even aan Devereaux, haar vader en de arme oude Arthur Simpson, die vermoord was teruggevonden in een greppel in Over the Hill, een gevaarlijk en guur deel van Nassau waar een oude blanke man niets te zoeken had. Zijn keel was doorgesneden en zijn portemonnee en horloge waren gestolen, maar Finn wist bijna zeker dat hij ten prooi was gevallen aan Adamsons zware jongens.

Over Adamsons eigen verdwijning en dood hadden ze niets gehoord, op een persbericht na dat liet weten dat de miljardair-zakenman verdwaald was tijdens een zandstorm bij de opgravingen in Libië. Er werd niets gezegd over het Luciferevangelie of Finn en Hilts' rol bij de ontdekking daarvan. Volgens haar vriend Michael Valentine in New York was hun betrokkenheid bij de dood van Vergadora in Italië inmiddels vergeten, na verklaard te zijn als een kwestie van persoonsverwisseling. Hilts was er natuurlijk van overtuigd dat Mickey Hearts Italiaanse connecties iets met hun rehabilitatie te maken hadden.

'Hé,' zei Hilts, die naast haar aan de railing kwam staan. 'Ben je er klaar voor?'

'Bijna,' zei ze en ze knikte met een glimlach.

'Weet je zeker dat je het wilt doen?' vroeg haar vriend. Hij had een bezorgde uitdrukking op zijn knappe gezicht. Zijn ogen gingen schuil achter de amberkleurige lenzen van zijn zonnebril, maar hij fronste zijn wenkbrauwen. 'We hebben het hier wel over een ongelooflijk kostbaar historisch artefact.'

'Devereaux had gelijk,' zei ze zachtjes. 'Als iemand het evangelie of een deel ervan te pakken krijgt, zal het altijd in verkeerde handen zijn.' In het zwembad achter haar probeerde een twaalfjarig meisje in bikini op een surfplank in de kunstmatige golfslag te klimmen. De golven klonken als een wasmachine die tot leven kwam. 'Sommige geheimen moeten geheim blijven. Sommige mysteries moeten mysteries blijven.'

'Waarom heeft hij het dan aan jou gegeven?' vroeg Hilts.

'Om mij de keuze te laten maken. Om mij de kans te geven om te doen wat goed is.' Ze haalde haar schouders op. 'Misschien wilde hij dat iemand anders de definitieve beslissing nam.'

'Dan ben jij dus de laatste Wachter,' zei Hilts.

Finn haalde de in leer gewikkelde rol met de gouden ketting erom uit haar tas. Ze hield hem even stevig vast en slingerde de bundel toen met een snelle beweging de lucht in, zo hoog als ze kon. Samen keken ze toe terwijl hij door de heldere ochtendlucht vloog, het oppervlak van de smaragden zee raakte en onder de golven verdween.

'Nu niet meer,' zei ze ten slotte. 'Nu niet meer.'

Dankbetuiging

Veel dank aan Kara Welsh en Claire Zion en natuurlijk aan mijn ongeëvenaarde redacteur Brent Howard. Het ga jullie goed.